MÉNON

*Œuvres de Platon
dans la même collection*

PLATON

MÉNON

Traduction inédite
introduction et notes
par
Monique CANTO-SPERBER

Publié avec le concours
du Centre national des Lettres

GF Flammarion

On trouvera, pages 115-121, une Bibliographie, où une description complète des ouvrages et articles cités est donnée ; on trouvera également, en fin de volume, deux annexes, un tableau généalogique, deux cartes, une chronologie, un index des noms propres et un index des noms communs.

2e édition corrigée et mise à jour, 1993.
© 1991, FLAMMARION, Paris, pour cette édition.
ISBN 2-08-070491-5

REMERCIEMENTS

Les encouragements, critiques, suggestions que j'ai reçus de la part d'amis et de collègues, au cours de ce travail sur le Ménon, ont été trop nombreux pour que je puisse remercier ici tous ceux sans l'aide desquels cet ouvrage n'aurait pu être achevé. Mais que Bernard Besnier, Luc Brisson, Jacques Brunschwig, Frédéric de Buzon, Monique Dixsaut, Pierre Pellegrin, Dan Sperber, Gregory Vlastos soient ici vivement remerciés pour la précision de leur lecture et la vivacité de leurs critiques. Que tous les participants aux deux journées d'étude franco-britanniques, sur Les Problèmes platoniciens de la connaissance : à partir du *Ménon* et du *Théétète, qui eurent lieu à la Sorbonne les 26 et 27 janvier 1990, reçoivent ici l'expression de ma gratitude, en particulier Jonathan Barnes, Lesley Brown, Myles Burnyeat et Dominic Scott, et aussi Pierre Aubenque, Rémi Brague, André Laks, Michel Narcy, Denis O'Brien, Jean Pépin et Gilbert Romeyer Dherbey.*

INTRODUCTION

« Comment devenir vertueux ? » Cette question qui
ouvre le *Ménon,* dialogue que Platon écrivit vers les
années 380 avant Jésus-Christ, au moment où il
accédait à la pleine maturité de sa pensée et de son
œuvre, exprime un des plus fameux sujets de doute et
d'interrogation du monde grec classique. Dans le
dialogue de Platon, la question de savoir si la vertu
s'enseigne est posée à Socrate par Ménon, un jeune
noble thessalien en visite à Athènes. Mais dès les
premières tentatives de réponse, il apparaît que Ménon
et Socrate ne conçoivent pas de la même façon la vertu
de l'homme vertueux. En effet, la vertu, est-ce la
qualité propre de la civilisation grecque, l'*areté,* l'excellence du citoyen ou le talent de l'homme politique ? Ou
bien est-ce la vertu telle que l'entend Socrate, subor-
donnée au plus strict exercice de la justice ? Et
jusqu'où ces deux idées de la vertu divergent-elles,
quelles conséquences entraînent-elles, quelle vie
d'homme en résulte ? Le *Ménon* nous fait voir, avec un
grand détail et en ses multiples aspects, l'opposition de
ces deux conceptions du bien et de la réussite humaine.

Mais le *Ménon* est aussi un des textes fondateurs de
la philosophie de la connaissance. Si un des premiers
problèmes abordés dans le dialogue est de savoir
comment connaître la vertu, on en vient rapidement à

demander comment définir une chose quelconque, s'il
est possible de chercher ce qu'on ne connaît pas, ou si
l'on peut ne rien savoir de l'objet qu'on cherche. Les
réponses que Platon apporte à ces questions sont
restées fameuses auprès de nombreux philosophes
depuis l'Antiquité jusqu'à nous[1]. Car c'est dans le
Ménon, pour la première fois, que l'idée d'une connaissance prénatale qui appartienne à l'âme indépendamment de tout apprentissage, est exposée de façon
systématique et argumentée. Un des traits les plus
singuliers de cette connaissance étant d'inclure la
totalité du savoir auquel l'âme, une fois incarnée, aura
accès. « Dans ce que Platon appelle *Réminiscence,*
disait Leibniz, il y a quelque chose de solide et même
plus, car nous n'avons pas seulement une conscience
de toutes nos pensées passées, mais encore un pressen-
timent de toutes nos pensées futures[2]. » La certitude
que nous avons de l'existence d'une telle connaissance
antérieure fait de nous des êtres pour qui l'acte de
chercher est une nécessité, la première tâche de la
pensée. Puisque nous savons aussi qu'au terme du
processus de la réminiscence ou de l'*anámnēsis,* le
rappel à la conscience des vérités possédées de façon
latente par l'âme est possible, nous disposons de toute

---

1. Il est fait allusion au *Ménon* en *Phédon* 72e-73a (pour la
Réminiscence). Pour l'influence que ce texte a eue chez les Anciens,
indiquons qu'il est explicitement cité par Aristote dans les *Premiers
Analytiques* II 67a21 (pour 81d) et dans les *Seconds Analytiques* I, 1,
71a30 – b9. (pour 80d), et sans doute implicitement en *Politique* I,
13, 1259b35 (sur la vertu de l'esclave) et en *Premiers Analytiques* II,
25, 69a20. Par ailleurs, l'authenticité du *Ménon* n'a jamais été
réellement contestée. Le *Ménon* pourrait dire ce que l'*Anthologie
Palatine* (IX, 358) fait répondre au *Phédon* : « Si Platon ne m'a pas
écrit, alors il y a deux Platon. » Sur l'intérêt dont témoignent les
auteurs modernes pour ce dialogue, voir *Les Paradoxes de la
connaissance,* dir. Monique Canto-Sperber, Paris, Odile Jacob, 1991
(cité plus bas *PC*).

2. *Sur l'Essai de l'entendement humain de Monsieur Locke,* in *Die
philosophische Schriften von G. W. Leibniz,* éd. Gerhardt, 1882, V,
16.

l'assurance requise pour chercher à connaître davantage, pour étendre notre connaissance, pour la transmettre, pour l'enseigner surtout.

Le *Ménon* est enfin la dernière défense de Socrate
que Platon ait écrite. Ce dialogue évoque avec un
réalisme extrême les menaces qui pesaient sur Socrate
quelques années avant sa mort ; il restitue pour nous
un étonnant face-à-face entre Socrate et Anytos[3],
l'instigateur du procès où Socrate devait être
condamné à mort. Mais en dépit de l'évocation constamment faite dans le *Ménon* des thèses et convictions
de son maître, Platon a sans doute écrit là son premier
dialogue qui ne soit déjà plus un dialogue socratique.
Car des thèmes absents des dialogues précédents, et
qui se retrouveront souvent dans les œuvres ultérieures[4], apparaissent ici pour la première fois. Au
point que, dans le *Ménon*, on pourrait croire, derrière
Socrate, distinguer les traits de Platon. Certes, à la
manière des premiers dialogues que Platon a composés, on y voit encore Socrate réfuter fausses certitudes et vaines pensées, mais on l'entend parler aussi
de mathématiques, de figures et d'hypothèses.

Dans le *Ménon*, les problèmes sont aussi divers que
le propos est concentré : les questions logiques et
épistémologiques sont associées aux questions éthiques
et politiques. Et, peut-être davantage que les dialogues
plus achevés, le *Ménon* fait voir clairement ce qu'est le
travail de la pensée, l'approche d'une vérité dont on
connaît avec conviction la présence, mais dont on
ignore encore la forme. « Si le *Phédon* et le *Gorgias* sont
de nobles statues, le *Ménon* est un joyau[5]. »

---

3. Sur Anytos, cf. *infra*, pages 26, 33, 292 note 229.
4. Le *Ménon* serait le point tournant du développement philosophique de Platon, cf. Vlastos, *Mathematics and Elenchus*, 374, tr. fr.
PC, 1991.
5. J. S. Mill, in *Essays on Philosophy and the Classics*, in *Collected
Works*, vol. XI, ed. J. M. Robson, University of Toronto Press /
Routledge & Kegan Paul, 1963, 422.

LES ARGUMENTS DU MÉNON

Dans le *Ménon,* quatre personnages interviennent. Ménon et Socrate sont présents d'un bout à l'autre du dialogue. Un jeune garçon, serviteur de Ménon, et Anytos, l'hôte de Ménon à Athènes, apparaissent brièvement pour ne s'entretenir qu'avec Socrate.

I. MÉNON, SOCRATE

QU'EST-CE QUE LA VERTU ? LA RECHERCHE INFRUC-TUEUSE D'UNE DÉFINITION (70a-80d).

Ménon demande à Socrate si la vertu s'enseigne. Socrate refuse de répondre. Ignorant ce qu'est la vertu, il ne peut rien dire sur elle, mais invite Ménon à la définir (70a-71e).

1. La première définition de la vertu (71e-73c)

Ménon spécifie la vertu selon le sexe, la qualité, l'âge et l'activité. Il y a la vertu de l'homme libre, celle de la femme, etc. Mais Socrate récuse ces réponses qui ne présentent pas la forme distinctive propre à la vertu, élément identique dans tous les cas que Ménon a cités.

2. Deuxième définition de la vertu par Ménon (73c-d-75b)

« La vertu est la capacité de commander aux hommes. » Il s'agit, cette fois, d'un essai de définition unique et générale de la vertu. Mais Socrate souligne qu'une telle capacité de commander ne définit la vertu que si elle est exercée avec justice. Or, la justice étant une vertu parmi d'autres, la définition de Ménon est fautive en ce qu'elle se sert d'*une* vertu pour définir *la* vertu.

3. Modèles de définitions proposés par Socrate (75b-77a) :

a. Définitions de la figure (75b-76a) :

— La *figure* est la seule chose qui s'accompagne toujours de couleur. Ménon objecte qu'une telle définition fait usage d'une notion encore inconnue (la couleur) pour définir la figure. Socrate semble renoncer à cette définition.

— La *figure* est la limite du solide.

b. Définition de la couleur (76a-77a) :

— La *couleur* est un effluve de figures proportionné à l'organe de la vue et sensible.

4. Troisième définition de la vertu par Ménon (77b-80d)

La vertu, selon cette nouvelle définition de Ménon, consiste dans 1. le désir des belles choses joint au 2. pouvoir de se les procurer.

Socrate remarque : 1′. que tout être humain a le désir des belles choses ; 2′. que l'exercice du pouvoir n'est vertu que s'il est accompagné d'une des vertus (comme la justice, la tempérance, le courage, etc.) ; de nouveau, Ménon définit la vertu en général en se servant d'une vertu particulière.

Il faut reprendre l'enquête au point de départ : *qu'est-ce que la vertu ?* Ménon avoue ne plus savoir quoi répondre et accuse Socrate de l'avoir ensorcelé.

II. MÉNON, SOCRATE, LE JEUNE GARÇON

L'ARGUMENT ÉRISTIQUE DE MÉNON. LA SOLUTION SOCRATIQUE DE LA RÉMINISCENCE ET SA VÉRIFICATION (80d-86c).

1. L'« argument éristique » de Ménon (80d-81a)

Ménon tente de montrer à Socrate qu'il ne lui sera jamais possible de chercher ce dont il ne sait absolument pas ce que c'est.

2. La solution socratique de la Réminiscence (81a-82b)

Socrate rappelle une doctrine, selon laquelle l'âme est immortelle et a acquis antérieurement la connaissance de toutes choses. A chaque incarnation de l'âme, cette connaissance devient latente, mais elle peut être restituée comme un souvenir. Apprendre une vérité consiste simplement à en avoir réminiscence.

3. Vérification de la Réminiscence (82b-86c)

Pour convaincre Ménon de la réalité de l'*anámnēsis* comme moyen de la recherche et de l'apprentissage, Socrate propose à un jeune garçon qui appartient à la suite de Ménon de construire le carré double d'un carré donné. Après deux fausses réponses, le garçon reconnaît ignorer la solution. En ne faisant rien que poser des questions au garçon, Socrate l'amène à découvrir que c'est sur la diagonale du carré donné que le carré double est construit.

Mais les bonnes réponses obtenues du jeune garçon ne sont qu'opinions vraies ; elles ne deviendront connaissances qu'au terme d'interrogations diverses et répétées. Puisque ces connaissances n'ont pas été apprises dans la vie présente, elles appartiennent à l'âme antérieurement à son incarnation. Cette certitude nous assure qu'il est nécessaire de chercher et qu'il est possible de découvrir.

III. MÉNON, SOCRATE

RETOUR À LA QUESTION DE L'ENSEIGNEMENT DE LA VERTU. L'EXAMEN À PARTIR D'UNE HYPOTHÈSE. LA VERTU EST-ELLE CONNAISSANCE ? (86c-89e)

1. Ménon pose de nouveau la question de l'enseignement de la vertu (86c-d)

2. L'examen à partir d'une hypothèse (86d-89e)

Socrate consent à rechercher si la vertu s'enseigne et

recommande de procéder en faisant une hypothèse sur la nature de la vertu.

Puisqu'il est évident que seule la connaissance s'enseigne, on admet que, si la vertu est connaissance, elle s'enseigne ; sinon, elle ne s'enseigne pas.

Considérant que la vertu est un bien et qu'elle est utile, considérant aussi que la raison est le seul principe de la réussite de toute action, on déduit que la vertu est la raison, et qu'elle s'enseigne.

Première conséquence : si la vertu s'enseigne, elle ne s'acquiert donc point par nature (89a-b).

Deuxième conséquence : si la vertu s'enseigne, il doit exister des maîtres qui l'enseignent et des élèves qui l'apprennent (89b-e).

IV. SOCRATE, ANYTOS, MÉNON

RECHERCHE DES MAÎTRES DE VERTU : COMMENT ACQUÉRIR LA VERTU ? (89e-96d)

1. Les sophistes, maîtres de vertu ? (89e-92e)

Socrate demande à Anytos, hôte de Ménon, s'il admet que les sophistes, qui déclarent enseigner la vertu et se font payer pour cela, l'enseignent réellement.

Anytos s'indigne et accuse les sophistes de corrompre les jeunes gens, au lieu d'enseigner la vertu. Mais il avoue ne connaître aucun sophiste et se montre incapable d'expliquer leur succès.

2. Les hommes politiques athéniens, maîtres de vertu ? (92e-95a)

Selon Anytos, les vrais maîtres de vertu sont les citoyens athéniens. Pourtant Anytos doit admettre que les plus brillants hommes politiques d'Athènes n'ont pas su enseigner leur vertu à leurs propres fils.

Anytos se retire furieux, reprochant à Socrate de médire des Athéniens.

3. Est-il impossible d'enseigner la vertu ? (95a-96d)

Ménon admet qu'il ne sait pas lui-même si la vertu s'enseigne. Socrate remarque alors que cette hésitation est partagée par beaucoup de gens (y compris les poètes et les hommes politiques). Or, si l'on ne peut trouver nulle part de maître de vertu, il est probable que la vertu ne s'enseigne pas.

V. SOCRATE, MÉNON

LA VERTU EST UNE OPINION VRAIE. DE LA DIFFÉRENCE ENTRE OPINION VRAIE ET CONNAISSANCE (96d-100c).

1. L'opinion vraie est également cause de la réussite de l'action (96d-97d)

Socrate souligne que la rectitude de l'action humaine n'est pas due seulement à la science, mais aussi à l'opinion vraie. L'homme qui connaît la route pour se rendre à Larisse ou celui qui s'en forme une opinion exacte sont également capables de se rendre à Larisse et d'y guider autrui.

2. Opinion vraie et connaissance (97d-98c)

Mais si l'opinion vraie est aussi utile que la science, elle n'est cependant ni stable ni assurée, à moins de se trouver liée par un raisonnement qui en donne l'explication, raisonnement produit par la réminiscence.

3. La vertu des hommes politiques : une opinion vraie issue d'une faveur divine (98c-100c)

La vertu des hommes politiques n'est donc due ni à la connaissance ni à la nature, mais à une faveur divine qui les inspire (tout en les privant de leur raison). Toutefois, s'il y avait, parmi les hommes politiques, un homme qui pût enseigner sa vertu, il serait, à l'instar du devin Tirésias dans le monde des morts, le seul être vraiment réel parmi les ombres.

ASPECTS HISTORIQUES
ET DRAMATIQUES DU *MÉNON*

I. LES PERSONNALITÉS DU *MÉNON*

1. MÉNON

Le jeune et noble Ménon, séjournant à Athènes, dans ces dernières années du Ve siècle, a « quelque chose d'un riche prince russe en visite à Paris au milieu du XVIIIe siècle [6] ». En effet, Ménon, originaire de Pharsale, vient de la ville la plus riche de l'opulente Thessalie, province située dans la région nord de la Grèce [7]. Mais le jeune homme dont Platon a fait l'interlocuteur de Socrate dans le dialogue qui porte son nom est également un personnage historique. Nous disposons de nombreuses informations et témoignages le concernant. Le portrait qu'en donne Platon est sans doute le plus bienveillant de ceux que nous ont laissés les auteurs de l'Antiquité.

Ménon, personnage dramatique

Au moment de la rencontre que dépeint le *Ménon*, Ménon est jeune, mais il n'est plus un adolescent (76b), il doit avoir entre 18 et 20 ans. Il est riche et a de nombreux serviteurs (82a) [8]. Platon nous rappelle aussi

---

6. D'après Thompson XIII.
7. Que Ménon vienne de Pharsale est confirmé par Diogène Laërce II, 50 ; l'appellation de *larisaios* que Diodore (XIV, 19) attribue à Ménon est sans fondement (cf. Morrison 75 n. 1). Sur la richesse de Pharsale : Théopompe, d'après Athénée, *Le Banquet des Sophistes* XII, 527a, et E. Meyer, *Theopompe Hellenika, mit einer Beilage über die Rede an die Larisaeer und die Verfassung Thessaliens*, Halle, 1909. Voir *Carte I*, page 332.
8. Ce qui était, semble-t-il, un peu déplacé pour un jeune homme, cf. *infra*, page 261, note 132.

qu'il est le fils d'Alexidème (76e) et le compagnon
d'Aristippe (lui-même originaire de Larisse, la
deuxième grande ville de Thessalie). De Ménon, nous
savons enfin qu'il est l' « hôte héréditaire du Grand
Roi », le roi de Perse (78d), et que sa famille entretient
des liens d'hospitalité avec celle d'Anytos, un des chefs
démocrates d'Athènes (90b).

Ménon a sans doute reçu une bonne éducation,
comme en témoigne sa connaissance des poètes (77b,
95d). Il se montre amateur de géométrie et d'explications scientifiques, et paraît assez familier des théories
d'Empédocle (76c). En outre, Platon indique à plusieurs reprises que Ménon est ami et élève du rhéteur
Gorgias, lequel séjourna longuement en Thessalie dans
la dernière partie de sa vie. Comme Ménon rappelle
lui-même qu'il a déjà prononcé de nombreux discours
sur la vertu (80b), faut-il le compter au nombre des
sophistes dont la spécialité était précisément l'enseignement de la vertu[9] ? Les indications que nous donne
Platon ne nous permettent pas de décider : Ménon est
décrit comme un pur produit de l'éducation rhétorico-
sophistique, particulièrement doué pour les discours
sur la vertu, mais on le voit aussi se montrer très
réservé à l'égard de l'enseignement sophistique (95c).

Ménon de Pharsale, personnage historique

Qui était le Ménon historique ? Un Alcibiade thessalien, nous dit Benjamin Jowett, le fameux traducteur
de Platon en anglais[10]. Est-ce là l'image que les
Athéniens du début du IVe siècle, premiers lecteurs du
Ménon de Platon, avaient gardée de Ménon ?

Ménon était sans aucun doute bien connu des
Athéniens. Par sa famille, d'abord. Le grand-père de

---

9. Cf. *Protagoras* 318e-319a, *Euthydème* 273d.
10. *Meno, Introduction,* 265. Alcibiade (450-404) était un Athénien, ami de Socrate, resté fameux pour les talents de sa nature et la
perversité de son âme.

Ménon, qui comme lui s'appelle Ménon de Pharsale, vint en 476 au secours de l'Athénien Cimon, alors engagé dans une entreprise militaire difficile. En échange, il reçut la citoyenneté athénienne [11]. Un autre Ménon de Pharsale, sans doute un des fils du précédent et oncle de notre Ménon, aida les Athéniens dans les premières années de la guerre du Péloponnèse, en vertu « d'une ancienne alliance [12] ».

Mais notre Ménon a eu lui-même l'occasion, semble-t-il, d'être en contact direct avec les Athéniens. La visite qu'il fit à Athènes, dans les dernières années du Ve siècle, et qui a sans doute inspiré à Platon la circonstance de ce dialogue, était probablement destinée à obtenir des Athéniens une aide militaire. En effet, pour résister à la politique expansionniste de Lycophron, tyran de la ville de Phères, proche de Pharsale, les concitoyens de Ménon ont vraisemblablement cherché l'appui de l'Athènes démocratique. Ménon de Pharsale, dont la famille était liée à Athènes de longue date, a dû paraître tout désigné pour accomplir une telle mission. Le reste est matière à conjectures. Ménon a-t-il réussi dans sa mission ? Sans doute pas, car Lycophron a poursuivi sa politique impérialiste sans rencontrer de résistance notable. Combien de temps Ménon est-il resté à Athènes ? Pourquoi doit-il quitter la ville avant la célébration des Grands Mystères (76e) [13], sans doute à la fin de l'hiver 402 ? Est-il rentré alors en Thessalie ? Nous savons en

11. Ménon de Pharsale aurait contribué avec 12 talents et 300 chevaux, cf. Démosthène, *Contre Aristocrate*, 199. En revanche, Pseudo Démosthène (?), *Sur l'organisation financière*, 23 nous dit que Ménon n'a aidé Cimon qu'avec 200 chevaux, et fut récompensé par une simple exemption d'impôts.

12. Thucydide II, 22. Sur la famille de Ménon, voir *Tableau généalogique*, p. 331. D'après Morrison (75 n.1), l'habitude de donner le même nom en sautant une génération laisserait penser que le Ménon dont parle Thucydide est le petit-fils du précédent.

13. Les Petits Mystères avaient lieu en février et les Grands Mystères en septembre.

tout cas qu'au printemps 401 [14], il se trouve à Colosses, en Asie Mineure, à la tête de 1 500 hommes et prêt à s'engager aux côtés de Cyrus, prétendant malheureux au trône de Perse.

Telle est en effet la raison majeure que les Athéniens avaient de connaître Ménon. Ménon de Pharsale fut le chef d'une part importante des mercenaires grecs (traditionnellement désignés comme les Dix Mille [15]) qui prirent part à l'expédition militaire que Cyrus lança contre son frère Artaxerxès. Cette expédition a été immortalisée par le récit de Xénophon : l'*Anabase* [16], récit d'autant plus instructif que Xénophon faisait lui-même partie des combattants, ayant rejoint l'expédition au printemps 401. L'*Anabase* fut sans doute publiée après le moment où le *Ménon* fut écrit, mais dans le portrait qu'il a brossé de Ménon, Xénophon a repris bien des éléments qui devaient également être connus de Platon.

*Le Ménon de Xénophon : le récit de l'*Anabase

Artaxerxès, l'aîné, et Cyrus, le cadet, étaient les deux fils de Darius, roi de Perse. Quand celui-ci mourut, Artaxerxès devint roi et fit de Tissapherne son principal conseiller. C'est alors que Tissapherne, bien que réputé être l'ami de Cyrus, s'employa à le calomnier auprès d'Artaxerxès, l'accusant de comploter contre son frère. Artaxerxès se laissa persuader et fit arrêter Cyrus dans le dessein de le mettre à mort. Seules les prières de leur mère obtinrent la grâce et la libération du jeune homme. « Mais Cyrus ne fut pas

---

14. Xénophon, *Anabase* I, 2, 6 ; voir *Carte* II, page 333.
15. Ils n'étaient en fait que 8 100 au départ de Sardes, et 13 000 à la bataille de Cunaxa. Le terme vient sans doute de l'habitude qu'avaient les Perses de compter leurs hommes par « myriades ».
16. *Anabase*, du grec *anábasis*, littéralement, la montée des Grecs depuis Sardes jusqu'aux environs de Babylone (cf. *Carte* II). L'« anabase » à proprement parler n'est en fait décrite que dans les six premiers chapitres du premier livre de l'*Anabase* de Xénophon.

plutôt parti, après avoir couru ce danger et subi cet outrage, qu'il chercha le moyen de se soustraire à jamais au pouvoir de son frère, et, s'il le pouvait, de régner à sa place [17]. » Ainsi créa-t-il, avec tous ceux qui sollicitaient son aide pour une raison ou pour une autre, un réseau d'obligés. Dans plusieurs cités qui avaient à se plaindre de Tissapherne, il entretint une véritable armée grecque à sa solde. Surtout, il gagna à sa cause quelques jeunes gens de famille noble dont il fit des chefs militaires : Cléarque de Sparte, Proxène de Béotie et Aristippe de Thessalie. Lequel eut tôt fait de convaincre son jeune ami, Ménon de Pharsale, de se joindre à l'expédition.

C'est en effet grâce à l'intervention d'Aristippe que Ménon aurait obtenu le commandement de la division de Grecs mercenaires, avec laquelle il rejoignit l'armée de Cyrus [18]. Ménon est alors âgé de 19 ou 20 ans. On peut s'étonner qu'une fonction d'une telle importance soit confiée à un être si jeune, mais il se peut que la jeunesse de Ménon ait séduit Cyrus. Quant à la bienveillance d'Aristippe, Xénophon suggère que Ménon se l'est acquise en retour de ses faveurs [19].

L'expédition, qui part de Sardes au printemps 401, connaît plusieurs revers de fortune [20]. Xénophon nous apprend que Ménon, le Thessalien, et Cléarque, le Spartiate, se disputaient souvent, et que l'intervention de Cyrus fut même nécessaire pour éviter que le conflit entre ces deux chefs des mercenaires grecs ne dégéné-

17. Xénophon, *Anabase* I, 1, 4.
18. *Ibid.* I, 2, 6.
19. *Ibid.* II, 6, 28. D'après Xénophon, Ménon était « dans la fleur de l'âge » (*horaîos*) en 401, et un *meirakíon* (entre 14 et 21 ans) en 400 ; cf. les objections de Morrison 57-58. De manière générale, il faut, pour mieux apprécier le témoignage de Xénophon, rappeler sa haine personnelle à l'égard de Ménon (Diogène Laërce II, 50), qui s'explique par la rivalité existant entre Ménon et Proxène, l'ami de Xénophon.
20. Cf. Chronologie succincte et *Carte* II, page 333.

rât en rébellion ouverte[21]. Apparemment, Cléarque avait la faveur de Cyrus, puisqu'à la bataille de Cunaxa, en septembre 401, où Cyrus devait trouver la mort, le jeune général spartiate commandait l'aile droite de l'armée des mercenaires (ce qui était équivalent à un commandement en chef) tandis que Ménon commandait l'aide gauche[22]. Il est du reste possible que la faveur de Cyrus pour Cléarque ait été à l'origine de l'hostilité entre les deux hommes.

Par ailleurs, Ménon aurait vécu en étroite intimité avec Ariée, le chef des troupes asiatiques de Cyrus, et, d'après Xénophon, amateur de beaux jeunes gens. Après la mort de Cyrus, plusieurs chefs de l'expédition, dont Ménon et Cléarque, proposèrent à Ariée le trône de Cyrus. En dépit du refus d'Ariée qui, prévoyant la fin malheureuse de l'expédition, n'excluait pas de se rallier à Tissapherne, Ménon demeura auprès de lui[23]. Peut-être Cléarque crut-il que Ménon le calomniait auprès d'Ariée afin de gagner l'armée grecque à sa propre cause, peut-être soupçonna-t-il Ariée de jouer double jeu avec les Grecs, toujours est-il que lorsque Tissapherne, homme de confiance d'Artaxerxès, demanda à rencontrer les chefs des mercenaires grecs qui avaient accompagné Cyrus, Cléarque, sans douter un seul instant de la bonne foi de Tissapherne et dans le dessein vraisemblable de réduire l'influence que Ménon s'était acquise, persuada les chefs grecs (dont Ménon) d'accepter. Tous se

21. Xénophon, *Anabase* I, 6, 13-17.
22. Notre deuxième informateur sur cet épisode, Ctésias de Cnide, le médecin d'Artaxerxès (cf. F. W. König, *Die Persica des Ktesias von Knidos*, Graz, 1972, 102-104) conteste cette distribution des commandements (*Persica* 58, d'après le résumé de Photius); mais Ctésias suggère aussi que Ménon et Cléarque étaient ennemis l'un de l'autre, parce que Cyrus prenait toujours l'avis de Cléarque, mais jamais celui de Ménon. Pour une évaluation circonstanciée des rapports entre Ménon et Cléarque, cf. T. S. Brown, 388-403, surtout 390.
23. Xénophon, *Anabase* II, 1, 5 ; 2, 1.

rendirent sous la tente de Tissapherne, et tous y furent
capturés, avant d'être envoyés à Babylone, auprès
d'Artaxerxès, qui les condamna à avoir la tête tran-
chée.

Les chefs des mercenaires grecs trouvèrent ainsi la
mort, tous sauf notre Ménon. Sur son sort, les
témoignages divergent. D'après Xénophon, Ménon ne
fut, semble-t-il, épargné que pour souffrir tortures et
mutilations : « et ce n'est qu'après avoir vécu une
année, comme un malfaiteur, qu'il cessa, dit-on, de
vivre [24] ». Mais, en dépit de l'hostilité qu'il ressentait
pour Ménon, Xénophon ne suggère jamais que celui-ci
a trahi les Grecs. En revanche, d'après Ctésias [25],
Ménon aurait été l'instigateur du piège où furent pris
les généraux grecs, à la suite de quoi Tissapherne
l'aurait libéré dans l'espoir de services ultérieurs. Mais
aucune indication ne nous est donnée sur les agissements de Ménon après cette prétendue trahison.

Le portrait de Ménon : un fourbe ou un impatient ?

Lisons d'abord la description d'un réalisme psychologique remarquable que Xénophon fait de Ménon :
« Pour arriver à ses fins, la route la plus courte à ses
yeux était le parjure, le mensonge, la fourberie ; pour
lui, simplicité et droiture étaient synonymes de naïveté
[...] Tous ceux qu'il savait parjures, criminels, étaient
pour lui des gens bien armés qu'il redoutait, tandis que
ceux qui sont pieux et pratiquent la vérité, il s'efforçait
de les exploiter comme s'ils eussent manqué de virilité
[...] Ainsi Ménon se faisait gloire d'être habile à duper,
à forger des mensonges, à persifler ses amis. Pour lui,
ne pas être capable de tout était une preuve infaillible
de manque d'éducation. Et quand il cherchait à obtenir

---

24. *Ibid*. II, 6, 29.
25. Nous connaissons la version de Ctésias par le résumé qu'en
donne Photius (*cod*. 72 pour le livre XXI des *Persica* de Ctésias) ;
Plutarque (*Vie d'Artaxerxès* 18) et Diodore (XIV, 27) suivent aussi la
version de Ctésias qui ne nous est connue que par Photius.

la première place dans l'affection de quelqu'un, il pensait qu'il fallait pour l'acquérir calomnier ceux qui l'occupaient avant lui [26]. »

Certes, Platon ne nous donne aucune description comparable du caractère de Ménon. Mais certaines des remarques ou allusions présentes dans le *Ménon* sont assez significatives. Par la définition qu'il propose de la vertu comme « capacité de commander aux hommes, de se réjouir des bonnes choses et de se les procurer » (77b), par sa première définition des biens comme richesse, pouvoir et renommée (78c), par le fait qu'il omet la piété dans la liste des vertus (76a) et y ajoute la magnificence (74a), Ménon représente le portrait-type du pragmatisme politique de l'époque.

Si Socrate paraît lui témoigner une certaine indulgence, celle-ci est mitigée par des notations sévères [27]. Ménon est en effet décrit comme un insolent (76a) [28], fier de sa beauté (80c), qui se sait chéri par de nombreux amoureux (70b, 76b-c), plein de forfanterie et de vanité (80b-c), manquant de contrôle sur lui-même en matière d'arguments (86d). Certes, on le voit capable de poser des questions difficiles qui montrent son intelligence (75c), mais il est dépourvu de patience dialectique. Ses talents intellectuels ne sont orientés par aucune vertu éthique : il est à la fois paresseux, impétueux et impatient d'obtenir des réponses immédiates. De plus, Ménon est légèrement agressif : il n'hésite pas à comparer Socrate, pour son aspect extérieur et son comportement, à un poisson torpille, puis à un sorcier.

---

26. Xénophon, *Anabase* II, 6, 21-29.
27. Athénée (*Banquet des sophistes,* XI, 505b) prétend que Platon fait l'éloge de Ménon pour réfuter Xénophon, et, dans le chapitre suivant (XI, 506b), il souligne que, tandis que Platon attaque les hommes politiques grecs, il louerait Ménon qui les a trahis (506b).
28. *Hubristés*, cf. *infra* page 233, note 58 ; l'adjectif est certainement pris en mauvaise part (contre Bluck 125 n.2, qui y voit qualifiée l'excessive volonté de savoir de Ménon).

Toutefois, dans le temps de ce court dialogue, Platon nous fait voir une certaine évolution du jeune homme. Après un échange particulièrement inamical avec Socrate (80b-c), Ménon semble, sinon convaincu de la nécessité de chercher, du moins plus solidaire de Socrate en cette recherche. Le « nous » est alors systématiquement employé, et même si Socrate cède avec quelques réserves à la demande de Ménon de chercher si la vertu s'enseigne avant de savoir ce qu'elle est, Ménon accepte en revanche la procédure de recherche que Socrate veut adopter, se montre capable de la suivre et se prend progressivement au jeu des arguments socratiques. Enfin, au terme du dialogue, Socrate semble reconnaître que Ménon a été en partie convaincu par les conclusions de leur entretien sur la vertu. L'échange avec Socrate ne sera donc pas resté sans effet sur lui [29].

On ne saurait assez souligner l'intérêt du choix dramatique de Platon, qui a fait de Ménon, personnage si controversé et dont beaucoup pensaient, à tort ou à raison, qu'il avait été une malédiction pour l'armée grecque engagée aux côtés de Cyrus, l'interlocuteur de Socrate au cours d'un dialogue consacré à la vertu. L'absence de préjugé avec laquelle Socrate questionne le jeune Thessalien sur la nature de la vertu est évidemment destinée, chez ceux qui sont informés des agissements de Ménon, à souligner le décalage entre la réalité historique du personnage et la représentation dramatique qui en est donnée. Jamais l'exigence socratique selon laquelle celui qui possède une vertu

---

29. Si Ménon est plus docile que Calliclès, il est cependant peu plausible de dire, comme Croiset, que Ménon est désormais soumis à la dialectique. Surtout, il se montre un interlocuteur moins talentueux que ne le sont Adimante et Glaucon dans la *République* et Simmias et Cébès dans le *Phédon*. Pour un jugement plus radical selon lequel Ménon est un mauvais partenaire dialectique, dont l'entêtement fait que le dialogue se fourvoie (cf. V. Goldschmidt, *Les Dialogues de Platon*, Paris, PUF, 1947, 115).

est à même de la définir [30] n'aura été tournée en telle dérision. Mais cette même exigence semble aussi trouver, à propos de Ménon, une forme de confirmation paradoxale. Car Ménon est parfaitement à même de décrire la seule forme de vertu, la vertu socio-politique ordinaire, dont il est dépositaire et qu'il incarne.

Ménon possède toutes les ressources qui peuvent assurer le bonheur (*eudaimonía*) d'un homme. Certes, il est thessalien et non pas athénien, mais, malgré cet élément de distance, l'identification est aisée : les valeurs qu'il incarne sont bien les valeurs les plus populaires de la société athénienne contemporaine. Or la carrière de Ménon s'est soldée par l'échec et l'infamie. Inspirée par une telle issue, la leçon du dialogue n'est-elle pas qu'une pareille conception de la vertu est vouée à l'insuccès ? Le « cas-Ménon » ne nous aide-t-il pas à mieux comprendre que, sous le même nom de « vertu », Socrate et Ménon entendent deux choses incompatibles, la réussite politique, d'un côté, l'exigence morale, de l'autre ? Mais Ménon, l'aristocrate de Pharsale, n'est pas le seul à réduire la vertu à l'exercice du pouvoir. Anytos, le démocrate d'Athènes, nous en présente une autre face, encore plus opposée à la vertu socratique.

2. ANYTOS

L'Anytos du *Ménon* est sans aucun doute l'homme qui, en 399, devait être l'instigateur du procès au terme duquel Socrate fut reconnu coupable et condamné à se suicider en buvant la ciguë [31]. Notre dialogue confirme cette identité, puisqu'on y voit Anytos menacer

---

30. *Charmide* 159a.
31. Platon donne une reconstitution du procès de Socrate dans l'*Apologie de Socrate*, et y rappelle la teneur de l'acte d'accusation : « Socrate est coupable de corrompre la jeunesse ; de ne pas croire aux Dieux de la cité mais à des divinités nouvelles qui en sont différentes » (24b-c).

Socrate (94e). D'autre part, l'ultime recommandation
que Socrate adresse à Ménon : « tu essaieras de
convaincre aussi ton hôte, Anytos [...] si tu parviens à
le convaincre, ce sera aussi au profit des Athéniens »
(99e), est peut-être une allusion voilée au crime
qu'Athènes commettra à l'égard de Socrate[32]. Si
Anytos est aussi un homme politique, bien connu du
public athénien de l'époque, il faut rappeler qu'une
part de sa renommée tient au rôle qu'il a joué dans la
condamnation à mort de Socrate. En faisant s'entretenir Anytos et Socrate, c'est la confrontation entre
l'accusateur et sa future victime qu'aménage ici Platon.

Anytos d'Athènes, démocrate et chef politique

Anytos était issu d'une famille d'origine modeste.
Son père aurait fait fortune dans le tannage des peaux
et il est probable qu'Anytos avait lui-même repris
l'entreprise paternelle[33].

L'évènement le plus ancien que les historiens rap-
pellent à propos d'Anytos remonte à 409, dans les
dernières années de la guerre du Péloponnèse. Anytos,
déjà stratège (général en chef), fut chargé d'organiser
une expédition militaire à Pylos. Mais celle-ci tourna
au désastre, et Anytos fut rendu responsable de cet
échec. Traduit en justice, il aurait, pour échapper à
une lourde sentence, tenté de corrompre son jury[34].

Il est de nouveau question d'Anytos aussitôt après la
fin de la guerre du Péloponnèse. Les Trente tyrans
exercent alors leur pouvoir sur une Athènes ruinée et

---

32. L'identité de l'Anytos du *Ménon* comme l'accusateur de
Socrate est également confirmée par le fait que ces deux Anytos ont
pour père Anthémion (*Ménon* 90a-b, et scholie à *Apologie de Socrate*
18b).
33. Cf. *infra*, page 292, notes 229 et 230 ; dans *Apologie de Socrate*,
23e, il est dit qu'Anytos attaque Socrate aussi au nom des artisans.
34. Cf. Plutarque, *Vie de Coriolan* 14,4, Diodore de Sicile XIII
64, 9, Aristote, *La Constitution d'Athènes* 27, 5. La guerre du
Péloponnèse opposa Athènes à Sparte de 431 à 404 et s'acheva par la
défaite athénienne.

vaincue. Démocrate notoire, Anytos est exilé en 404 dès que les Trente prennent le pouvoir [35]. Mais, en 403, il aide Thrasybule à chasser les tyrans et à rétablir la démocratie à Athènes. La même année, de nouveau stratège, il semble être un des principaux chefs politiques athéniens [36]. La fidélité d'Anytos à la démocratie lui aurait coûté une bonne partie de sa fortune personnelle [37]. Toutefois, les témoignages dont nous disposons laissent penser qu'Anytos n'était pas un démocrate extrémiste (comme l'était Thrasybule), plutôt un des chefs du parti centriste dirigé par Théramène [38]. Mais, sans aucun doute, Anytos est au nombre de « ces hommes au pouvoir qui firent condamner Socrate [39] ».

En 388/387, c'est-à-dire plus de dix ans après la mort de Socrate, et quelques années sans doute avant le moment où le *Ménon* fut composé, Anytos est encore influent et se voit confier des charges importantes (il aurait été *sitophylax*, responsable du ravitaillement [40]). Mais cette faveur ne devait plus durer longtemps. Si les témoignages divergent sur la fin de la vie d'Anytos, tous semblent suggérer qu'elle fut misérable. Il est possible que les Athéniens, regrettant d'avoir condamné Socrate, s'en soient pris aux responsables directs de son procès. Ils auraient ainsi exilé certains des accusateurs de Socrate (dont Anytos) et fait mourir Mélétos, celui qui avait personnellement intenté le procès [41]. Anytos se serait alors enfui à Héraclée, d'où il

---

35. Xénophon, *Helléniques* II, 3, 42-44.
36. Lysias XIII (*Contre Agoratos*) 78, XXII (*Contre les marchands de blé*) 8, Xénophon, *Apologie de Socrate* 29.
37. Isocrate 18, 23 ; ses biens ont-ils été confisqués ? a-t-il dépensé sa fortune pour le rétablissement de la démocratie ?
38. Aristote, *La Constitution d'Athènes*, 34, 3.
39. Platon, *Lettre VII*, 325b.
40. Cf. *infra* page 292, note 229. Il s'agit très probablement du même Anytos
41. Diogène Laërce II 43.

aurait été chassé le jour même de son arrivée. Mais d'autres témoignages nous disent que les accusateurs de Socrate furent mis à mort sans procès, ou encore que soumis à un boycott si hostile, ils furent réduits à se pendre [42], ou enfin que seul Anytos aurait été lapidé. Il est en tout cas très probable qu'Anytos était mort à l'époque où le *Ménon* fut écrit et qu'un certain retournement des esprits avait eu lieu en faveur de Socrate. Plusieurs pamphlets contre Socrate avaient été publiés depuis le moment de sa mort (l'*Accusation de Socrate* de Polycrate, surtout [43]), mais des voix s'étaient élevées à cette occasion pour prendre la défense de Socrate, la voix de Platon dans le *Gorgias*, celle de Xénophon dans l'*Apologie de Socrate*.

Anytos, ennemi de Socrate

La haine d'Anytos à l'égard de Socrate peut avoir de multiples causes. Personnelles d'abord. Plutarque nous rapporte qu'Anytos aurait été follement épris d'Alcibiade, le compagnon de Socrate, son rival direct [44]. D'un autre côté, Xénophon nous dit que Socrate aurait conseillé à Anytos de ne pas laisser son fils exercer le même métier que lui, celui de tanneur [45]. En effet, ayant remarqué les qualités personnelles du jeune homme, Socrate aurait prédit qu'avec une bonne éducation il deviendrait un homme de bien, tandis que, laissé à lui-même, il serait totalement corrompu. C'est apparemment ce qui arriva. Nous savons que le

---

42. Diodore XIV 37 : *akritoi* (« sans être jugés »), pour la première possibilité ; Plutarque, *De l'envie* 6, pour la deuxième. D'après Diogène Laërce VI, 10, Antisthène aurait manœuvré pour faire condamner Anytos à l'exil et Mélétos à la mort, mais ces témoignages font partie de la légende socratique et leur exactitude historique est douteuse (cf. Humbert, *Socrate et les petits socratiques*, Paris, PUF, 1967, 63).

43. J. Humbert, *Polycratès, l'accusateur de Socrate, et le « Gorgias »*, Paris, Klincksieck, 1930, 11-16.

44. Plutarque, *Vie d'Alcibiade* 4, 5.

45. Xénophon, *Apologie de Socrate* 29-31.

fils d'Anytos était un ivrogne et un débauché, ce qui valut à Anytos la réputation peu flatteuse d'avoir, en connaissance de cause, mal éduqué son fils. Le débat mené dans le *Ménon* entre Socrate et Anytos sur la capacité des pères à éduquer leurs enfants, s'inspire sans doute en partie de ce « fait divers ». Certes, Socrate n'a pas vécu assez longtemps pour voir réalisée sa prophétie, mais Platon est capable, dans le *Ménon*, de la suggérer *ex eventu*.

D'autres raisons d'hostilité, beaucoup plus décisives, ont joué. La manière d'agir de Socrate, qui consistait essentiellement à questionner, à critiquer, à remettre en cause les éléments du consensus politique et à obliger les Athéniens à vivre conformément à leurs propres valeurs, lui avait évidemment attiré la haine de l'ensemble des hommes politiques d'Athènes. Par ailleurs, si Socrate s'attachait à dénoncer le faux savoir des rhapsodes, des devins et des poètes, il soulignait aussi le caractère borné du savoir-faire des artisans. Or des politiciens comme des gens de métier, tous deux visés par la critique socratique, Anytos était le représentant [46]. Il est aussi possible qu'une telle critique des hommes politiques ait été perçue comme s'adressant surtout aux démocrates. Au début des *Mémorables*, Xénophon rappelle, au nombre des raisons qui ont amené le procès de Socrate, le fait qu'on ait reproché à Socrate son influence sur Alcibiade et surtout sur Critias et Charmide. A cause du décret d'amnistie de 401, qui interdisait de rappeler les événements malheureux de la guerre du Péloponnèse, ce reproche ne pouvait être mentionné explicitement dans l'acte d'accusation, mais il inspirait sans doute le procès et les sentiments des juges. Il n'y a rien d'étonnant à ce que, parmi les ennemis de Socrate, on ait trouvé des conservateurs et des arrivistes, c'est-à-dire, une partie des démocrates : conservateurs à l'égard des institu-

---

46. Cf. *Apologie de Socrate* 23e.

tions athéniennes, et arrivistes à cause de la promotion sociale que ces institutions favorisaient.

Lorsque Anytos décrit la capacité de la classe politique athénienne à transmettre la vertu aux jeunes gens, il se range lui-même au nombre de ceux qui la transmettront par la seule exemplarité de ce qu'ils sont. Les valeurs sur lesquelles une société est fondée ne sont, aux yeux d'Anytos, ni à critiquer ni même à étudier, mais seulement à reproduire. Elles forment la base d'un agrément politique, et l'intervention de la réflexion critique sur les conditions d'un tel agrément peut aller jusqu'à susciter la haine. Cette haine que les hommes politiques réservent à ceux qui critiquent les valeurs de la cité ou qui dénoncent le manque de conformité entre les actions des politiques et les valeurs que ceux-ci proclament [47], n'est qu'un aspect particulier de la *misologie*, la haine à l'égard des discours et de la réflexion.

Mais là où la critique socratique est le plus haïssable pour les hommes politiques, c'est lorsqu'elle prend pour cible leur prétendue exemplarité éducative. En effet, Socrate souligne souvent, dans le *Ménon* surtout, qu'en matière de réussite politique et de vertu, aucune transmission, aucun enseignement ne sont possibles, à moins de vivre dans une cité parfaite. En dépit de ses qualités et de ses soins, le père d'Anytos n'a pu faire de son fils un homme de bien. La capacité du gouvernant ne se transmet ni ne s'enseigne, les plus doués de ses sujets ne peuvent qu'imiter, par crainte d'en être les victimes et dans le désir d'en profiter, les moyens de son gouvernement [48].

Une autre raison de l'hostilité que suscitait Socrate vient de l'apparente similitude entre sa manière de discuter et celle que pratiquaient les sophistes. Comme

47. Cf. V. Goldschmidt, *Questions platoniciennes*, Paris, Vrin, 1970, 58-61.
48. Cf. *Gorgias* 510a-b.

les sophistes, Socrate sollicitait sans cesse la discussion, cherchait à réfuter les réponses qui lui étaient faites, comme eux il s'attaquait aux opinions déjà formées. Une expression qu'Anytos utilise dans le *Ménon* est à cet égard frappante. Exprimant toute sa haine à l'égard du sophiste, Anytos ajoute « qu'il soit étranger ou homme de la cité ». Le sophiste, homme d'Athènes, est sans doute, selon lui, nul autre que Socrate[49]. Peu lui importe que Socrate soit connu pour avoir critiqué la prétention des sophistes à enseigner la vertu et ridiculisé leur manière de discuter.

On peut s'interroger enfin sur les liens qui unissent Ménon, disciple cultivé du plus grand orateur de l'époque, et Anytos, démocrate et anti-intellectuel. Certes, la famille de Ménon s'est trouvée liée à celle d'Anytos par une relation d'hospitalité qui ne peut être que récente, étant donné la disparité des conditions entre l'aristocrate Ménon et le tanneur Anytos. Mais l'important n'est pas là. Ménon et Anytos donneraient probablement à quelques nuances près la même définition de la vertu comme étant essentiellement politique, faite de réussite personnelle et d'obligations à l'égard des proches et des alliés. Seulement, Ménon fait servir à cet idéal les derniers raffinements de la rhétorique, l'étude des poètes, l'instruction en de nombreux savoirs, et il n'exclut pas non plus que les sophistes puissent contribuer à en faciliter l'accès. En revanche, Anytos adopte une voie plus traditionaliste, nourrie de conformisme et d'anti-intellectualisme. L'idéal entretenu est le même, mais Ménon, jeune ambitieux émancipé, n'a ni les inhibitions ni les craintes du conformiste politique dont Anytos est le portrait type.

---

49. Cf. *infra*, page 297, notes 246 et 249, sur la haine à l'égard des sophistes et sur l'anti-intellectualisme de l'époque, cf. aussi *Euthydème* 305a-b. Cet amalgame entre Socrate et les sophistes se trouve aussi bien attesté chez Aristophane, *Les Nuées*, 115, 316, 331-334.

3. *Le jeune garçon, serviteur de Ménon*

Appartenant à la suite de Ménon, ce garçon est sans doute un péneste, une sorte de serf, dont la famille devait être attachée au service de celle de Ménon. Il est jeune, il est appelé *païs* (enfant), mais étant donné sa condition servile, cette appellation n'a aucune signification précise [50]. De race hellène, le garçon semble disposer d'une familiarité réelle avec la culture grecque. Il comprend fort bien ce que lui demande Socrate, et n'a aucune difficulté à y répondre.

Il est bien sûr tentant de le considérer comme un sujet d'expérience « cognitive » (ou de psychologie de la connaissance) idéalisé : son esprit est en effet vierge d'informations, quoique doté de toutes les compétences intellectuelles requises (pour ainsi dire, des formes sans contenu), qui vont lui permettre de suivre le raisonnement de Socrate. Le but dans lequel cette expérience est faite confirme aussi le rôle donné au garçon : on ne lui a rien appris, donc il ne sait rien ; mais il peut tout redécouvrir parce que son âme, en tant qu'âme humaine, sait toutes choses. En se servant ici d'un sujet aussi jeune et aussi ignorant, Socrate propose, en quelque sorte, un modèle alternatif de la connaissance et de l'apprentissage. Alors que la sagesse était traditionnellement reconnue comme appartenant aux hommes libres (qui disposent de la *skholé*, du loisir, nécessaire à l'acquisition du savoir) et vieux (qui ont acquis l'expérience d'une vie), Socrate se tourne, pour montrer le bien-fondé de sa thèse sur l'apprentissage, vers un être jeune et de condition servile. Mais le jeune garçon est également opposé à Ménon, puisque, en dépit de sa condition, il se montre capable d'apprendre, ce à quoi ne parvient guère l'âme tyrannique de Ménon (75b). Ainsi l'expérience sera d'autant plus concluante qu'elle est paradoxale, rien, dans les condi-

50. Cf. *infra*, page 262, note 133.

tions de départ, ne disposant favorablement au résultat.

4. Socrate

Le Socrate du *Ménon* présente plusieurs traits inattendus qui le distinguent déjà du Socrate protagoniste des premiers dialogues que Platon a écrits. A plusieurs reprises dans le *Ménon*, Socrate affirme qu'il est nécessaire de chercher ce qu'on ne sait pas, après avoir clairement compris qu'on l'ignore. Pour soutenir cet effort de recherche, il arrive même que le Socrate du *Ménon* atténue l'exigence critique qui le caractérise dans les premiers dialogues. Le recours à une procédure d'examen par hypothèse (87b-c), qui reconnaît une positivité limitée et provisoire à un ensemble de conclusions, tranche avec le radicalisme du Socrate de l'*Euthyphron* et du *Gorgias*. Par ailleurs, les convictions éthiques de Socrate, présentées de façon tout à fait autonome dans les dialogues socratiques, sont dans le *Ménon* fréquemment associées à la nécessité de la recherche. C'est parce que nous avons la certitude qu'il faut chercher et qu'il est possible de connaître que nous serons ardents à l'ouvrage et non pas lâches et paresseux (86c). C'est cette certitude aussi qui doit nous confirmer dans la décision de mener la vie la plus pieuse possible (81b).

Le Socrate du *Ménon* est aussi un Socrate mathématicien qui, à trois reprises, nous fait voir ses compétences géométriques : d'abord, à l'occasion d'une définition de la figure ; ensuite, en proposant une solution au problème de la duplication du carré ; enfin, en indiquant une procédure pour résoudre un cas difficile d'application des surfaces. Cet engouement socratique pour les mathématiques, qui apparaît pour la première fois dans le *Ménon*, se retrouvera régulièrement dans les dialogues ultérieurs.

Un autre élément marquant dans la personnalité du Socrate du *Ménon* est l'apparente valorisation des hommes politiques. Ceux-là mêmes qui étaient, dans le *Gorgias*, critiqués sans merci, se voient attribuer, dans les dernières pages du *Ménon*, une forme de rapport au bien (défini comme réussite de l'action) et au vrai (sous la forme de l'opinion vraie). Cette conclusion inattendue de la part de Socrate est, en fait, à prendre avec réserve. Car c'est après avoir nettement distingué la connaissance et l'opinion vraie que Socrate reconnaît que les hommes politiques sont dotés d'opinion vraie. L'apparente bienveillance qui leur est témoignée dans le *Ménon*, surprenante si on la compare à l'hostilité manifestée à leur endroit dans le *Gorgias*, n'est que la conséquence du fait que Socrate est capable, dans le *Ménon*, de définir plus précisément le savoir-faire qui revient aux hommes politiques : une certaine justesse d'action sans réelle compétence ni philosophie.

Enfin, s'il manifeste moins de force critique, le Socrate du *Ménon* est aussi plus « affirmatif » que celui auquel nous ont habitués les dialogues socratiques. La conception d'ensemble de la Réminiscence qui définit le fait d'apprendre comme le ressouvenir d'un savoir que l'âme posséderait avant son incarnation, se retrouvera dans des dialogues plus tardifs tels le *Phédon* et le *Phèdre*, comme pièce essentielle de la pensée platonicienne. Par cette positivité nouvelle dont témoigne le *Ménon*, par la plus grande sérénité qu'il manifeste à l'égard des polémiques passées (que celles-ci s'adressent aux politiques, ou encore aux sophistes et rhéteurs), par le recours enfin aux paradigmes mathématiques, le *Ménon* nous paraît comme un témoin du passage d'un « Socrate socratique » à un « Socrate platonicien [51] ».

Mais dans tout le cours de ce dialogue, où Socrate est opposé à Ménon, on peut remarquer que la confrontation entre les deux interlocuteurs change peu à peu de sens. Car le Socrate du *Ménon* est d'abord tout le

51. Cf. G. Vlastos, *Socrates*, Cambridge University Press, 1991.

contraire de Ménon. C'est un homme pauvre et vieux, opposé à un jeune homme, riche, beau et parfaitement instruit. Seulement, l'issue extraordinaire de cet entretien tient à ce que Socrate parvient quasiment à convaincre Ménon de son ignorance, de la nécessité de chercher, de la validité de leurs conclusions communes sur la vertu. Il est probable que Socrate ne serait pas parvenu à convaincre de la même façon le Ménon historique, mais cette ultime scène du *Ménon* laisse voir une des façons d'enseigner la vertu : par la seule exemplarité d'un être qui manifestement la possède.

II. LE LIEU ET LA DATE DRAMATIQUES DU *MÉNON*

Les indications de lieu données au cours du *Ménon* sont rares. Les interlocuteurs se trouvent en un endroit où la nombreuse suite de Ménon (82a) peut prendre place. Socrate dessine probablement des figures géométriques sur le sol. Enfin, Anytos, d'abord assis aux côtés de Socrate et de Ménon (89e), semble rester, pendant la dernière partie du dialogue, encore en vue mais hors de portée de voix (99e), ce qui suggère un espace à la fois assez vaste et assez dégagé. L'entretien entre Ménon et Socrate se déroule peut-être dans la maison d'Anytos, ou encore dans un lieu public, le plus plausible de ces lieux étant un gymnase[52].

La première indication dont nous disposons pour définir la date dramatique du dialogue est l'âge de Ménon. Socrate nous dit que Ménon est jeune, mais n'est plus un adolescent, il a sans doute entre 18 et 20 ans, à peine plus jeune donc que lorsqu'il a rejoint à Colosses l'expédition de Cyrus.

---

52. Cf. Wilamowitz, *Platon* I, 275.

D'autre part, nous savons qu'à Athènes, Ménon demeure chez Anytos, un des chefs démocrates. L'entretien doit donc avoir lieu, probablement, entre le retour des démocrates à Athènes (septembre 403) et le départ de Ménon pour Colosses (au plus tard, à la fin de l'hiver 401). Dix-huit mois séparent septembre 403 et février 401, mais à cause de l'allusion aux Mystères, qui se tenaient en février ou en septembre, une quelconque date située entre septembre 403 et le printemps 402 est possible. Il se peut aussi que Ménon n'ait pas directement rejoint l'armée de Cyrus, il aurait dans ce cas quitté Athènes plus tôt.

L'avertissement d'Anytos (94e), prend tout son sens si on rapproche la date du dialogue de la date de la mort de Socrate (399). C'est là un argument en faveur d'une date comme le printemps 402, mais il est également possible que la méfiance d'Anytos à l'égard de Socrate ait été plus ancienne.

D'autres allusions historiques sont faites à une visite de Gorgias en Thessalie (70b), à une autre visite, plus ancienne, du même Gorgias à Athènes (71c), à la mort de Protagoras et, enfin, à l'argent qu'Isménias de Thèbes aurait reçu « de nos jours » de Polycrate. Mais l'expression utilisée (« de nos jours ») peut difficilement valoir comme un élément de datation, car elle est vague et, dans l'interprétation la plus favorable, ne peut se rapporter qu'à un événement qui aurait eu lieu avant le retour des démocrates à Athènes en septembre 403. C'est dire que cette allusion nous indiquerait simplement que l'entretien du *Ménon* n'est pas trop éloigné dans le temps du rétablissement de la démocratie [53]. Conformément à l'ensemble des indications temporelles que nous donne le *Ménon*, nous retiendrons donc pour date dramatique de ce dialogue le printemps 402 [54].

53. Cf. *infra*, page 293, notes 231 et 232. Pour une autre interprétation de l'allusion à Polycrate, voir Morrison 76-80.
54. Cf. Morrison 76.

« QU'EST-CE QUE LA VERTU ? »

1. L'areté *de l'homme, ou l'excellence grecque*

La vertu ? « C'est le désir des belles choses avec le pouvoir de se les procurer. » (77b) Définition significative de la vertu que celle proposée par Ménon. Habitués que nous sommes à entendre le mot « vertu » comme désignant essentiellement la vertu morale, c'est-à-dire la disposition à agir selon le bien, fût-ce au détriment de notre intérêt immédiat, nous comprenons mal que la vertu ait jamais pu désigner l'affirmation des désirs et la puissance de les satisfaire. Mais cette définition n'est surprenante que si nous traduisons par « vertu » le terme grec *areté* dont se sert Ménon. Certes, si la notion d'*areté* se réfère d'abord à l'excellence humaine, elle peut au IVe siècle se rapporter aussi à la vertu, entendue au sens quasi moderne de l'ensemble de qualités morales. Mais si la notion a évolué, les valeurs les plus archaïques du terme ne sont pas pour autant tombées en désuétude. C'est pourquoi un contemporain de Platon aurait peut-être été choqué, non pas surpris, par la description que Ménon donne de l'*areté*. Deux siècles plus tôt, elle aurait correspondu à ce qu'on entendait le plus communément par *areté*.

Il est difficile de concevoir que la signification d'un terme, tel *areté*, qui représente l'essentiel du bien humain, se soit aussi radicalement modifiée en si peu de temps [55]. Pour les héros homériques, que font vivre

---

55. Pour tout cela, nous renvoyons à A.W.H. Adkins, *Merit and Responsability*, Oxford, 1960, 170-194, 336-340, et K. Dover, *Greek Popular Morality in the Time of Plato and Aristotle*, Oxford, 1974, deux livres fondateurs de l'étude historique des catégories morales.

On pourrait ici comparer la vertu avec la « noblesse » qui, désignant d'abord une position sociale, en est venue à désigner une qualité morale.

l'*Iliade* et l'*Odyssée*, l'*aretè* désigne le succès à la guerre et le talent politique[56]. Un siècle plus tard, le terme *aretè* avait déjà acquis son sens le plus constant de vertu propre à l'homme. La vertu résume alors l'ensemble des actions et des comportements humains qui assurent le plein épanouissement des capacités de l'individu, et surtout l'accomplissement de son rôle de citoyen. C'est là l'excellence propre, la qualité première, de l'homme vivant en cité ; l'exercice du pouvoir[57] étant le lieu où une telle vertu est destinée à se réaliser de la façon la plus complète.

Mais ce bon citoyen, doué pour gouverner, est aussi un homme de bien. Il possède la qualité que les Grecs appelaient la *kalokagathia*, littéralement, « le fait d'être bel et bon ». La signification première de l'expression est politique, elle exprime la valeur de la naissance et autres mérites par lesquels les aristocrates voulaient se distinguer du reste des citoyens tout en affirmant leur appartenance à une même élite. La référence initiale de l'expression *kalokagathia* s'est peu à peu estompée, mais sa signification demeure toujours essentiellement sociale ; elle désigne les vertus de caractère liées au respect des devoirs contractés envers ses pairs et toute sa communauté. De telles vertus sont aussi celles qui favorisent les rapports entre les hommes : ce sont la bonne entente, la générosité, le sens des convenances et des obligations à l'égard de ses proches, de ses familiers, de ses hôtes ou de ses amis, la coopération enfin entre ceux qui vivent dans une même unité politique[58].

56. Cf. *Iliade* I 150, IX, 351-88 (sur l'*aretè* d'Achille), Adkins 30-60 et aussi « Homeric Values and Homeric Society », *Journal of Hellenic Studies* 91, 1971, 1-14, et A. A. Long, « Morals and Values in Homer », *Journal of Hellenic Studies* 90, 1970, 121-139.

57. Parmi les nombreux témoignages sur l'efficacité politique de la vertu : Euripide, *Electre* 386, Thucydide VI, 9, 14.

58. Cf. Théognis 147 et L. Gernet, *Recherche sur le développement de la pensée juridique et morale en Grèce*, Paris, Leroux, 1917, 54-65, 301-302.

Cet idéal d'excellence humaine s'est donc trouvé
assez tôt assorti de considérations morales. On conce-
vait ordinairement que l'épanouissement de l'homme
ne pouvait se faire au mépris de la justice ou de la
piété [59]. Mais la *justice* désignait en ce cas la forme
d'équilibre instituée qui compose et limite les droits
de chacun au sein d'une même communauté. Quant à
la *piété*, elle renvoyait à une définition stricte des
relations entre les hommes et la divinité, relations
fondées sur la rétribution et l'offrande. Ces vertus
représentaient davantage des modes de rapport (aux
hommes, aux dieux) que des exigences morales abstraites.

Le domaine d'application de la justice en particulier
se réduisait à un groupe bien délimité et ne valait
aucunement comme une prescription universelle pouvant concerner, indifféremment, tous les êtres
humains. Cependant, quoique définies en fonction de
leur lieu d'exercice, ces vertus humaines furent progressivement présentées comme des valeurs partagées
par une communauté entière. Dès lors, elles devaient
perdre la souplesse et la polymorphie qui avaient été les
leurs lorsque l'*areté* représentait essentiellement le
succès politique [60]. C'est dans ce processus, au cours
duquel la qualité « vertu » se détache de la réussite
individuelle pour devenir une caractéristique plus
générale de l'action humaine, que s'inscrit cette radicale transformation des catégories de la moralité traditionnelle dont Socrate fut l'initiateur.

59. Pindare distingue déjà quatre formes d'*aretaí* : *Néméennes* III,
74, Euripide fr.853 Nauck (2), Thucydide I,37,5.
60. Un indice de cela se trouve dans le fait que, si Ménon entend
le mot *areté* dans le sens surtout de vertu politique (71a, 91a, 92a), il
acquiesce cependant de bon gré à la proposition que fait Socrate d'y
associer la justice et la piété (73b, 73d, 78d, et *infra*, pages 224, 244,
notes 40 et 88) ; quant à savoir ce qu'il entend sous ces vertus plus
proprement morales, cf. *infra*, pages 222, 225, notes 34 et 42.

2. L'areté, *ou la vertu selon Socrate*

Les deux principaux témoignages dont nous disposons sur Socrate, celui de Xénophon et celui de Platon,
s'accordent pour souligner que Socrate s'opposait à la
moralité conventionnelle de son époque[61]. Ainsi, les
premiers dialogues de Platon, les dialogues dits socratiques, nous montrent un Socrate dénonçant les limites
des vertus sociales et politiques, fondées sur la conformité aux usages dominants, au nom de ces mêmes
vertus qui, lorsqu'elles sont fondées sur le savoir,
donnent lieu à des valeurs morales substantielles et
positives dont la politique fournira aussi le domaine
d'application privilégié. Aussi il arrive souvent que
vertus morales et vertus sociales ou politiques portent
le même nom. En même temps qu'il les distingue,
Socrate doit alors procéder à une redéfinition stricte du
sens des principales catégories éthiques. La question si
exemplaire adressée aux Athéniens (« Vous dites *justice !* Mais qu'entendez-vous par *justice ?* ») doit être
appréciée sous sa forme plus développée (« Vous dites
la justice, c'est faire du bien à ses amis et du mal à ses
ennemis ! Mais je vous montrerai qu'une telle action
peut s'opposer à ce que requiert la *justice* — comme
vertu morale —, et qu'elle est parfois *injuste* »).
Apparaît ainsi clairement la polysémie du terme *justice*,
prescription socialement définie ou exigence absolue,
indépendante des situations où elle s'exerce ou des
individus qu'elle considère et dont la définition universelle est un des buts de la recherche socratique. On voit
que c'est à l'interprétation littérale de leurs propres
valeurs que Socrate, par ce questionnement, ramène
ses concitoyens. Il est probable qu'un tel excès de

---

61. Xénophon, *Mémorables* IV, 2, 11, Platon, *Protagoras* 318a-
319a, et *Phédon* 82a-b : « cette vertu démotique et politique à
laquelle on donne le nom de tempérance et de justice et qu'engendre,
avec l'habitude et l'exercice, une pratique aussi dénuée de philosophie que d'intelligence ».

conformisme, à rebours des comportements et des pratiques, a été condamné comme une atteinte à l'ordre établi[62].

De chaque vertu particulière, Socrate propose une nouvelle formulation. Souvent la prétendue vertu disparaît et l'on ne retrouve plus rien de sa définition sociale traditionnelle dans la définition philosophique qui en est construite. Ainsi, la justice ne sera jamais l'exercice du pouvoir[63]. Mais parfois une vertu spécifique peut, au terme du processus critique, conserver l'essentiel de sa description ordinaire (le courage consiste bien à ne pas fuir devant l'ennemi), l'essentiel aussi de la valorisation sociale dont elle est l'objet, quoique celles-ci se trouvent dès lors subordonnées aux deux principes qui font de chaque vertu une vraie vertu : la connaissance et la conformité au bien.

Le sens de cette conformité au bien se comprendra plus aisément si on rappelle que la vertu ne s'applique pas seulement aux actes et aux personnes, mais aussi aux choses. La vertu, l'*areté*, d'un outil, par exemple, est ce qui garantit l'accomplissement optimum des fonctions propres à cet outil[64]. A son tour, la vertu de l'âme consiste à maintenir équilibre et hiérarchie entre les différents composants et les diverses fonctions de l'âme. L'harmonie ou la santé de l'âme sont les principaux effets d'une telle vertu. L'état qui correspond à cette réussite fonctionnelle est désigné comme « bonheur ». Ce bonheur ne consiste évidemment pas seulement en un état mental, en un sentiment de satisfaction intérieure ou de plénitude, c'est aussi l'effet d'un ordre objectif[65] défini par le bien le plus propre de l'âme.

---

62. Il faut citer l'ensemble du livre I de la *République*, cf. *infra* pages 217, 224, notes 22 et 40 ; aussi R. Kraut, *Socrates and the State*, Princeton University Press, 1984, 194-203.

63. *Gorgias* 506e-509c.

64. *Gorgias* 506d-e, *République* I 353a-b, X 601c-e.

65. Cf. *Gorgias* 508c.

Or ce bien, ce seul bien de l'âme, est le savoir. Que le principe qui assure l'usage correct d'un objet quelconque, qui garantit qu'une juste direction est exercée en toute circonstance, soit le savoir (ou l'un de ses équivalents, la connaissance, la raison, la science [66]), c'est là une thèse constamment affirmée dans les dialogues socratiques. A fortiori cela vaut-il pour l'âme dont le savoir est le bien propre : « Chez l'être humain, toutes choses dépendent de l'âme. Et si l'on passe aux choses qui appartiennent à l'âme, tout ce qui doit être bon en elles dépend de la raison même [67]. » Une telle dépendance de l'ensemble des qualités de l'âme à l'égard de la connaissance, traditionnellement dénommée « l'intellectualisme moral » de Socrate, a une conséquence immédiate sur le statut de la vertu. Car la vertu se trouve affranchie des biens dépendants du corps ou encore des biens extérieurs (tels la richesse, l'honneur ou le pouvoir, essentiels à la vertu politique [68]). Elle n'appartient plus qu'à l'âme et, dans l'âme, à la connaissance. Même les qualités proprement intellectuelles (la bonne mémoire, la facilité à apprendre) ne peuvent être vertus que si elles servent à l'exercice du savoir propre à l'âme.

Mais en quoi consiste ce savoir ? Quel contenu donner à la connaissance dont Socrate dit, à maintes reprises, qu'elle équivaut à la vertu ? Elle consiste d'abord en l'exercice d'une certaine activité cognitive

---

66. *Sophía* (savoir), *epistếmē* (connaissance/science), *phrónēsis* (raison), *noûs* (intelligence).

67. *Ménon* 88e-89a ; il est vrai que, quelques pages plus loin, Socrate affirme que ce privilège appartient aussi à l'opinion vraie, mais pour une catégorie d'actions tout à fait définie, cf. *infra* page 93.

68. En lesquels Socrate ne reconnaît pas de véritables biens, même s'ils ne sont pas pour autant des indifférents (cf. *Gorgias* 467e), comme les Stoïciens les appelleront. L'idée est que ces biens ne sont pas par eux-mêmes utiles si on ne leur ajoute pas le savoir. Mais ces biens n'ont pas du tout le rôle (de condition de manifestation de la vertu) que leur donnera ultérieurement Aristote.

dont l'effet est de maintenir en l'âme et dans le rapport entre l'âme et le corps une hiérarchie qui corresponde au bien de l'âme. Mais sans doute faut-il admettre aussi, et c'est là une des questions le plus souvent posées dans les dialogues socratiques, que cette vertu représente une connaissance spécifique. En ce cas, quel peut être l'objet d'une telle connaissance ? La vertu n'est-elle pas la connaissance du juste ? ou le savoir de soi-même ? ou encore le savoir du bien et du mal ? Les dialogues socratiques nous offrent de nombreuses ébauches de réponses, mais chacune d'elles entraîne tant de difficultés et de paradoxes que le contenu de cette connaissance reste largement indéterminé [69].

Une chose est sûre, en tout cas, c'est que la connaissance morale (qu'est la vertu) n'est pas homogène aux autres connaissances. Le statut de son objet surtout est difficile à définir [70]. Mais cet objet n'en est pas moins efficace (puisqu'il peut inspirer l'action vertueuse) et réel (puisqu'il représente sans doute le seul contenu commun à la diversité des qualités morales). En effet, si chacune de ces qualités est définie par des motifs particuliers et des circonstances d'actions spécifiques, il reste qu'elle n'est une « vertu » qu'en tant qu'elle se rapporte à cette connaissance qui

69. Cf. *Charmide* 166b-e, *Euthydème* 291d-292e. Etrangement, c'est dans les *Lois*, qui sont le dernier dialogue de Platon, qu'on trouverait une réponse assez déterminée au sujet de ce savoir/vertu qu'est l'art politique, dont l'objet est de créer l'harmonie interne de l'âme, équivalente de la justice (« c'est la plus belle et la plus grande parmi les harmonies qui sera très justement appelée la plus grande sagesse dont a sa part l'homme qui vit selon sa raison, tandis que celui qui en manque est totalement ignorant »), *Lois* II 688d, 689e ; aussi *Politique* 308e-309c.

70. En dépit du modèle de la compétence technique particulière si souvent utilisé par Socrate. Sur ce point, T. Irwin, *Plato's Moral Theory*, Oxford, Clarendon Press, 1977, 71-77. Et Aristote, *Ethique à Nicomaque* VI, 13, 1144b14-20, *Ethique à Eudème* I, 5, 1216b2-10, θ, 1, 1246b 32-34.

résume la vertu. D'où la thèse socratique, si paradoxale aux yeux de certains, qu'il n'y a ni vertu ni rapport au bien en dehors de la connaissance.

3. *La vertu introuvable du* Ménon

« Sur la vertu », tel est le sous-titre que les éditeurs anciens ont donné au *Ménon*. En effet, la vertu est l'objet premier de ce dialogue, en lequel on trouve bien des énoncés conformes à la description que nous avons donnée de la vertu socratique. Ainsi, nous retenons du *Ménon* que la vertu est une et identique chez tous les êtres vertueux, que la justice et la tempérance sont nécessaires à tout acte vertueux, mais sans qu'aucune de ces deux qualités ne représente pour autant « la vertu ». Par ailleurs, l'hypothèse est faite, dans le *Ménon*, selon laquelle la vertu est connaissance. Propriété de l'âme, la vertu, identifiée à la raison, serait le principe qui à la fois permet la réussite de toute action et assure le bonheur.

Mais ces affirmations du *Ménon* ne sont que provisoires. Avant la fin du dialogue, elles seront toutes récusées, après avoir été soumises à un long examen. Là réside le problème d'interprétation majeur que pose ce dialogue. Les thèses sur lesquelles s'achève le *Ménon* ne nous disent ni que la vertu est connaissance, ni qu'elle permet de définir toutes les qualités morales comme des savoirs, ni qu'elle oriente l'action des hommes politiques conformément à la connaissance du bien. Au contraire, c'est tout autre chose que nous lisons dans les dernières lignes du dialogue. La vertu n'est pas connaissance, mais opinion vraie, elle ne s'enseigne pas mais vient de la faveur divine accordée aux hommes politiques pour qu'ils gouvernent avec succès leurs cités.

Comment lire cette conclusion ? Est-elle de la part de Platon un constat d'échec, une dernière ironie, un compromis [71] ? Il faut souligner qu'à aucun moment dans le *Ménon*, et contrairement à beaucoup d'autres dialogues, Socrate ne cherche à déterminer l'objet de ce savoir qu'est la vertu [72]. Il ne s'attache qu'aux conséquences qu'entraîne l'hypothèse d'une vertu qui serait connaissance. L'une de ces conséquences est que la vertu s'enseigne. Lorsqu'il aura été montré que cette conséquence est fausse, que la vertu ne s'enseigne pas, il faudra renoncer à définir la vertu comme savoir. Il reste que l'absence d'une investigation sur la nature du savoir de la vertu, au profit de l'examen des conséquences tirées d'une description de la vertu qui la rende susceptible d'être enseignée, peut servir à expliquer qu'il ne soit pas fait explicitement mention, à la fin du *Ménon*, de la vertu socratique. La prééminence accordée à la question de l'enseignement de la vertu est à cet égard un des traits marquants de ce dialogue.

4. Peut-on enseigner la vertu ? le défi sophistique et les critiques politiques

Peu de questions ont été, dans l'Antiquité, aussi fameuses que celle de savoir comment accéder à la vertu [73]. En effet, si la vertu (*aretê*) représentait la possession des qualités humaines et des talents politiques indispensables à l'épanouissement de l'être humain, si elle désignait la capacité de vivre en homme apprécié par ses semblables et capable de gagner ou de conserver le pouvoir, on comprend que la maîtrise des moyens permettant d'accéder à cette réussite d'humanité et de la transmettre à autrui, à ses propres enfants

71. Tous les commentateurs ont proposé une réponse sur ce point. Pour la plupart, ils ne prennent pas au sérieux la conclusion explicite du *Ménon* et pensent que Platon veut, par cette conclusion, égarer un lecteur superficiel tout comme Socrate égare Ménon en définissant ainsi la nature de la vertu (Goldschmidt, 117 et Cornford : cf. *infra* page 104).

72. Ce qui se passe par exemple dans *Euthydème* 291d (à propos du savoir qui peut rendre les hommes heureux).

73. Cf. *infra* page 209, note 1.

surtout, ait été un des principaux soucis de l'homme grec.

La réponse traditionnelle à cette question de la transmission de la vertu était la lecture des poètes et l'imitation des ancêtres. Les épopées homériques, très largement connues et qui jouaient encore au début du IVᵉ siècle un rôle fondamental dans la culture grecque [74] offraient assez d'exemplaires de réussite humaine et politique. Par ailleurs, les hauts faits des héros politiques du Vᵉ siècle athénien fournissaient de nombreuses occasions d'instruire en vertu les jeunes gens. Ainsi, dans la question de Ménon — « comment devient-on vertueux ? par l'enseignement, par l'exercice, par nature ou autrement ? » —, la mention de l'acquisition de la vertu par l'exercice et par la nature rejoint en gros la conception traditionnelle de la transmission par l'imitation et par l'exemple [75]. Quant à la suggestion de l'enseignement, elle résume la controverse ouverte par la prétention sophistique à enseigner la vertu, par quoi les données traditionnelles de l'acquisition de la vertu se trouvaient radicalement modifiées [76].

Les sophistes étaient des intellectuels, le plus souvent étrangers mais qui se sont tous, définitivement ou provisoirement, installés à Athènes. Ils déclaraient être

---

74. Avec quelques réserves, cf. notre *Platon, Ion*, Paris, GF Flammarion, 1989, 33-39. Homère est du reste complété et concurrencé dans ce rôle par les poètes lyriques (Pindare, Bacchylide, Théognis, Simonide).

75. Cf. *infra* page 106 et page 210, note 2.

76. C'est donc là une question sur laquelle tout citoyen avait sans doute un avis. Aussi la réponse de Socrate qui prétend qu'aucun Athénien n'oserait répondre sur un tel sujet est une contre-vérité historique même si on peut concevoir que, en partie à cause de la déception éprouvée devant l'enseignement sophistique, quelques Athéniens aient montré un scepticisme désabusé. En fait, ici, Socrate nous dit qu'aucun Athénien ne *devrait* répondre, ce en quoi il fait abstraction de l'urgence culturelle de la question, cf. *infra* page 209, note 1. On trouvera les traces de ce débat dans Pindare, *Pythiques* I, 41, Protagoras DK 80 B3, B10 et, dans le *Ménon*, chez Théognis cité par Socrate (95d-96a).

capables d'enseigner la vertu, qu'ils définissaient comme l'ensemble des qualités humaines garantissant la réussite politique[77]. La nouveauté et la charge de scandale afférentes à une telle promesse sont pour nous difficilement imaginables. Songeons simplement qu'ainsi la qualité personnelle ne dépendait plus de la naissance ou des talents qui définissent intimement chaque individu, mais devenait une compétence comparable à toute autre, et susceptible, dans le meilleur des cas, d'être acquise auprès d'un bon maître. De plus, à la lenteur et au caractère imprévisible de l'éducation traditionnelle, à la relation d'élection avec laquelle se confondait l'enseignement, qui faisait qu'un adulte choisissait un adolescent pour le former à la vertu humaine et politique, se trouvait substituée une forme de « programmation » du devenir vertueux, ce devenir étant conçu parfois dans une indifférence totale à la personnalité ou au caractère de celui qui devait en être le sujet. Enfin, les sophistes étant les premiers à exiger d'être payés en retour de l'éducation qu'ils offraient, l'acquisition de la vertu devenait comparable à un quelconque apprentissage qu'il suffisait de payer pour suivre avec succès et dont les effets comptables dans le temps devaient être rétribués[78].

L'opposition d'une bonne partie de la classe politique athénienne à la prétention sophistique d'enseigner la vertu est une chose bien connue[79]. Or cette hostilité est d'autant plus remarquable qu'il semble qu'elle se soit adressée aux sophistes, et non pas aux rhéteurs ou professeurs de rhétorique. Dans les années qui suivirent immédiatement la restauration de la démocratie

77. Cf. *Protagoras* 317b, 349a. Sur cette prétention, voir la mise au point de J. de Romilly : *Les Grands Sophistes à l'époque de Périclès*, Paris, de Fallois, 1988, 57-87.
78. Les témoignages anciens sont nombreux sur ce point. Sur les prix des leçons des sophistes, cf. *infra* page 296, note 245.
79. Et ce, en dépit du succès qu'ils ont eu auprès d'une élite, ainsi gratifiée de l'esprit « affranchi ». Cf. *infra* page 297, note 249.

(403), après la guerre du Péloponnèse, les Athéniens se sont montrés particulièrement attachés à leurs institutions, au point que toute critique, toute attitude réflexive à l'égard de celles-ci était facilement attribuée à la manifestation d'une sympathie oligarchique. Par ailleurs, nombreux étaient ceux qui, parmi les Trente tyrans venus de l'aristocratie athénienne, avaient été les élèves des sophistes [80]. Aussi, pour un chef démocrate comme Anytos, la présence des sophistes à Athènes pouvait représenter une menace contre les institutions démocratiques. En revanche, l'enseignement largement diffusé de la rhétorique pouvait permettre le fonctionnement optimal de ces mêmes institutions [81].

Mais l'hostilité à l'égard des sophistes est aussi le signe d'une réaction anti-intellectualiste, qui se rencontre parfois dans les époques de crise des valeurs et de décadence politique, comme celle qu'a connue Athènes dans les années qui précédèrent la mort de Socrate. Les hommes politiques prenaient alors pour cible l'attitude réflexive que les sophistes avaient adoptée à l'égard du pouvoir pour en définir les moyens et les procédés. La crainte des politiques était qu'en devenant objet d'examen, l'exercice du pouvoir ne devînt immanquablement objet de critiques. Et, sur ce point, l'hostilité des hommes politiques vise aussi bien les sophistes que Socrate [82].

5. *L'enseignement de la vertu : la critique socratique et les arguments du* Ménon

Une particularité du *Ménon* mérite d'abord d'être soulignée. Alors que dans le *Protagoras* ou l'*Euthydème*,

---

80. Par exemple, Critias, Charmide, mais ils étaient aussi les seuls qui avaient les moyens de payer les leçons des sophistes, cf. *infra* note 245.

81. *Gorgias* 510e. Cette opposition sera thématisée dans l'œuvre d'Isocrate.

82. Anytos le dit explicitement dans le *Ménon* (91c).

la question de savoir si la vertu s'enseigne semble se
confondre avec l'étude de la nature de la vertu, l'intérêt
de la critique systématique de l'enseignement de la
vertu proposée dans le *Ménon*, tient au fait que la
propriété de s'enseigner ne semble pas donnée comme
partie intégrante du concept de vertu[83]. Au contraire,
l'examen de la question de savoir si la vertu s'enseigne
est mené à propos des conséquences (qu'entraîne le fait
que la vertu s'enseigne) sans que la définition de la
vertu y intervienne à aucun moment. C'est un procédé
aussi singulier dans les dialogues socratiques que la
conclusion obtenue est remarquable : la vertu ne
s'enseigne pas, non pas parce qu'elle n'est pas connaissance, mais parce qu'on ne peut trouver nulle part de
maîtres de vertu. L'argument mérite d'être rappelé en
détail.

Puisqu'on recherche des maîtres de vertu, les
sophistes semblent les candidats tout désignés pour
remplir cette fonction. Mais Anytos rappelle avec
violence que beaucoup d'Athéniens, dont lui-même,
ne croient pas en la capacité des sophistes d'enseigner
la vertu, et penseraient plutôt que les sophistes portent
tort à leurs disciples. Une fois les sophistes hors
concours, Anytos à son tour doit présenter ses candidats. Pour lui, ce sont les hommes de bien qui
enseignent la vertu[84], en particulier les plus célèbres
hommes politiques athéniens. Mais il suffit à Socrate
de mentionner les fils de Thucydide ou ceux de

83. Il faut insister sur le fait que la question est presque toujours
posée de façon à lier la possibilité d'enseigner la vertu à la définition
de cette vertu : *Protagoras* 361a-b, *Euthydème* 282b-c. De manière
générale, la propriété de s'enseigner contribue, en même temps que
le caractère scientifique et l'utilité, à définir un art (*tékhnē*).

84. On retrouve le même argument dans *Protagoras* (325c-326e),
où l'enseignement de la vertu est dit être aussi collectif que celui du
langage ; sur le rôle des hommes politiques dans cette transmission,
voir aussi 319e-320b, mais là, seul le cas de Périclès est envisagé —
tandis que, dans le *Ménon*, Platon parle de Thémistocle, Aristide,
Thucydide, Périclès — aussi dans l'*Alcibiade* 110e-111a.

Périclès pour faire voir que, si ces enfants ont pu acquérir sans difficulté les autres compétences qu'on leur a enseignées (l'art de l'équitation et celui de la lutte), ils se sont en revanche montrés incapables d'acquérir la vertu où leurs pères excellaient. Comme il est par ailleurs assuré que les pères en question n'ont pas pu ne pas vouloir leur enseigner ou leur faire enseigner la vertu, un tel échec à en faire des hommes de bien n'a nulle autre cause que l'impossibilité d'enseigner la vertu.

Mais on peut adresser plusieurs objections à cet argument socratique. D'abord, il est possible qu'il faille, outre le fait de posséder la vertu, disposer d'un talent supplémentaire pour l'enseigner. Or il n'y a aucune raison de penser que tous les hommes politiques aient possédé au même degré le talent d'enseigner la vertu. Par ailleurs, l'absence de capacités naturelles chez les élèves pourrait aussi compromettre un tel enseignement[85]. Enfin, on peut s'interroger sur la validité de l'argument qui consiste à déduire l'impossibilité d'enseigner la vertu de la constatation *de facto* qu'il n'y a pas de professeurs de vertu. Dans la *République*, Socrate nous donne l'exemple d'une science, la géométrie solide, véritable discipline d'enseignement, bien qu'il n'y ait encore personne pour l'enseigner[86]. A l'inverse, il existe une pratique pour laquelle on n'a guère de peine à trouver des maîtres et des élèves, qui bénéficie d'une large reconnaissance institutionnelle mais qui, aux yeux de

---

85. En réalité, Socrate semble répondre à cette objection en insistant sur le fait que ces fils possédaient un minimum de talents naturels (cf. *infra* page 301, note 268). La même raison, l'absence de talent chez l'élève, est évoquée in *Protagoras* 327b, mais apparemment critiquée dans *Alcibiade* 111a, 112c, 118e : lorsque Alcibiade réplique qu'il n'a pas eu le talent d'écouter les conseils de Périclès, Socrate répond que, dans ce cas-là, on devrait trouver quelqu'un d'autre qui aurait été rendu vertueux par Périclès.

86. *République* VII 528b.

Socrate en tout cas, ne s'enseigne pas, précisément parce qu'elle n'est ni un art ni une connaissance : c'est la rhétorique[87].

Ces exemples nous inciteraient donc à penser que enseignement d'une discipline et existence de maîtres et d'élèves en cette discipline ne vont pas toujours de pair. Qu'il y ait des maîtres et des élèves en une matière quelconque suppose un certain consensus sur les besoins d'une société et sur les moyens de satisfaire ces besoins. L'absence de tels maîtres ne signifie pas nécessairement que cette matière ne s'enseigne pas. Non plus que l'existence de ces maîtres ne peut assurer qu'elle s'enseigne. En revanche, si la discipline enseignée est institutionnellement définie par un lieu, une époque, une culture (par exemple : la conception de la vertu politique et sociale dominante dans l'Athènes du IVe siècle), si son existence tient en grande partie au fait d'être reconnue par ceux qui appartiennent à cette culture, il est déjà plus légitime de considérer que si, en ce lieu, à ce moment, il n'y a personne pour l'enseigner, si donc elle ne s'enseigne pas, c'est qu'elle ne peut pas s'enseigner[88].

Mais n'est-ce pas justement la description donnée de la vertu après qu'Anytos, aux deux tiers du *Ménon*, est intervenu ? A ce moment-là, il semble que Socrate substitue la vertu sociale et politique ordinaire à la vertu, fondée sur le savoir et sur le bien, qu'il voulait que Ménon découvrît. En effet, lorsque Socrate interroge le chef démocrate athénien sur les maîtres qui sauraient rendre Ménon vertueux, la vertu dont Anytos doit désigner les maîtres est celle qui, au dire de Socrate, « permet aux hommes de bien gouverner leurs

---

87. *Gorgias* 463a-d, *Phèdre* 266c-d.
88. Là encore il peut s'agir d'une propriété essentielle qui appartient au concept de cette réalité (la propriété de s'enseigner appartient au concept de vertu) ou d'une propriété tout aussi essentielle mais qui n'est pas comprise dans la description du concept. C'est sans doute ici le sens du terme *didaktón*, cf. *infra* page 210, note 1.

maisons et leurs cités, de rendre un culte à leurs
parents, de savoir comment accueillir, de façon digne
d'un homme de bien, citoyens et étrangers, et comment prendre congé d'eux [89] ». On ne reconnaît guère
la vertu socratique sous cette description, qui correspond bien davantage à la définition traditionnelle de la
vertu, partagée à la fois par Anytos et par Ménon.

Il se peut donc que les arguments qui vont, dans le
Ménon, de l'absence des professeurs et des disciples en
vertu à l'impossibilité de l'enseignement de la vertu
portent surtout sur cette vertu démotique et politique [90]. C'est pour cette vertu-là seulement que
l'absence de maîtres, dans l'Athènes passée et présente, pourrait valoir comme preuve qu'elle ne
s'enseigne pas. L'argument socratique est valide sous
la condition de cette double restriction qui qualifie à la
fois le domaine d'exercice de cette vertu (l'Athènes du
début du IVe siècle) et son contenu (une forme de
« gestion » des relations humaines). La vertu que
Socrate, dans les dernières lignes du *Ménon*, reconnaît
aux hommes politiques athéniens, cette vertu qui n'est
pas connaissance, mais consiste en une opinion vraie,
une faveur divine ou *theía moíra*, est sans doute affectée
par les mêmes restrictions.

La vertu, au sens socratique, ardemment recherchée
au début du *Ménon*, ne serait donc pas celle décrite
dans la définition, donnée en apparente conclusion du
dialogue, de la vertu comme opinion vraie [91]. Mais elle

---

89. Cf. 91a

90. Une telle absence de maîtres est prouvée par le fait qu'à
Athènes comme en Thessalie, les concurrents directs des sophistes
pour l'enseignement de la vertu, à savoir les hommes de bien et les
poètes, ignorent qui est capable d'enseigner la vertu ou même si elle
s'enseigne. Voir J. Barnes, J. Brunschwig, *Rev. Philo.*, 4, 1991, 571-
602.

91. Goldschmidt 117 souligne ainsi qu'on ne peut pas se servir
d'un attribut accidentel de la vertu (la propriété de s'enseigner) pour
définir sa nature ; la fin du dialogue ne serait donc qu'une tentation
de Ménon. Mais il faut rappeler que Socrate dit bien que ce n'est de
sa part qu'une conjecture (*eikázon* ; cf. *Timée* 51e).

n'est pas non plus tout à fait absente de la fin du dialogue. Socrate y prononce en effet une sorte de prophétie. S'il arrivait qu'un jour un homme politique parvînt à transmettre sa vertu à autrui pour faire de celui-ci un véritable homme politique, cet homme sera « parmi les vivants tel qu'Homère décrit Tirésias chez les morts... », tel la réalité vraie parmi les ombres. La vertu qui ferait de cet homme politique « la réalité vraie parmi les ombres » n'est sans doute pas cette faveur divine qui conduit au succès. Il s'agirait plutôt d'une vertu qui par son objet se rapprocherait d'une science politique, cette science que Platon ne définit jamais pleinement, mais que Socrate reconnaît posséder à un certain degré et dont il dit qu'elle fait de lui le seul homme politique à Athènes[92].

A la fin du *Ménon,* nous sommes donc laissés avec une double conclusion. La conclusion explicite : la vertu est opinion vraie, elle ne s'enseigne pas mais advient par faveur divine. Mais aussi une perspective d'espoir, qui vaudrait comme une conclusion implicite et ferait le lien avec le début du dialogue et les premiers essais de détermination de la vertu : il se peut qu'un jour un homme puisse enseigner la vertu à un autre. Nous ne saurons ni où ni quand un tel espoir doit se réaliser, mais il est problabe qu'il aurait pour condition première la connaissance de la vertu.

---

92. *Gorgias* 521d. Bien que cette vraie vertu s'oppose à la vertu sociale et politique commune, elle est aussi, comme connaissance du bien de la cité, de nature politique. Le livre VII de la *République* nous montre ce qu'est, dans une cité non corrompue, un programme de formation à la vertu.

COMMENT CONNAÎTRE LA VERTU ?

I. LA DÉFINITION DE LA VERTU

« Peux-tu me dire, Ménon, ce qu'est la vertu ? » Ce type de question est si fréquemment posé par le Socrate des premiers dialogues que les commentateurs modernes l'ont dénommée la question « qu'est-ce que X ?[93] ». Il est d'abord surprenant de constater que les interlocuteurs de Socrate la comprennent mal, en tout cas ne voient pas immédiatement ce qui est exigé d'eux[94]. Aussi pensent-ils y satisfaire en dressant une liste de choses qui sont X ou en proposant simplement un X qui soit, à leurs yeux, socialement valorisé. Cette mauvaise compréhension de la question « qu'est-ce que X ? » est si fréquente qu'on peut y voir le signe d'une difficulté inscrite dans la demande elle-même. En effet, quelle réponse Socrate attend-il à une telle question ? Une définition, peut-on penser. Mais est-ce bien le cas ? Autrement dit : la réponse appropriée à la question « qu'est-ce que la vertu ? », est-elle une définition (au sens moderne du terme, c'est-à-dire l'ensemble des conditions nécessaires et suffisantes pour qu'une chose tombe sous un concept déterminé) ou bien Socrate attend-il une réponse plus spécifique, qui n'est pas nécessairement une définition bien formée selon nos critères modernes, et qu'il faudra appeler, faute de mieux, une *définition socratique* ?

93. Cf. Vlastos, « What is F... ? », 1981, tr. fr. in *PC*, 1991, 193-199, et Crombie, « Socratic definition ».
94. Sur la difficulté de compréhension des interlocuteurs de Socrate, *Hippias Majeur* 286e, *Euthyphron* 5c, *Lachès* 191d, 192a-b, *Théétète* 146c.

1. La définition socratique

La question « qu'est-ce que la vertu ? » n'est pas univoque. Elle peut signifier diverses choses, par exemple : « quel est le sens du mot vertu ? », ou bien « quelle est l'essence de la vertu ? », ou encore « quelle est la cause de la vertu ? »

Une première interprétation de cette question est lexicale. En ce cas, c'est le sens du terme « vertu » que Socrate voudrait voir déterminé. Mais lorsqu'il demande, dans les premières lignes du *Ménon*, ce qu'est la vertu, il est clair qu'il n'attend pas de son interlocuteur une réponse ressemblant en quoi que ce soit à une définition de dictionnaire, laquelle donnerait les équivalents du terme « vertu » ou les conditions de son usage correct. De façon plus générale, les choses à propos desquelles Socrate pose la question « qu'est-ce que ? » sont désignées par des termes tout à fait courants, compris sans difficulté et correctement utilisés [95]. La question adressée à Ménon requiert donc manifestement quelque chose en plus, ou de totalement différent, d'une définition lexicale qui déterminerait la valeur du terme « vertu » et les règles de son emploi.

Par ailleurs, la question « qu'est-ce que la vertu ? » peut indiquer qu'on recherche la cause de la vertu. Il faudrait alors comprendre : « qu'est-ce qui fait que la vertu est ce qu'elle est ? » Ce sens causal, qui sera tout à fait essentiel chez Aristote, ne semble pas être réellement considéré dans le *Ménon*. Si la question « qu'est-ce qui fait que nous sommes vertueux ? » doit contribuer à la définition de la vertu, la réponse qui y serait apportée, à savoir « le bien », veut simplement dire que le bien appartient à l'essence de la vertu, non

---

[95]. On trouve un exemple de définition nominale en *Gorgias* 448e.

pas que le bien est la cause de la vertu [96]. L'interprétation causale de la question « qu'est-ce que X ? » est directement dépendante de sa signification essentielle.

Demander « qu'est-ce que la vertu ? », est-ce donc demander « quelle est l'essence de la vertu ? » ? Lorsque Socrate réitère sa question auprès de Ménon qui la comprend mal, il prend, pour bien en faire saisir le sens, un premier exemple concret : « qu'est-ce qu'une abeille ? ». Le sens de la question ici est clair. Socrate demande quel est l'élément commun à toutes les abeilles et qui fait qu'on les appelle « abeilles », en d'autres termes, quelle est la réalité unique sous-jacente à leur diversité [97]. Répondre à cette question impose de rechercher, selon les expressions socratiques, ce qu'est l'abeille « dans sa réalité [98] » ou encore quelle est « sa forme caractéristique [99] ». L'interprétation la plus naturelle de cette question est de considérer qu'elle demande la mise en évidence de l'essence de l'abeille. Ce qui signifie, dans ce contexte socratique, une essence réelle dotée du même genre d'être que les phénomènes particuliers auxquels elle appartient en commun et qui sont dénommés d'après elle [100].

---

96. L'hypothèse du sens causal a été critiquée par Vlastos, 1981, 415, tr. fr. in *PC*, 1991, 194. Sur la critique aristotélicienne de la définition socratique : *Métaphysique* A, 987b1-4, M, 1078b17-28, 1086a32-b3. Pour Aristote, définir, c'est faire voir la cause formelle, plus la matière pour les composés.

97. Sur la richesse d'expression avec laquelle Socrate désigne ce rapport entre l'unité et la pluralité, voir *infra* pages 220, 223, notes 28 et 37. Pour des essais de définition essentielle : *Théétète* 147a-c (la définition de l'argile), *Sophiste* 239c-240e (sur la définition de l'image), *République* VII 534b (la définition de la Forme du Bien).

98. *Perì ousías* ; cf. *infra* page 219, note 27, sur les différents sens de l'expression. Sur ce point, M. Dixsaut, *Rev. Philo.*, 1991.

99. *Eîdos*, dont les sens sont expliqués *infra* page 220, note 29.

100. Voir pages 219-220, notes 27 et 29. Mais il faut souligner que lorsque le terme de *eîdos* sera ultérieurement repris par Platon, il désignera une réalité non sensible en fonction de laquelle une classe d'êtres sensibles se trouve dénommée. Ce n'est probablement pas le sens qu'a ici le terme *eîdos* : rien n'indique ici qu'il y a une différence de nature entre l'essence et les sensibles, cf. *infra* page 220, notes 27 et 29.

Mais si l'exigence de faire voir l'essence d'une chose se comprend fort bien lorsqu'il s'agit de définir une espèce naturelle comme l'abeille, il n'en est pas de même pour la vertu. Car, dans le cas de l'abeille, l'identification des individus qui tombent dans la classe des abeilles est aisée, et nul ne songerait à douter du fait que, mâles ou femelles, petites ou grandes, les abeilles possèdent toutes en commun une même nature. Mais quand il s'agit de la vertu, le *Ménon* montre que définir la vertu des personnes par le caractère vertueux des actes qu'elles accomplissent ne suffit pas, car il est alors difficile de définir clairement la catégorie des actes désignés comme « vertueux » ; et si même on y parvenait, on aurait du mal à s'accorder sur ce qui fait la « vertu » de ces actes vertueux. Lorsqu'elle porte sur la vertu, le sens de la question « qu'est-ce que ? » est malaisé à définir. Et l'exigence d'une définition socratique, qui consisterait à mettre en évidence l'essence réelle de la vertu, paraît difficile à appliquer.

2. *Les réponses de Ménon et la réfutation socratique*

Ménon se montre, à deux reprises, incapable de saisir la nature unique de la vertu. La première fois, il propose, pour faire voir ce qu'est la vertu, une énumération d'activités qui chacune définisse une vertu (la vertu d'un homme, c'est de bien commander sa cité, celle d'une femme, de bien gérer sa maison), mais qui manque à présenter l'élément commun à toutes ces activités expliquant en quoi elles sont vertueuses [101]. Avec sa seconde réponse, Ménon essaie réellement de mettre en évidence une forme de généralité fonctionnelle : « la vertu, c'est être capable de

---

101. On dit généralement que c'est une façon de donner la dénotation du concept (son extension) et non pas sa nature caractéristique (sa compréhension), cf. Thomas 82-83 (la critique de Andic 288), Grim 7-17.

commander ». Mais cette nouvelle proposition cède sous les coups de deux objections. D'une part, il est des êtres vertueux dont la vertu consisterait précisément à ne pas commander (la vertu d'un enfant ou d'un esclave serait plutôt d'obéir). D'autre part, ce qui rend le commandement vertueux, c'est une qualité supplémentaire comme la justice.

La procédure grâce à laquelle ces fausses réponses de Ménon seront réfutées mérite d'être remarquée. Il s'agit de l'*elenchus* ou réfutation socratique. Formellement défini, l'*elenchus* procède à partir d'une thèse affirmée par un interlocuteur qui la croit vraie. L'*elenchus* consiste à montrer que cette thèse est en contradiction avec un ensemble de croyances qu'entretient ce même interlocuteur [102]. Lorsque Ménon déclare que la vertu, c'est de commander, Socrate réfute cette affirmation en montrant qu'elle est en contradiction avec une autre conviction possédée par Ménon selon laquelle commander de façon injuste n'est pas une vertu.

L'*elenchus* socratique se révèle donc particulièrement apte à apprécier la cohérence des croyances morales de l'individu ainsi interrogé. Elle contribue aussi à rendre manifestes les liens entre diverses qualités morales qui toutes dépendent de la vertu. A cet égard, la réfutation socratique permet de rendre une conviction plus sûre (en la rattachant à d'autres certitudes morales) ou de la récuser (en montrant qu'elle contredit ces mêmes certitudes), mais en s'appuyant seulement sur les conceptions morales entretenues par l'individu. L'*elenchus* nous montre ainsi quelles croyances morales sont cohérentes avec les valeurs que nous avons choisies, avec le genre de vie

---

102. Cf. Vlastos, *Socratic Elenchus* 39 qui critique sur ce point R. Robinson, *Plato's earlier Dialectics*, 2n ed., Oxford, 1953, 9. Sur l'*elenchus* comme « moyen de rechercher la vérité, mais qui est impuissant à produire la certitude », voir Vlastos, *Elenchus and Mathematics* 369, tr. fr. in *PC*, 1991, 56-57.

que nous sommes résolus à mener, et elle dénonce les autres croyances qui s'y opposent. De là vient sa force, puisque tout homme préfère renoncer à une croyance morale particulière plutôt qu'à la cohérence qu'il postule entre ses croyances. De là vient aussi sa limitation.

Car tout occupé à s'assurer de la cohérence des conceptions morales, ce n'est jamais de *la vertu* ou de *la justice*, en général, que traite l'*elenchus*. Cette procédure est donc impuissante à nous fournir une véritable explication qui distingue entre elles différentes notions morales ; elle ne peut nous dire, par exemple, comment la justice et la tempérance — dont Ménon a au moins reconnu qu'elles devaient être nécessairement présentes dans toute action vertueuse — contribuent à définir la vertu, sans pourtant s'y identifier. La réfutation socratique fait voir l'incohérence qu'il y a entre les réponses de Ménon et les autres convictions morales qu'il entretient, mais elle est incapable de fournir, à partir de la pluralité des aspects de la vertu ou des caractérisations des différentes vertus, une définition unique. Ainsi peut s'expliquer le fait que Socrate ait recours dans le *Ménon* à des modèles de définition, indépendants de l'*elenchus*, puisqu'ils sont empruntés en partie aux mathématiques.

3. *Les modèles de définition*

La première définition donnée en exemple est celle de la figure. « La figure, c'est ce qui s'accompagne toujours de couleur. » Définition sans doute peu satisfaisante selon des critères modernes, car elle ne nous donne qu'une marque distinctive de la figure, une condition nécessaire de sa présence, plutôt que son essence [103]. Mais au moins a-t-elle le mérite de fournir une caractérisation réelle et synthétique de la figure,

---

103. Et encore avec des réserves, pour la critique de cette définition, cf. *infra* page 228, notes 48 et 49.

même si, pour être vérifiée, elle demeure dépendante d'une expérience perceptive.

Comme Ménon fait à Socrate le reproche de se servir dans sa définition de la notion de couleur, encore non éclaircie et dont la définition dépend sans doute de celle de la figure, Socrate propose une deuxième définition de la figure : « La figure, c'est la limite d'un solide. » Cette définition est fonctionnelle et finale. Mais on peut considérer que c'est la *surface* qui se trouve être ainsi définie et non pas la *figure* (telle est bien en effet la définition qu'Euclide donnera de la « surface » un siècle plus tard[104]). Dans la définition socratique, « limite » du solide est à comprendre, non pas comme la périphérie du solide, mais comme l'intersection du solide en question avec un plan. En ce sens, la formule socratique caractérise bien l'ensemble des surfaces, mais elle ne s'applique pas qu'à elles. Car si les figures représentent toutes certaines limites, elles ne sont pas pour autant toutes les limites.

Enfin, un troisième modèle de définition est donné cette fois à propos de la couleur. « La couleur, ce sont des effluves de figures proportionnés à l'organe de la vue et donc sensibles. » Si Socrate émet des réserves à l'égard de cette définition, ces réserves portent surtout sur son excessive généralité (sa formule pourrait servir à définir l'ensemble des phénomènes perceptifs) et sur sa dépendance à l'égard d'une théorie causale de la perception qui n'a pas été vérifiée. Mais, prise comme telle, c'est une définition bien formée[105].

Or aucune de ces trois définitions — dont tout l'intérêt vient de ce que Socrate les présente explicitement comme des paradigmes — ne semble nous donner la réponse optimale requise par la question

104. Euclide (XI,2) : Euclide se sert du terme « surface » (*epípha-neia*) et non pas du terme « figure » (*skhéma*), cf. *infra* page 232, note 57.
105. En ce qu'elle définit une notion complexe à l'aide d'une notion plus simple.

« qu'est-ce que X ? », à savoir l'essence réelle de X, contenu le plus approprié de la définition socratique. En revanche, ce que ces trois définitions, à des degrés divers, nous donnent, c'est une marque distinctive. Est-ce à dire que la question « qu'est-ce que la vertu ? », quoiqu'elle vise idéalement à l'essence, ne recevra en guise de réponse qu'une marque qui distingue la vertu entre toutes les propriétés de l'âme [106] ?

4. Marque distinctive ou essence ?

Dès les premières lignes du *Ménon*, nous voyons Socrate déclarer avec force qu'il est impossible de savoir comment est X (c'est-à-dire quelles sont ses qualités, ses propriétés, essentielles ou non, ses accidents [107]) si on ne sait ce qu'est X, et qu'on ne peut non plus attribuer aucune propriété à X (en particulier, on ne peut pas le qualifier) si on ne le connaît pas déjà. Connaître X signifie clairement ici, non pas connaître une marque distinctive, mais connaître l'essence elle-même. Davantage, la connaissance de cette essence est première : si nous ne connaissons pas l'essence d'une chose, nous ne pouvons pas entreprendre de rechercher ou d'étudier ses propriétés [108].

106. Une preuve en serait la précision « juste comme cela » (75c), exprimée par Socrate aussitôt après la première définition de la figure, précision qui semble suggérer qu'une caractéristique pourrait suffire. Socrate vise-t-il une définition qui dirait simplement, par exemple, que la vertu s'accompagne toujours de connaissance ?

107. 71b ; sur les multiples sens que recouvre le *poïon*, cf. *infra*, page 215, note 14.

108. Le modèle de connaissance auquel Socrate semble se référer ici est la connaissance d'un individu ; il s'agirait de connaître l'essence réelle de l'individualité « vertu » ou celle de Ménon, cf. page 215 note 14. Mais prendre la connaissance de Ménon comme exemple de la connaissance de la vertu est paradoxal, car la connaissance de Ménon peut dans ce contexte ne consister qu'en une connaissance perceptive. Le principe paradoxal selon lequel on ne peut rien savoir de X si on ne sait pas ce qu'est X lui-même (cf. *Théétète* 196d-e) est souvent présenté par Platon comme allant de

Un lecteur contemporain objectera qu'il est possible de comprendre le terme « vertu » et de l'utiliser correctement, qu'il est possible aussi de savoir un certain nombre de choses vraies sur la vertu, tout en étant incapable d'en montrer l'essence. Or s'il faut prendre littéralement les affirmations de Socrate dans le *Ménon*, un tel savoir de la signification ou de la réfé rence portant sur la vertu est vain tant qu'on ne dispose pas de la proposition qui donne l'essence de la vertu [109], ce qui serait la condition nécessairement requise pour connaître la vertu. Cette exigence ne se trouve nulle part ailleurs énoncée avec autant de force que dans notre dialogue. Seulement, si on la rapporte aux modèles de définition (de la couleur, de la figure) que Socrate propose dans ce même dialogue, on peut douter qu'elle s'y trouve réellement satisfaite. En effet, nous avons vu que Socrate lui-même se contentait d'une marque distinctive, d'un attribut qui suffit à identifier X et à le distinguer de toute autre réalité, sans pour autant donner son essence. Faut-il admettre qu'en dépit de la caractérisation de la question « qu'est-ce que X ? » comme recherche de l'essence réelle d'une chose, dans la pratique, l'emploi de cette

---

soi (cf. *Phèdre* 260b-e et *Théétète* 146a-147e). On peut établir un rapprochement entre ce type de connaissance et la connaissance par accointance, telle qu'elle a été définie par Bertrand Russell (*Mysticisme et Logique*, *Problèmes de philosophie* V). Cette connaissance désigne la connaissance des objets (par opposition à la connaissance des vérités) et, à l'intérieur de la connaissance des objets, elle s'oppose à la connaissance par simple description (qui donne la règle ou la condition à laquelle l'objet doit satisfaire, mais sans présenter cet objet). La connaissance dont Ménon devrait faire l'objet pour pouvoir ensuite se trouver qualifié (de beau, riche, etc.) est sans doute de ce type, et il n'est pas non plus exclu de concevoir sous ce modèle la connaissance de l'essence individuelle de la vertu.

109. Les réponses du type « X est AB », où deux déterminations qui ne donnent pas l'essence, sont apportées, ne conviennent pas davantage ; voir celles données en *Gorgias* 449d-e (la rhétorique est l'art des discours qui portent sur le juste), 453e (l'arithmétique est l'art des discours qui portent sur le nombre).

question serve surtout à faire découvrir une marque
distinctive qui spécifie, parmi toutes les autres réalités,
celle dont on cherche ce qu'elle est ?

Selon de nombreux commentateurs, cette difficulté
est due au caractère ambigu de la définition socratique.
Platon n'aurait pas nettement distingué les deux
formes d'identification (par l'essence ou par un attribut
caractéristique), et exigerait l'une (la nature essentielle)
tout en se contentant de l'autre (la marque distinctive) [110]. Mais en fait si ces deux modes d'identification
sont régulièrement présents dans la pratique socratique
de la question « qu'est-ce que X ? », pourquoi ne pas
considérer qu'ils sont, non pas tous deux nécessaires,
mais chacun suffisant ? La définition socratique
consiste avant tout en la mise en évidence d'un élément
réel, commun à une pluralité d'objets. Dans cette
perspective, présentation de l'essence ou détermination d'une caractéristique peuvent aussi bien convenir.

Il est vrai que dans ce dernier cas, notre compréhension moderne de la définition reste insatisfaite. Mais on
ne peut reprocher à Platon d'être imprécis ou incohé-
rent, quand son seul tort (si l'on peut dire) serait de ne
pas disposer d'une théorie « moderne » de la définition, univoque, pleinement déterminée, et applicable à
tous sujets. Une telle théorie ne se trouve ni dans le
Ménon ni ailleurs, et il est probable que Platon ne lui
aurait pas reconnu une grande pertinence, surtout à
cause de l'indifférence de cette théorie au type de

---

110. En effet, certains passages indiqueraient que Socrate
recherche un critère d'identification qui lui permette de dire si telle
ou telle chose est ou non un X (*Euthyphron* 6e), tandis que d'autres
passages montrent que Socrate cherche l'essence (*République* VII
534b). Les dernières pages du *Théétète* expliquent bien l'ambiguïté
du terme *lógos*, qui peut désigner une marque distinctive ou une
énumération d'éléments. Tout au long de la présente enquête,
Socrate assume deux choses : 1. aucun cas particulier de vertu ne
peut fournir une réponse satisfaisante ; 2. X doit être univoque
(*République* X 596a).

réalité à définir. Platon n'a-t-il pas lui-même souligné la vanité des définitions nominales[111], et sans doute l'insuffisance des définitions dont la connaissance ne peut s'achever par la saisie directe de l'objet?

Car la seule réponse qui pourrait satisfaire cette quête d'une définition intégrale, n'est sans doute pas celle qui se formulerait sous forme de proposition donnant l'essence de X (« X est ceci, ceci, ceci »), mais celle qui nous présenterait une individualité, à savoir la réalité essentielle de la vertu ou, comme le dira plus tard Platon, sa Forme. Les Formes — c'est-à-dire un ensemble de réalités intelligibles, dissociées des êtres sensibles mais qui déterminent leurs natures — ne sont pas explicitement mentionnées dans le *Ménon*, mais il est possible que l'insistance mise sur le caractère absolu de la recherche définitionnelle suggère déjà le mode optimal de la connaissance qui sera thématisé dans les dialogues ultérieurs comme connaissance d'une Forme-individu[112]. A cet égard, l'usage dans le *Ménon* de la question « qu'est-ce que X ? » serait une manière d' « usage-limite »; cette question paraît comme disproportionnée par rapport aux moyens de réponse dont Platon pouvait disposer à ce moment-là de l'élaboration de sa pensée, mais elle annonce déjà les formes de recherche de l'essence qui se trouveront dans les dialogues platoniciens ultérieurs.

Il est vrai aussi que, dans le dernier tiers du *Ménon*, la question « qu'est-ce que X ? » (qu'est-ce que la vertu ?) semble céder la place à la question « est-ce que

---

111. Cf. *Lettre* VII 342b-e (le cercle et le droit peuvent échanger leurs noms).

112. Avec la précision que les Formes sont réelles, se distinguent ontologiquement de tous les objets sensibles et sont connues par une sorte particulière de connaissance (*gnôsis*, cf. *République* V 477a, VI 510a-b, connaissance dont l'objet est un individu et non pas une proposition); aucun de ces caractères ne s'applique à l'essence (*ousía*, *eîdos*) dont il est question dans le *Ménon*, même s'il est clair que les objets de la connaissance pré-empirique sont des objets intelligibles.

X est Y ? » (est-ce que la vertu est connaissance ?).
Mais le rôle que joue le terme « connaissance » dans
cette nouvelle formulation est difficile à définir. S'agit-
il d'une propriété du concept de vertu, qui doit à ce titre
intervenir dans la définition ? En effet, si on reprend la
distinction établie plus haut entre le *tí* (ce que c'est) et
le *poîon* (comment c'est), l'attribut « connaissance »
donne-t-il l'identité de la vertu (son *tí*) ? ou la détermination de son genre (son *poion*) ? ou encore une de ses
propriétés ? Surtout, au moment où la proposition « la
vertu est connaissance » est mentionnée, cette proposition n'est pas réellement considérée comme une
réponse à la question « qu'est-ce que la vertu ? », mais
comme une proposition établie de façon hypothétique
et dont la vérité devrait être confirmée. Cette procédure d' « examen à partir d'une hypothèse » semble
alors conçue comme un nouveau moyen de répondre à
la question initiale (sur l'enseignement de la vertu) et
de contribuer ainsi à la détermination de l'essence ; cela
permettra d'amorcer ultérieurement la recherche définitionnelle, après que la réminiscence aura confirmé la
possibilité de la recherche et de la connaissance.

II. LE PARADOXE DE MÉNON : COMMENT CHERCHER CE QU'ON NE CONNAIT PAS ?

1. *La question difficile de Ménon, et l'impossibilité de la recherche*

« Et de quelle façon chercheras-tu, Socrate, cette
réalité dont tu ne sais absolument pas ce qu'elle est ?
Laquelle des choses qu'en effet tu ignores, prendras-tu
comme objet de ta recherche ? Et si même, au mieux,
tu tombais dessus, comment saurais-tu qu'il s'agit de
cette chose que tu ne connaissais pas ? » Cette question
impatiente de Ménon est un des passages les plus

célèbres des dialogues platoniciens [113]. Elle donne lieu à ce qu'on désigne traditionnellement comme « le paradoxe de Ménon ».

La première partie de la question — « laquelle des choses que tu ignores prendras-tu comme objet de ta recherche », ci-dessous désignée comme (1) — a trait à la détermination de l'objet de la recherche et à celle de sa méthode. Tandis que la seconde partie de cette même question — ci-dessous désignée comme (2) — porte sur l'identification de l'objet découvert comme étant l'objet cherché.

Mais dans les deux cas, la difficulté ne porte-t-elle pas sur l'ignorance où on est de l'objet cherché ? Cette ignorance joue évidemment dans (1), mais aussi dans (2), puisque, ne connaissant pas l'objet qu'on cherche, on ne peut dire s'il équivaut à celui qu'on découvre. C'est donc la nature commune de la difficulté qui justifie le caractère réitératif de l'argument de Ménon. Car cet argument propose en quelque sorte la dramatisation en deux temps d'une même difficulté, laquelle est formulée, d'une part, telle qu'elle se pose au début de la recherche, et, d'autre part, telle qu'elle pourrait se poser au terme de cette même recherche si celle-ci avait effectivement lieu [114]. Au début de la recherche, la question est celle de savoir quoi chercher. Or si on ne sait pas ce qu'on cherche, pourquoi chercher telle chose plutôt que telle autre ? Sous une pareille hypothèque, la recherche paraît totalement gratuite. Au terme de la recherche, dans la mesure où on ignore ce

---

113. Cf. 80d. Plusieurs centaines de pages ont été consacrées à ces quelques lignes. Sur la bibliographie du paradoxe, voir *infra* pages 119-120. Sur les origines du sophisme, voir *infra*, page 248, notes 104 et 106 (Phérécyde DK 71B8). On trouve un correspondant inattendu de ce paradoxe dans la bouche de Nasf Iddin le Hodja, intellectuel turc et mystificateur ayant vécu au XVe siècle (Le Serment à la Mosquée, in F. Caradec, F. Arnaud, *Encyclopédie des farces et attrapes*, Paris, Pauvert, 1964, 413).

114. La possibilité que cette recherche s'accomplisse est en fait toute théorique.

qu'on cherchait, même si on découvre quelque chose, on ne peut dire si ce « quelque chose » est bien ce qu'on cherchait ; en ce sens, la recherche ne peut même pas avoir de terme. Il est donc impossible d'entreprendre, impossible d'achever, quelque recherche que ce soit de ce qu'on ne connaît pas.

A la lecture d'un tel argument, le lecteur d'aujourd'hui peut se trouver surpris et objecter ; « ce n'est pas parce que je ne connais pas *ce que* je cherche (au sens de je n'en connais pas les propriétés) que je ne sais pas *ce que je cherche* (c'est-à-dire l'objet dont je vais pouvoir éventuellement rechercher les propriétés) ». La question de Ménon exploite manifestement une homonymie syntaxique présente en grec et dont on peut donner l'équivalent en français en ayant recours aux constructions différentes qu'admettent les verbes « savoir » et « connaître[115] ». En effet, dans la question de Ménon, le « ce que » peut être compris de deux façons distinctes. Soit il s'agit d'un pronom démonstratif déterminé par une proposition relative (on obtient alors l'énoncé (1a) : « je ne connais pas *ce que* je cherche », équivalent à « je ne connais pas ce qu'est la vertu, or c'est cela (ce qu'est la vertu) que je cherche »), et la formule n'a alors rien de particulièrement choquant, elle renvoie à une des situations les plus communes de l'expérience humaine, celle de l'ignorance partielle. Ou bien, *ce que* a la valeur d'un interrogatif indirect et la phrase « je ne sais pas *ce que je cherche* » — désignons-la comme l'énoncé (2a) — signifie « je ne sais pas ce que je vais bien pouvoir chercher », situation tout à fait extraordinaire[116], et peut-être inconcevable.

115. Nous utiliserons donc dans la suite de l'exposé la forme négative du verbe « connaître » lorsque ce verbe introduit une proposition relative qui détermine un démonstratif, et le verbe « savoir » à la forme négative lorsque ce verbe introduit une interrogative indirecte.

116. Cf. Ryle 7-10, tr. fr. 1991 ; sur la valeur du « absolument pas », *parápan*, cf. Nehamas 5-6, tr. fr. 1991.

L'ambiguïté de l'expression est, dans le cas présent, redoutable puisque la même formule verbale « ce que je cherche » exprime à la fois la condition qui rend possible la recherche et celle qui la compromet radicalement. En effet, ne pas connaître *ce que* (pronom démonstratif complété par un relatif) je cherche est une condition *sine qua non* de la recherche (laquelle serait superflue dans le cas contraire). Mais ne pas savoir *ce que je cherche* (interrogative indirecte) rend au contraire cette recherche, affectée du défaut d'indétermination radicale, impossible. Dans un cas, grâce à un minimum d'orientation vers un objet déterminé, la recherche est possible, dans l'autre cas, elle est dérisoire pour autant qu'on croit possible de tout ignorer de l'objet qu'on cherche.

2. Connaissance intégrale et ignorance totale

La question de Ménon, initialement formulée pour faire voir la difficulté de chercher, a donc une incidence immédiate sur le statut de la connaissance et sur la possibilité d'une ignorance totale. En effet, mettons au mode positif les énoncés (1a) « je ne connais pas *ce que* je cherche » et (2a) « je ne sais pas *ce que je cherche* ». Nous obtenons les deux affirmations suivantes : je connais *ce que* je cherche (1b : *ce que*, pronom démonstratif complété par un relatif) et je sais *ce que je cherche* (2b : *ce que*, pronom interrogatif). Or, contrairement à ce qui se produisait avec les énoncés (1a) et (2a), c'est à présent la formule (1b) — où on trouve les pronoms démonstratif et relatif *ce que* — qui décrit une situation où la recherche est superflue ; en effet, si je connais *ce que* je cherche, je n'ai nul besoin de le chercher. Tandis que, dans l'expression (2b) — où *ce que* est interrogatif indirect —, se trouve exprimée la condition qui rend la recherche à la fois possible et intéressante : si je sais *ce que je cherche*, je peux le chercher de façon appropriée.

Aussi, en associant formulations négatives et formu-

lations positives, nous obtenons les deux couples de conditions suivants :
(Possibilité de la recherche)
      (1a) je ne connais pas *ce que* je cherche
      (2b) je sais *ce que je cherche*

(Impossibilité de la recherche)
      (1b) je ne sais pas *ce que je cherche*
      (2a) je connais *ce que* je cherche

Les formules 1a et 2b donnent les conditions de possibilité de la recherche, tandis que les formules 1b et 2a décrivent la situation où une telle recherche devient impossible. Mais ces deux dernières formules ne font la recherche impossible que parce qu'elles définissent la connaissance relative à un objet comme la connaissance intégrale de cet objet (je sais ce que cet objet est) et l'ignorance où on est d'un objet comme une ignorance radicale (je ne sais même pas quel est cet objet).

Il est vrai que dans la question difficile de Ménon, seule est en cause la conception de l'ignorance comme ignorance totale, puisque c'est faute de savoir ce qu'on cherche qu'on est dans l'impossibilité de le chercher. Or, une telle ignorance est paradoxale, même aux yeux de Ménon, car celui-ci doit bien savoir, au même titre que n'importe qui, qu'une telle possibilité est absurde. En effet, si je substitue à *ce que je cherche* un nom d'objet quelconque, disons X, ou « ma clé » ou « la route pour se rendre à Larisse », et si je dis « je ne sais même pas si c'est la route de Larisse que je cherche », je prononce un énoncé à peu près dépourvu de sens. Car, dès que je dispose d'un nom pour désigner l'objet que je cherche, dès que je peux me le représenter mentalement, fût-ce avec le contour le plus vague, j'ai une forme minimale de savoir descriptif (référentiel) à l'égard de cet objet [117].

---

117. L'objection selon laquelle il y a des situations de distraction où je sais que je cherche quelque chose tout en ne sachant pas (ou

Surtout, rapportée à l'objet « vertu » qui a fait jusqu'ici l'objet de la recherche que mènent Ménon et Socrate, une ignorance aussi radicale est encore moins admissible. En effet, dans l'Athènes du ve siècle, tout le monde pense connaître assez la vertu pour être capable d'en parler, puisque c'est une des réalités le plus souvent évoquées et louées dans la culture de l'époque. Ménon s'est lui-même vanté d'avoir prononcé d'innombrables discours sur la vertu. Et même s'il convient avoir été réfuté plusieurs fois par Socrate, il estime sans doute, sinon savoir ce qu'est la vertu, du moins savoir bien des choses vraies *de* la vertu.

Or, sur ce point précisément, Socrate n'avait-il pas récusé, dès le début du dialogue, la possibilité de connaître quelque chose *de la vertu*, sans connaître *ce qu'est la vertu* (71b)? Socrate n'a-t-il pas affirmé, à l'inverse, qu'ignorant ce qu'est la vertu en général (*hólon*), il était incapable de savoir quelles en sont les parties (79d)? Enfin, Socrate n'a-t-il pas déclaré, en 80d, immédiatement avant que Ménon ne pose sa question difficile, qu'il faut continuer à chercher la vertu, même si on ne sait absolument pas ce qu'elle est. Le paradoxe de Ménon, et la mention qui y est faite d'une ignorance radicale à l'égard de l'objet qu'on cherche, est, pour ainsi dire, une reprise littérale de cette dernière injonction de Socrate [118].

---

plus) ce que c'est, est sans pertinence ici. Car des situations de ce genre sont caractérisées par le fait qu'en même temps que je trouve ce que je cherche, je sais que c'était cela que je cherchais. Or, la situation d'ignorance décrite par Ménon est précisément celle où je suis incapable d'identifier l'objet au moment où je le découvre. Comme l'ignorance radicale que décrit ici Ménon est à distinguer de la situation où, bien que sachant quel objet je cherche, je me trompe pourtant sur sa nature, ne disposant pas d'un critère suffisant pour caractériser cet objet, étant donc dans l'incapacité de le reconnaître et prêt à me tromper à son endroit. Le paradoxe d'une telle connaissance/ignorance n'est pas celui que vise ici Ménon.

118. Cf. 80d : « je ne sais pas ce qu'est la vertu (...). Cependant, (*hómōs dè*), *je veux bien mener cet examen avec toi...* »

Ainsi, en dénonçant l'impossibilité de chercher ce qu'on ne connaît pas, la question de Ménon vise surtout la conception particulière de la recherche que Socrate a fait valoir jusque-là[119]. Or cette conception n'est ni générale ni abstraite. Au contraire, elle a été déterminée par trois essais infructueux que Ménon a tentés et où il a été réfuté. Or cette recherche, dont Ménon veut montrer qu'elle est impossible ou paradoxale, c'est la recherche d'une définition.

Ménon et Socrate, lancés à la recherche d'une définition, ont déjà formulé bien des énoncés vrais au sujet de la vertu[120]. Or de ces vérités obtenues, Socrate semble ne tenir aucun compte et persiste à dire qu'il ne sait absolument rien de la vertu. Il est vrai que Ménon n'a sans doute jamais reconnu d'autre mode d'existence à la vertu que celui d'un objet empirique : la vertu, ce sont des actes, des fonctions, des comportements particuliers. Chacune de ces réponses « empiriques » a été récusée par Socrate. Et il est probable que, en dehors de ces différentes illustrations concrètes de la vertu, Ménon ne voit pas ce que peut être la vertu, sinon une chose tout à fait indéterminée et inconnaissable. L'exigence socratique doit lui sembler exorbitante.

Rechercher une vertu qui ne soit ni particulière ni concrète équivaut simplement, aux yeux de Ménon, à l'impossibilité de rechercher ce qu'est la vertu. Avec sa question difficile et paradoxale, Ménon oppose donc un refus actif à ce que requiert la définition socratique. Il souligne que la recherche des définitions nous réduit à l'ignorance totale, faute de pouvoir disposer d'une connaissance intégrale. En reprenant le modèle socratique de la connaissance par définition, il fait du savoir

119. Cf. 74a : « je ne peux trouver la vertu d'après la façon dont tu la cherches », *supra* page 62 et *infra* page 225, note 43.
120. Par exemple : que la vertu est identique chez un homme et chez une femme ; que la justice est une forme de vertu ; que la vertu a rapport au bien.

d'un objet, comme c'est le cas pour la définition d'un objet, une chose qu'on n'a ou qu'on n'a pas. Mais s'il est tout à fait problématique, comme Ménon a sans doute raison de le suggérer, de concevoir une *définition partielle*, la possibilité d'une *connaissance partielle* soulève-t-elle des difficultés comparables ?

3. *La reformulation de Socrate : la version standard du paradoxe*

Aussi fameux que soit le paradoxe de Ménon, ce ne sont pas en fait les questions de Ménon qui sont le plus souvent citées lorsque les commentateurs d'aujourd'hui évoquent le « paradoxe de Ménon », mais la reformulation qu'en donne Socrate : « Il n'est possible à un homme de chercher ni ce qu'il connaît ni ce qu'il ne connaît pas. En effet, ce qu'il connaît, il ne le chercherait pas parce qu'il le connaît [...], et ce qu'il ne connaît pas, il ne le chercherait pas non plus, parce qu'il ne saurait même pas ce qu'il devrait chercher[121]. » Davantage, la solution de la Réminiscence que Socrate apporte à ce paradoxe répond non pas tant à l'argument réitératif de Ménon qu'à sa formulation socratique en dilemme impossible (impossible car formé de deux prémisses recevables et exclusives l'une de l'autre, d'une inférence valable et d'une conclusion inacceptable). Or ce qui fait la force du dilemme, c'est l'alternative ici explicite[122] : soit je connais (totalement) un objet, soit je ne le connais pas (du tout). A la différence de la question de Ménon, le dilemme socratique porte explicitement sur la connaissance.

Il faut souligner aussi que le dilemme socratique reprend en fait littéralement nos précédentes formules 2b (je connais tout de l'objet, je n'ai donc pas besoin de chercher) et 1b (je ne connais rien de l'objet, il est donc impossible de chercher). Ainsi Socrate rajoute-t-il à la

---

121. Cf. 80e, et bibliographie *infra* page 120.
122. White 291.

question éristique [123] de Ménon (qui ne concernait que
le fait de chercher ce qu'on ne connaît pas) une clause
qui se rapporte au fait de chercher ce qu'on connaît.
Mais cette clause (je connais *ce que* je cherche) peut
s'obtenir par simple négation de la formule dont se
servait Ménon (je ne connais pas *ce que* je cherche, où
que a la valeur d'un pronom relatif). Elle n'est donc
pas un réel ajout de Socrate, mais un développement
assez naturel de la formule de Ménon, développement
qui explicite le fait que connaissance et ignorance
s'opposent sans intermédiaire.

De cet idéal de connaissance intégrale, de nature
définitionnelle, exigé par Socrate à propos de la vertu
depuis les premières lignes du *Ménon,* la solution de la
Réminiscence montrera la possibilité sous forme d'une
connaissance latente [124].

III. APPRENDRE, C'EST SE REMÉMORER

1. *L'immortalité de l'âme et le contexte de l'argument*

De manière inattendue, Socrate emprunte la voix de
prêtres et de prêtresses pour montrer la vanité du
paradoxe de Ménon. Il y a tout lieu de penser que les
arguments employés dans un tel contexte n'assureront
pas une réfutation dans les règles. Socrate insiste au
contraire sur le caractère inspiré des propos qu'il va
tenir. En même temps, il souligne que ces prêtres
savent parler rationnellement de leurs pratiques religieuses. La doctrine qu'il leur attribue affirme la
certitude de l'immortalité de l'âme, de son indestructi-

123. L'appellation « éristique » (d'après *éris,* la lutte) utilisée ici
indique qu'il s'agit d'un moyen d'argumenter (justifié ou non) dont
on se sert pour s'assurer la victoire dans une discussion.

124. La thèse selon laquelle Socrate ne prendrait aucunement au
sérieux le paradoxe de Ménon a été récemment défendue (cf. Moline
155, Klein 92-93, D. Scott, *in La Revue Philosophique* 1991 ; cf. *infra*
page 248, note 106).

bilité, et la conviction d'un retour périodique de l'âme
à la vie. Entre le moment de la mort (qui n'est que celui
de la mort du corps ou du composé âme-corps),
moment de la sortie de l'âme hors de la condition
corporelle, et celui de la renaissance (de la même âme
de nouveau réincarnée en un corps), l'âme n'est
aucunement détruite et ne cesse jamais de vivre.

Au début de l'exposé de la Réminiscence, une telle
conception de l'immortalité de l'âme sert à confirmer
l'idée d'une connaissance prénatale. Plus tard, l'ultime
étape de cet exposé consistera à vérifier l'existence de la
capacité qu'a l'âme de se remémorer les vérités antérieurement acquises. On interrogera un jeune garçon et
on l'amènera à découvrir une propriété géométrique du
carré. On verra alors ce garçon retrouver une vérité
qu'il n'a pas apprise dans sa vie présente, et que
Socrate rapporte aussitôt à la connaissance prénatale de
l'âme. Les propos des prêtres serviraient donc à mettre
en avant l'immortalité de l'âme, condition de sa
connaissance prénatale, tandis que l'entretien avec le
garçon, montrant l'évidence d'une connaissance prénatale, justifierait cette connaissance par l'immortalité de
l'âme. L'argument, dans la mesure où il est destiné à
établir l'immortalité de l'âme, serait donc apparemment circulaire et ne laisserait à cette thèse d'autre
soutien qu'une simple croyance religieuse.

Si la thèse platonicienne d'une connaissance prénatale a rencontré une grande faveur dans les philosophies ultérieures [125], beaucoup de ceux qui l'ont adoptée ont voulu la déprendre de son association, malheureuse à leurs yeux, avec la thèse, ici essentiellement
religieuse, de l'immortalité de l'âme. Mais il faut
souligner deux points où l'élaboration socratique se
distingue nettement de l'enseignement religieux. Tan-

---

125. Avec, par exemple, la doctrine de la connaissance innée ;
mais certains commentateurs ont contesté cette filiation : Scott
« *Anamnesis* revisited » 349-351.

dis que la conception d'une connaissance prénatale, conception attribuée aux prêtres, recouvre très probablement la connaissance acquise par l'âme lors de ses précédentes incarnations, Socrate, quant à lui, fait surtout référence à une connaissance que l'âme aurait acquise sans être incarnée dans un corps terrestre. D'autre part, Socrate ne reprend jamais à son compte la nécessité d'une « immortalité » de l'âme et les arguments qu'il proposerait en sa faveur serviraient plutôt à montrer l'*antériorité* de l'existence de l'âme, condition de la connaissance prénatale. Il est vrai que tout au long de l'exposé de la Réminiscence, une telle idée d'immortalité est implicitement présente, mais cette idée est au nombre de celles auxquelles Socrate reconnaît lui-même prêter foi sans avoir pour autant les moyens d'en assurer la démonstration [126].

Il est vrai que l'évocation religieuse de l'immortalité de l'âme a une fonction protreptique, celle de bien disposer l'âme de Ménon, dont on a tout lieu de penser qu'elle est rebelle, à l'égard de l'idée de la Réminiscence. Mais, d'une telle évocation, Socrate ne fait qu'extraire l'idée d'une connaissance antérieure de l'âme. L'existence d'une connaissance de ce genre sera ensuite justifiée par les conséquences éthiques qu'elle entraîne et par la démonstration qui prouvera que le jeune garçon est capable de restituer une vérité qu'il n'a pas apprise. C'est avec pour horizon la parole des prêtres et des poètes que Socrate demande à Ménon de considérer la supériorité morale de la Réminiscence et de trouver des raisons d'y croire. L'exposé de la Réminiscence comporte donc réellement un cercle, « mais ce cercle est dans la narration et la mise en condition, il n'est pas dans l'argument [127] ». Une fois reformulées philosophiquement, les idées religieuses dont Platon s'est inspiré dans l'élaboration de la

126. Cf. 86b et *infra* page 279, note 182.
127. Sur tout cela, je renvoie à L. Brown *in Rev. Philo.*, 1991.

Réminiscence trouveront un sens radicalement nouveau.

2. *Les origines religieuses de la Réminiscence*

L'idée qu'une âme puisse se souvenir dans sa vie
présente d'une connaissance acquise antérieurement à
cette vie dépend d'une conception particulière de
l'âme. Il faut en effet concevoir l'âme comme dotée
d'une réalité de vie indépendante, d'une existence
substantielle qui persiste après la mort et définit
l'individu. Or il y a là un ensemble d'idées qui, à la fin
du v⁰ siècle, n'étaient sans doute ni très anciennes ni
très répandues.

Lorsque les héros homériques font référence à
l'âme, ils ne désignent aucunement un vrai « soi » qui
rassemblerait l'essentiel des attributs de l'individu et
en prolongerait l'identité après la mort [128]. Certes, nous
disposons de récits qui attestent l'existence (surtout en
Thrace, semble-t-il) de formes de cultes rendus aux
êtres qui survivraient après la mort. Mais il semble que
l'immortalité ait longtemps été considérée comme le
privilège des dieux, et non pas comme la propriété
d'un principe non corporel de l'homme. L'idée d'une
âme immortelle et indestructible a sans doute mis
longtemps à se répandre dans la mesure où elle récusait
la nette séparation établie entre les hommes et les
dieux, séparation qui est un trait fondamental de la
religion grecque archaïque. Quand cette séparation a
été conçue de façon moins absolue, il est possible que
l'idée de l'immortalité de l'âme se soit développée et
répandue.

Les premières manifestations de la croyance en une
âme immortelle semblent être liées aux cercles orphiques ou pythagoriciens, et associées aux thèmes de la

128. *Odyssée* XI 488-491, l'âme va mener une vie de malheur
après la mort.

métempsycose et du souvenir des vies antérieures [129]. Mais il ne s'agissait là très probablement que des souvenirs des vies vécues dans différentes incarnations, et non pas des souvenirs de ces longs séjours de l'âme dans l'Hadès, entre deux incarnations ; on trouve d'ailleurs fort peu d'allusions à une vie de l'âme désincarnée [130]. Un passage célèbre d'Hérodote expose la doctrine de la métempsycose des Egyptiens et fait allusion aux Grecs qui l'auraient adoptée [131], sans pourtant vouloir les nommer. Il n'est même pas sûr que Pythagore ait eu l'idée que l'âme pouvait se libérer de l'incarnation et vivre une vie immortelle. Loin d'accorder une réelle généralité à la métempsycose, Pythagore l'aurait également limitée à lui-même, avant que ses disciples ne l'étendent à tous les êtres incarnés.

Mais toute tentative pour restituer les idées religieuses qui ont pu inspirer la conception platonicienne de la Réminiscence est conjecturale. Il est aussi difficile d'apprécier à quel point de telles idées s'étaient diffusées. L'essentiel pour notre propos est de souligner combien, en s'inspirant de cet ensemble d'idées, qui ne représentent d'ailleurs pas, sans doute, les courants majoritaires de la religion grecque, Platon s'en émancipe radicalement sur des points essentiels. Il définit en particulier la connaissance antérieure de l'âme comme une connaissance acquise (en totalité ou en partie) en dehors de l'incarnation. Il donne pour objet à cette connaissance la totalité du savoir et pour fonction d'assurer la permanence de la nature de l'âme à chaque nouvelle incarnation. C'est la condition qui rendra possible l'eschatologie, ou conception générale

129. Cf. Hérodote IV 95, Diogène Laërce VIII 4-5, Phérécyde (DK 71B8), et un fragment de Xénophane donné par Diogène Laërce VIII 36.

130. Empédocle sur Pythagore : DK 21 B129.

131. Hérodote II, 123, et W. Burkert, *Griechische Religion der archaischen und klassischen Epoche*, 1977, tr. angl., *Greek Religion*, Oxford, Blackwell, 1985, 317-32.

de la destinée des âmes, et permettra aussi l'affranchissement de l'âme hors du cycle de l'incarnation. Enfin, cette connaissance totale, constitutive de l'âme de l'homme, Socrate la présente comme intégralement accessible à tous les êtres humains.

3. *Réminiscence 1 : remémoration et apprentissage*

Toute recherche, toute acquisition de connaissances ne sont en fait que remémoration. Chercher un objet inconnu consiste à chercher à se le remémorer, et la recherche n'est pas moins possible que l'effort pour se souvenir. Voilà quelle est la réponse socratique au paradoxe de Ménon[132]. Mais comment définir cette « remémoration » et sur quoi porte-t-elle ?

La thèse initiale est que l'âme a appris, avant l'incarnation, tout ce dont elle acquerra de nouveau la connaissance, au sens strict du terme, au cours de son existence corporelle[133]. L'âme étant identique à elle-même, qu'elle soit incarnée ou non dans un corps terrestre, une telle connaissance, fût-elle possédée de façon non consciente ou latente, semble être sa caractéristique essentielle. Lorsqu'au cours de sa vie incarnée, l'âme apprend une chose quelconque, un tel apprentissage ne consiste en fait qu'en la réactivation d'un apprentissage antérieurement accompli, et peut-être toujours déjà achevé par l'âme[134].

Par ailleurs, la remémoration par l'âme d'une chose antérieurement connue doit pouvoir donner accès à toutes les autres vérités que l'âme possède. La condi-

132. Sur la remémoration, voir *Philèbe* 34b et *Phédon* 72e.
133. En fait, Platon dit « l'âme a vu » ; mais « voir » a un sens intellectuel ; Platon fait manifestement allusion à des unités idéelles ; sur la question de savoir si la réminiscence porte sur des objets empiriques, cf. Ebert 167-169.
134. Les vérités dont l'âme dispose avant l'incarnation proviennent d'un apprentissage toujours antérieur et de nature différente de ce que nous appelons « apprentissage », cf. Gulley 195-202. Voir aussi Aristote, *Premiers Analytiques* II, 21, 67a 22-30 sur la possibilité de se remémorer des faits particuliers.

tion de cela tient à la reconnaissance de l'homogénéité de la nature. L'expression est ici à prendre au sens fort. Elle signifie que toutes les parties de la nature sont parentes entre elles : ainsi, l'action exercée sur l'une de ces parties peut avoir des répercussions sur toutes les autres, et donc sur la nature entière. Faut-il supposer entre les différentes vérités apprises antérieurement par l'âme un lien de parenté identique à celui qui existe entre les parties de la nature ? Si oui, nous pourrions justifier les affirmations de Platon selon lesquelles l'accès à la conscience, sous forme de ressouvenir, d'une seule de ces vérités, doit permettre le rappel de toute autre vérité liée à la première (de même que le rappel du lien qui les unit), et ainsi de suite jusqu'à inclure, semble-t-il, la totalité du savoir [135].

Mais cette identification de l'apprentissage à la remémoration ne doit pas amener à nier la réalité de l'apprentissage. Ce que Platon met clairement en évidence, c'est le caractère biface d'un processus unique : à la fois réactivation d'un contenu latent ou ressouvenir *(anámnēsis)*, quand on le rapporte aux vérités antérieures, et apprentissage *(máthēsis)* selon la dénomination que les hommes lui donnent, quand on le rapporte à la conscience d'ignorance où ils doivent être pour réellement apprendre.

La question se pose alors de savoir si ces vérités acquises par l'âme avant l'incarnation incluent une part empirique réelle (comprennent-elles, par exemple, la connaissance du goût du vin de Samos ou celle du visage de Ménon ?) ou si elles sont des vérités indépendantes de toute expérience empirique. Pris littéralement, ce passage du *Ménon* nous induirait à penser en effet que la connaissance prénatale n'exclut pas la connaissance empirique [136]. Pourtant dans les exposés

---

135. 85c-d. Sur l'homogénéité de la nature, Tigner 1-4.
136. Cf. 81c : l'âme « a vu à la fois les choses d'ici et celles de l'Hadès, le monde de l'Invisible, c'est-à-dire, toutes les réalités » et *infra* pages 258-259, notes 121 et 125 ; voir Irwin 316 n. 17.

ultérieurs que Platon donnera de la Réminiscence, les vérités dont on peut avoir réminiscence sont toujours détachées de l'expérience [137]. De plus, les conditions de la cohérence de la doctrine amènent à préférer la thèse selon laquelle la réminiscence porte essentiellement sur les vérités *a priori*. En effet, si la réminiscence suscite des vérités que tout être humain doit reconnaître comme telles, elle ne peut concerner les vérités pour la connaissance desquelles l'âme aurait dû être incarnée dans tel ou tel corps particulier. Quant au reste, c'est-à-dire les connaissances linguistiques, celles des figures géométriques, des harmonies musicales ou même les connaissances perceptives plus générales comme celles requises pour chaque art, dont il n'est guère vraisemblable que l'âme ait appris le détail avant l'incarnation, on peut malgré tout concevoir, à condition encore une fois que cette connaissance ne soit pas de celles qui ne sont accessibles que dans une incarnation particulière, que l'âme dispose à leur sujet de schémas d'apprentissage [138] généraux. La possession de tels schémas (qui ne donnent aucune connaissance précise du détail de ces différents savoirs) expliquerait le fait qu'en apprenant des connaissances de ce type, l'âme se les remémore aussi.

Mais il faut souligner que l'effort de réminiscence n'est pas seulement un effort de mémoire. En l'associant étroitement à la recherche, Platon le décrit plutôt comme un effort d'investigation intellectuelle, qui cherche à réactiver une vérité possédée mais de façon inconsciente. La possession de vérités antérieurement apprises permet de penser que l'ignorance où on se trouve à l'égard d'un objet n'est jamais absolue. En fait, il ne s'agit même plus d'ignorance, au sens d'une absence de connaissance, mais bien plutôt d'une connaissance totale, quoique intégralement ou partiel-

137. Cf. *Phédon* 75/c-e et *infra*, pages 93-94.
138. Cette interprétation rendrait la théorie de la perception de Platon quasi pré-kantienne.

lement voilée. Chercher ce qu'on ne connaît pas
signifie alors *chercher à se souvenir* de ce qu'on connaît.

Si le ressouvenir n'est pas un effort de mémoire
désordonné, mais une recherche visant une vérité déjà
possédée, cette vérité oriente implicitement l'effort de
remémoration jusqu'à permettre l'accès de cette connaissance à la conscience[139]. En ce sens, le fait que
l'âme possède des vérités suffit pour que la recherche
soit possible, et la première difficulté posée par le
paradoxe de Ménon (« comment chercher ce qu'on ne
connaît pas ? ») est levée. De plus, le souvenir ayant
cette caractéristique qu'on sait ce dont on se souvient
en même temps qu'on s'en souvient, le second problème posé par le paradoxe, à savoir, l'identification de
l'objet découvert, n'a plus lieu d'être. Mais cette double
solution ne tient pas tant à la possibilité d'une connaissance partielle qu'à la mise en évidence du fait que tout
effort de recherche est activement, quoique incons-
ciemment, référé à une vérité réellement possédée[140].

4. Connaissance innée ou simple capacité d'étendre la connaissance humaine ?

Platon déclare dans le *Ménon* qu'il n'y a pas acquisi-

---

139. La chose est parfaitement expliquée dans le *Phédon* (72e-
76e), mais là, le point de départ est le monde sensible.

140. Nous dénommons « solution de la connaissance partielle »
l'explication suivante du paradoxe et de sa solution : 1. Si je ne sais
pas ce qu'est X, je ne sais rien à propos de X ; 2. Si je ne sais rien sur
X, je ne peux pas identifier X ; 3. Si je ne peux pas identifier X, je ne
peux pas reconnaître X comme le sujet de ma recherche. 4. Si je ne
peux pas reconnaître X comme le sujet de ma recherche, je ne peux
rechercher X. Donc : 5. Si je ne connais pas X, je ne peux pas
chercher X. Seulement, Socrate rejette 2. en montrant que les
opinions vraies sur X sont suffisantes pour fixer la référence à X et
donc l'identifier comme sujet de la recherche. Ainsi, même quand le
garçon ne savait pas, il avait des opinions vraies (cf. Irwin 139).
Mais ce type d'explication paraît aussi problématique que ce qu'il
doit résoudre. En effet, les opinions vraies sont une réponse au
paradoxe, mais elles ne permettent pas de le poser, puisque la
distinction opinion vraie/connaissance n'intervient qu'après la mention de la Réminiscence.

tion de nouvelles connaissances, mais réactualisation de vérités déjà possédées. Mais possédons-nous vraiment de manière innée toutes les connaissances futures que nous croirons jamais acquérir ? Ne disposons-nous pas plutôt de quelques connaissances constitutives, assorties de règles d'inférence et d'une capacité à analyser les relations entre concepts ? Ce simple « équipement » inné nous permettrait d'acquérir des connaissances sans devoir faire la supposition, peu vraisemblable aux yeux des commentateurs modernes, selon laquelle nous posséderions déjà toute notre connaissance future de façon inconsciente.

En développant sa conception de la Réminiscence, et sans préjuger de l'interprétation qu'on peut en donner, Platon a assurément tenté d'analyser la capacité propre à l'esprit humain d'étendre ses connaissances. Mais pour rendre possible une telle capacité et en assurer le fonctionnement, faut-il comprendre la Réminiscence comme la restitution telle quelle, à quelques réserves près, d'une vérité innée antérieurement possédée (c'est l'interprétation innéiste forte de la réminiscence) ? Ou bien peut-on tenter une interprétation « minimaliste » qui réduirait la Réminiscence à n'être que l'hypothèse qui nous permet de comprendre comment, grâce au processus d'inférence [141], l'esprit humain peut connaître une quantité indéfinie de choses ? Pour instruire un tel débat, il faut considérer les résultats de cette première expérience de psychologie de la connaissance qu'après l'exposé de la Réminiscence, Socrate mène, à titre de vérification, sur un jeune serviteur de Ménon.

Au problème que pose Socrate (de quelle longueur sera le côté d'un carré de surface double d'un carré donné ?), le jeune garçon répond, par deux fois, de façon fausse. La première fausse réponse consiste à dire que le double d'un carré est un carré dont le côté est deux fois plus grand que celui du premier carré.

141. Vlastos, *Anamnesis* 144-148.

Ayant compris qu'on obtient ainsi un carré quatre fois plus grand, le jeune homme propose une seconde réponse qui, elle aussi, est fausse : le carré cherché serait, selon lui, le carré dont le côté est une fois et demie plus grand que le côté du carré initialement donné. On remarquera que ces deux fausses réponses sont dues à un (faux) raisonnement élémentaire et qu'avant de poursuivre l'expérience, le jeune homme doit comprendre pourquoi il s'est trompé et renoncer à ses erreurs.

En ne faisant que poser des questions au garçon, Socrate l'amène progressivement à construire le carré recherché et à exprimer la longueur de ses côtés en fonction de ceux du premier carré. Ce n'est qu'à ce moment-là, quand le jeune homme reconnaît comme vraie la réponse qu'il a proposée, que Socrate attribue cette réponse à l'efficace de la réminiscence. S'il paraît difficile d'admettre que les premières opinions fausses du jeune homme sont le produit de la réminiscence, il reste que l'abandon des premières intuitions du garçon au sujet de la duplication du carré, s'explique comme une mise en œuvre initiale de la réminiscence. Sans la conscience que le garçon a de sa propre ignorance, la recherche et l'effort de réactivation des connaissances sont dépourvus de toute vraisemblance psychologique.

La première vérité ainsi restituée — à ce titre, premier effet véritable de la réminiscence — ne consiste pourtant qu'en une *opinion* vraie [142]. Les images dont Platon se sert pour la décrire sont tout à fait suggestives. La vérité de l'opinion est erratique comme les visions d'un rêve, elle est instable comme les statues de Dédale, elle chercherait à s'enfuir si on ne l'attachait pas. Mais malgré ces qualifications

---

142. Il est vrai que Platon semble attribuer la connaissance au garçon, mais c'est en se plaçant dans la perspective où l'interrogation aurait été achevée : en particulier, lorsqu'en 85d, Socrate dit que le jeune homme a la connaissance et qu'il recouvrera la connaissance en lui-même.

négatives, cette *opinion* est vraie, et aussi longtemps qu'elle reste vraie, elle est le principe d'une action qui réussit.

Mais quelle est l'origine de cette vérité de l'opinion ? S'il apparaît qu'elle ne peut venir que d'une connaissance innée correspondante, c'est là un argument de poids en faveur de l'Interprétation innéiste forte de la Réminiscence. Mais dans ce cas comment expliquer que les premières réponses du jeune homme soient fausses ? En effet, il est plus facile de concevoir que des opinions fausses proviennent d'une mauvaise application des règles d'inférence (sur les quelques concepts innés dont l'âme dispose) que d'admettre que ces opinions fausses soient issues de véritables connaissances. Et de fait, Socrate remarque bien que les opinions vraies du garçon portent sur *ce qu'il ne connaît pas* [143].

Voilà qui semble peser en faveur d'une interprétation minimaliste de la Réminiscence. On soutiendrait alors que la première opinion vraie du jeune garçon est issue d'une opinion vraie, opinion dont on peut dire que l'âme la possède « antérieurement » dans la mesure où elle résulte de l'armature innée minimale dont toute âme humaine est dotée mais sans qu'une telle origine doive être considérée comme une connaissance innée de l'âme. Pourtant, cette dernière interprétation soulève des objections si sérieuses qu'il est sans doute plus judicieux d'y renoncer. En effet, il est à peine moins problématique de faire venir une opinion fausse d'une opinion vraie que d'une connaissance (vraie), car, bien que labile, cette opinion n'en paraît pas moins donner lieu à une prémisse vraie. Par ailleurs, l'instabilité par laquelle Platon caractérise l'opinion vraie

143. 85c. L'argument précédent est proposé par Vlastos *Anamnesis* 147. Mais *Théétète* 197b-c montre que le mathématicien qui a la connaissance d'une science, peut, malgré sa science, se tromper. Je dois cette référence à L. Brown.

n'appartient aucunement aux vérités innées censées appartenir antérieurement à l'âme.

Comme le recours aux opinions vraies innées sert d'abord à éviter d'admettre que l'âme possède déjà la connaissance de tous les objets *a priori* qu'il lui sera donné d'apprendre, nous pourrions attribuer à cette connaissance un statut qui nous dispense d'un recours aussi problématique. En effet, que l'âme ait une connaissance innée ne signifie pas nécessairement que cette connaissance soit totale et actuelle. Reconnaître à la vérité possédée antérieurement par l'âme le statut d'une connaissance *virtuelle* peut expliquer le fait que les premières tentatives de restitution de cette connaissance donnent lieu à des opinions fausses. Elle peut nous permettre aussi de comprendre que seule une part infime de cette connaissance, sans doute très étendue, soit jamais restituée dans tout le cours d'une existence humaine.

On peut souligner sur ce point l'apport de certains philosophes du XVIIᵉ siècle à l'interprétation du statut de la connaissance innée. Pour expliquer à un de ses correspondants le caractère particulier qu'ont certaines de nos idées d'être à la fois les plus innées et les moins accessibles, Descartes renvoie à la conception platonicienne de la Réminiscence : « Dans Platon, dit-il, Socrate interroge un enfant sur les éléments de la géométrie et lui pose des questions de manière à lui faire trouver dans son esprit certaines vérités qu'il n'y avait pas remarquées auparavant, afin de prouver que ces connaissances sont des réminiscences... Mais de ce que les vérités géométriques sont innées vous ne pouvez pas en conclure que tout le monde connaît les éléments d'Euclide [144]. » C'est précisément parce que la connaissance innée est virtuelle qu'elle n'est pas facilement accessible et exige un réel effort

144. R. Descartes, *Lettre à Voetius*, Adam et Tannery VIII, 2, 167, 1643.

(d'apprentissage et d'exercice) pour être restituée.

Si toute vérité *a priori*, susceptible d'être redécouverte par l'âme, se trouve innée en celle-ci, il faut supposer l'existence d'une connaissance antérieure. Cette connaissance inclut un certain nombre de concepts (les propriétés du carré), des règles d'inférences logiques, et des notions synthétiques d'objets, mais aussi, de façon virtuelle, l'intégralité des façons dont ce matériel inné peut être utilisé [145]. En ce sens, une telle interprétation de la Réminiscence comme renvoyant à une connaissance intégrale mais virtuelle se distingue de l'interprétation minimaliste. Car c'est bien le donné virtuel de toute connaissance future qui se trouve inclus en l'âme, et pas seulement la capacité d'accéder à une connaissance [146]. Tout l'intérêt de la conception platonicienne de la Réminiscence, qui explique qu'on la trouve reprise dans maintes philosophies ultérieures, tient à ce qu'elle nous permet de comprendre comment notre connaissance s'accroît, mais s'accroît par une source intérieure, sans recours à l'apprentissage, ordinairement entendu comme transmission de connaissances qui seraient constituées indépendamment de notre esprit.

Réminiscence 2 : de l'opinion à la connaissance

Mais comment les opinions vraies, restituées au cours de la réminiscence, peuvent-elles jamais se

---

145. Il faut citer ici le passage fameux de Leibniz : « C'est ce que Platon a bien considéré [...] quand il a mis en avant sa réminiscence avec beaucoup de solidité [...] ; *et qu'on ne s'imagine point que l'âme doit déjà avoir su et pensé distinctement autres fois ce qu'elle apprend et pense maintenant.* Aussi a-t-il confirmé son sentiment par une belle expérience introduisant un petit garçon qu'il mène insensiblement à des vérités très difficiles de la géométrie [...] sans rien lui apprendre, en faisant simplement des demandes par ordre et à propos. Ce qui fait voir que notre âme *sait tout cela virtuellement* et n'a besoin que d'animadversion pour connaître les vérités et par conséquent qu'elle a au moins ces idées dont les vérités dépendent » (*Discours de Métaphysique* XVII).

transformer en connaissance ? Ces opinions, nous dit
Platon, « ont été, à la manière d'un rêve, suscitées en
lui (le jeune garçon) ; puis, s'il arrive qu'on l'interroge à plusieurs reprises sur les mêmes sujets, et
de plusieurs façons, tu peux être certain qu'il finira
par avoir sur ces sujets-là une connaissance aussi
exacte que personne » ; et encore : « des opinions
vraies doivent se trouver en lui, opinions qui, une
fois réveillées par une interrogation [147], deviennent
des connaissances. » L'interrogation multiple et diversifiée [148], dont parle ici Platon, est destinée à faire
mieux saisir les liens entre diverses formulations d'un
même problème dont cette opinion vraie n'est qu'un
des éléments [149]. L'interrogation dialectique doit aussi
faire voir le caractère homogène des solutions que
ce problème requiert. Mais comment agit-elle sur
l'opinion vraie pour la transformer en connaissance ?

Une première interprétation serait de considérer que
les questions posées au sujet d'une opinion vraie
doivent faire voir les raisons qui justifient celle-ci. On
interrogerait le jeune garçon pour lui montrer quels
motifs il a de croire que la réponse « la diagonale » est
la bonne réponse au problème de la duplication du
carré. L'exploration systématique de ces raisons de
croire qu'une telle opinion est vraie transformerait
celle-ci en opinion intégralement justifiée ou connais-

146. Cf. *Phédon* 73a : ainsi, c'est bien la connaissance qui est
innée. Cf. *infra* page 263, note 135.
147. 85c, 86a. Le texte dit bien : « des opinions vraies doivent se
trouver en lui ». Mais comme c'est la seule référence explicite à une
vérité innée qui ne serait pas connaissance, on peut tenter de la
justifier en y voyant une indication sur l'état en lequel ces vérités
seront remémorées plutôt qu'une indication de leur origine.
148. Cf. *infra* page 275, note 168.
149. Où l'usage implicite d'une procédure par hypothèse joue un
certain rôle, cf. *infra* page 101. Il est important de souligner que la
réponse au problème posé par Socrate (de quelle longueur est le côté
du carré double) n'a rien d'évident car la diagonale d'un carré est
incommensurable avec son côté.

sance [150]. Mais en fait l'interrogation répétée est requise
pour rattacher l'opinion en question à d'autres certitudes plutôt que pour la justifier en donnant des
raisons en faveur de sa vérité. Car des raisons suffisantes pour croire que sa réponse est vraie, le jeune
garçon en dispose déjà à une étape de l'entretien où
Platon refuse de lui reconnaître la connaissance. Remé
dier au caractère erratique de l'opinion vraie engagerait
plutôt à faire voir la parenté, ou l'homogénéité,
existante entre tous les objets de connaissance que
l'interrogation réveille. Les opinions vraies ne deviennent connaissances, ne deviennent stables et assurées,
qu'à condition d'être comprises et appréhendées dans
une totalité [151] dont les relations internes seraient
parfaitement maîtrisées et rapportées aux notions le
plus sûrement connues.

Or, à la fin du dialogue, ce processus d'intégration
des opinions vraies est également dénommé réminiscence : « Car les opinions vraies, aussi longtemps
qu'elles demeurent en place, sont une belle chose et
tous les ouvrages qu'elles produisent sont bons. Mais
ces opinions ne consentent pas à rester longtemps en
place, plutôt cherchent-elles à s'enfuir de l'âme
humaine : elles ne valent donc pas grand-chose, tant
qu'on ne les a reliées par un raisonnement qui en
donne l'explication *(aitías logismos)*. Voici ce qu'est
[...] la réminiscence [...]. Dès que les opinions ont été
ainsi reliées, [...] elles deviennent des connaissances [152]. » Certes, dans cet achèvement de la réminiscence, la part de remémoration, proprement dite, n'est
pas aussi évidemment présente que lors de la restitu-

150. Cf. Vlastos, *Anamnesis* 145.
151. Comme l'indique l'image du « lien », cf. sur tout cela :
M. Burnyeat, « Aristotle on Understanding Knowledge », in E. Berti
ed., *Aristotle on Science : « The Posterior Analytics »* (*Atti dell'VIII
Symposium Aristotelicum*, Padoue/New York, 1980, 97-139, et *Socrates
and the Jury* 185-188 (tr. fr. *PC*, 1991, 250) ; aussi Nehamas 24-30
(tr. fr. in *PC*, 1991, 292-293).
152. 97e-98a.

tion de la connaissance virtuelle. Mais s'il faut prendre
au sérieux le fait que Platon désigne le processus de
transformation des opinions vraies en connaissance
comme une « réminiscence », on doit alors reconnaître
que ce processus est rendu possible par la même vérité
innée qui avait permis la remémoration proprement
dite. On ne peut donc pas réduire ce processus à n'être
que le développement des informations contenues dans
l'opinion vraie qui aura été restituée. Comme la
connaissance latente était requise pour permettre la
remémoration, prise au sens strict, cette même connaissance est nécessaire pour orienter le mouvement
ultérieur d'intégration où une opinion labile se trouve
stabilisée et insérée dans une compréhension plus
large.

Semblables aux statues de Dédale, auxquelles, dans
les dernières lignes du *Ménon*, les opinions vraies sont
comparées, ces opinions ont peu de valeur si elles ne
sont pas attachées entre elles. La connaissance, nous
dit Platon, est un lien. Mais ce « lien » ne représente
pas la raison qui justifie l'opinion vraie. Socrate
expliquera nettement, dans le *Théétète*, qu'il ne suffit
pas d'ajouter la raison à l'opinion vraie pour la
transformer en connaissance. Dans notre passage du
Ménon, une idée assez voisine semble être suggérée :
les opinions cèdent la place à la connaissance, une fois
intégrées dans un ensemble plus large dont les éléments sont connus en leurs relations mutuelles. Les
opinions vraies deviennent sciences, nous dit Platon,
lorsqu'elles sont attachées par un lien « qui en donne
l'explication ». Mais une telle explication, qui porte
sur les rapports mutuels de plusieurs vérités, est une
explication essentiellement destinée à faire voir la
cohérence et l'interdépendance de ces vérités[153] entre
elles et à l'égard aussi des vérités les mieux connues.

153. *Aitías logismós*, cf. *infra* page 311, note 310 ; Burnyeat 186 :
« Une bonne part de ce que dit Platon à propos de la connaissance et
de sa relation à l'opinion vraie se met en place dès que nous le lisons

Il y a donc deux temps dans le processus de réminiscence. L'un est remémoration, l'autre est travail de compréhension. Mais tous deux sont réminiscences car tous deux seraient rendus possibles et orientés par la présence de connaissances virtuelles, innées en l'âme [154]. En ce sens, on continue bien à se souvenir d'un bout à l'autre du processus, du premier effort de mémoire jusqu'à l'accès aux connaissances [155].

Mais cela ne contribue aucunement à atténuer la distinction entre opinion vraie et connaissance, distinction maintes fois mentionnée dans les dialogues platoniciens. Certes, Socrate insiste sur le fait que l'opinion vraie est, quant à ses conséquences pratiques, aussi bonne que la connaissance. Mais il faut souligner que les seules opinions auxquelles se trouve explicitement attribué ce privilège de guider l'action au même titre que la science, ne sont pas les opinions vraies [156] qui proviennent de la remémoration, mais celles issues d'une source extérieure, qu'il s'agisse d'un simple ouï-dire ou d'une inspiration, terme dont Platon se sert souvent pour désigner génériquement toute idée qui peut surgir en l'esprit sans que la cause en soit connue.

L'exemple choisi par Socrate pour illustrer le succès de ce genre d'opinion vraie est resté fameux. Est évoqué le cas d'un homme qui, sans avoir la moindre connaissance, ni empirique ni théorique, de la route qu'il faut suivre pour aller à Larisse, s'en forme pourtant une opinion vraie. Cet homme est capable de

---

non pas comme décrivant de manière imparfaite le concept que les philosophes analysent maintenant en termes d'opinion vraie justifiée, mais comme élaborant un concept plus riche de connaissance, concept presque équivalent à celui de compréhension », et Nehamas 25, tr. fr. 1991.

154. Cf. *Philèbe* 34b, et Davidson 1985 (tr. fr. in *PC*, 1991, 89-105.

155. Il y a peut-être un rapport avec la thèse de l'homogénéité de toute la nature, cf. *supra* page 80.

156. On peut comparer cette formule à l'affirmation du *Théétète* selon laquelle tout ce qui vient de l'opinion vraie est correct (201a) ; cf. Burnyeat 175-176.

se rendre à Larisse et d'y guider les autres de la même façon que celui qui connaît la bonne route. Mais pour l'homme qui dispose seulement d'une opinion vraie, transformer celle-ci en connaissance n'exigera rien d'autre que se rendre à Larisse ou se documenter sur la question. Dans l'acquisition d'une telle connaissance, le savoir inné n'intervient pas ; en revanche, la confirmation extérieure et pratique est absolument nécessaire. L'exemple que Socrate propose est donc destiné à souligner que la connaissance doit être acquise de façon directe, sans intermédiaire, selon la voie qui est propre à chacune des espèces de connaissance (par exemple, la connaissance de la route de Larisse ne peut s'acquérir que par expérience ou par une source extérieure).

Mais il ne faudrait pas déduire d'un tel exemple qu'une vérification empirique ou une confirmation abstraite suffisent en général pour transformer l'opinion en connaissance. Il ne faudrait pas non plus en inférer que Platon revalorise ainsi l'opinion vraie. En effet, si le type de connaissance auquel appartient le fait de connaître la route de Larisse est celui de la connaissance empirique directe, une des formes de la connaissance « par accointance [157] », cette connaissance n'est probablement pas de celles qu'on pourrait retrouver par réminiscence. Car si on peut considérer l'achèvement de la réminiscence comme une forme de connaissance directe (à cause du « contact » avec l'objet que semble suggérer le ressouvenir), il faut encore souligner qu'elle n'est pleinement réalisée et ne donne lieu à une véritable connaissance que par ce mouvement de compréhension qui lie entre elles plusieurs opinions vraies. Tant que ce processus n'est pas accompli, c'est-à-dire, tant que la connaissance ne s'est pas encore substituée à l'opinion vraie, il n'y a aucune raison de penser que les conséquences de l'opinion vraie soient

157. Sur ce point, voir *supra* page 63, note 108.

toujours bonnes[158]. Aussi faut-il peut-être réduire la
portée de l'affirmation de Platon : le succès pratique
que Platon reconnaît aux opinions vraies ne regarde
que celles des opinions vraies, ayant trait à l'action
droite, qui dépendent d'une source extérieure (inspiration ou bien connaissance perceptive). Quant aux
autres (en tout cas, celles qui se rapportent à des objets
a priori, c'est-à-dire aux objets de la réminiscence) il ne
semble pas que Platon leur reconnaisse une réelle
valeur intrinsèque, indépendamment du procès de
compréhension qui les intègre dans une totalité connue.

Il reste que dans le *Ménon*, contrairement aux
dialogues ultérieurs où le problème des rapports entre
opinion vraie et connaissance est repris, on trouve
explicitement mentionnée la formule : le « devenir
connaissance des opinions vraies » (86a). Mais dans ce
devenir, l'élément actif, c'est toujours la connaissance
innée, ce n'est pas l'opinion vraie, même si l'opinion
est bien la première forme sous laquelle cette connaissance se manifeste. Le processus de transformation des
opinions vraies en connaissance s'achève, sous l'effet
de l'interrogation dialectique, en une connaissance
globale où l'opinion, une fois liée, perd sa nature
d'opinion. Mais si le matériau de cette compréhension
est l'opinion, la rupture n'en est pas moins réelle entre
l'opinion vraie et la connaissance. Le *Ménon* ne nous
transporte aucunement dans la philosophie hellénistique où semble être parfois supposée une réelle continuité de l'opinion vraie à la connaissance.

Il reste que le *Ménon* semble accorder à l'opinion
vraie un privilège qu'elle n'a plus dans les dialogues
ultérieurs. Dans le *Ménon*, en effet, l'opinion peut
porter sur des objets *a priori* (une vérité géométrique,
et peut-être la nature de la vertu), ce qui lui sera

158. Ni que l'action qu'elle inspire soit toujours droite (cf.
Burnyeat 175, tr. fr. in *PC*, 1991, 243-244) sur *Théétète* 200e.

radicalement refusé par la suite [159]. Mais ce privilège
d'avoir pour objets des réalités non empiriques n'appartient sans doute qu'aux opinions vraies qui sont
restituées dans le cours de la réminiscence et destinées
à se transformer en connaissances. Il n'y a donc rien
d'étonnant à ce que ces opinions aient les mêmes objets
que la connaissance. Les opinions ne sont en effet
qu'une forme de vérité instable entre la connaissance
latente dont elles proviennent et la connaissance com-
préhensive où elles se trouveront intégrées. Enfin, si la
théorie des Formes, dans le *Ménon,* n'est pas explicitement présente, elle ne peut guère encore fournir une
réelle assise ontologique à la distinction radicale,
maintes fois affirmée dans les dialogues ultérieurs,
entre les objets de l'opinion, fût-elle vraie, et ceux de la
connaissance [160].

IV. LA VERTU EST-ELLE CONNAISSANCE OU OPINION VRAIE ? EXAMEN A PARTIR D'UNE HYPOTHÈSE

1. Un pis-aller ?

Dans la dernière partie du dialogue, les doutes de
Ménon sur la possibilité de la recherche sont apparemment levés. Mais, quoique convaincu de la nécessité de
chercher, Ménon veut néanmoins savoir si la vertu
s'enseigne plutôt que définir ce qu'elle est. De manière
assez inattendue, Socrate acquiesce à cette requête. De
nombreux commentateurs se sont accordés à reconnaître en cet acquiescement le renoncement à rechercher
l'essence de la vertu. Mais, en fait, reformulée à partir
de l'arrière-fond de certitude que la Réminiscence
vient de fournir, il n'est aucunement sûr que la

159. Pour les vérités mathématiques surtout. En dépit des faux
rapprochements qui sont souvent proposés, cf. *infra* pages 274-275,
note 167.

160. Cf. *République* V 476d, VII 354c.

différence entre le *poîon* (le genre ou la qualité) et le *tí* (l'essence) se définisse de la même façon qu'au début du dialogue, quand aucune indication n'avait encore été donnée qui permît de mettre en rapport, de façon déterminée, le *tí* et le *poîon*.

Que Socrate accepte de rechercher si la vertu peut s'enseigner n'est pas en fait une reddition sans condition à l'impatience de Ménon. Si Ménon impose en effet de reprendre l'examen de la vertu en recherchant d'abord si elle peut s'enseigner, Socrate est bien le seul à décider de la procédure à employer. Certes, c'est un *poîon* qui est étudié, mais il l'est « à partir d'une hypothèse », c'est-à-dire grâce à un type d'examen dont l'objet est d'établir des implications entre différentes propositions qui portent sur la vertu, en particulier entre des propositions exprimant une caractéristique générique de la vertu (par exemple : la vertu est connaissance) et d'autres indiquant ses propriétés (comme : la vertu peut s'enseigner). À ce titre, l'examen « à partir d'une hypothèse » que va mener Socrate n'est pas seulement un pis-aller [161], ce n'est pas seulement un compromis obtenu contre l'autorité de Ménon, mais la mise en évidence d'un moyen de déterminer de façon maîtrisée le rapport entre la qualité et l'essence [162]. Rien n'indique dans le texte que l'usage d'une hypothèse soit une façon insatisfaisante ou dégradée de poursuivre la recherche.

2. *Hypothèse ancienne et moderne*

L'examen par hypothèse que Socrate recommande à Ménon est illustré par l'emploi qu'on peut en faire

---

161. Pour reprendre une expression (en français dans le texte) dont presque tous les commentateurs anglophones de ce passage se servent ; cf. *infra* pages 180-181, note 187. Pour une interprétation contraire, cf. Goldschmidt 117-128.

162. Cf. 86b : l'hypothèse sert à indiquer quel genre de choses (*poîon*) est la vertu dans l'âme. Et cette procédure a une valeur intrinsèque même si la question de l'essence demeure première (cf. 100b).

pour résoudre un problème de géométrie classique pour l'époque. Est-ce qu'une surface donnée X peut s'inscrire sous forme de triangle dans un cercle donné [163] ? La solution consiste à trouver un mode de construction qui fasse voir, dans les circonstances requises, les conditions de possibilité de l'inscription de la surface X. La procédure suivie consiste à faire une hypothèse sur la nature ou le genre de cette surface. C'est le schéma d'énoncés : « si telle chose, alors telle conséquence, si telle autre, alors telle autre conséquence » que Platon désigne comme le type d'examen faisant usage d' « une forme d'hypothèse » (87a).

L'embarras de l'expression « une forme d'hypothèse » s'explique sans doute par le fait que, si ce sens du terme *hypóthesis* est à peu près celui qui est resté attaché à notre usage du mot « hypothèse », ce n'est apparemment pas le sens que ce terme a dans les dialogues socratiques antérieurs au *Ménon*, ni celui qui lui est donné dans les textes mathématiques contemporains du *Ménon*. Pour les mathématiciens de l'époque, *hypóthesis* signifie, semble-t-il, « proposition connue de soi », une sorte d'axiome. Par ailleurs, dans les dialogues socratiques, *hypóthesis* a le sens d' « hypothèse dialectique » et désigne une proposition mise en avant pour les besoins de la discussion et dont les conséquences sont à examiner [164], sans que la proposition en question ait pourtant à être elle-même prouvée. Il est assez paradoxal que le sens donné ici au terme *hypóthesis* ne soit pas le sens mathématique le plus courant à l'époque, mais plutôt, au premier abord, le sens dialectique proprement socratique. Mais il est encore plus paradoxal que Platon, employant ce terme

---

163. Cf. *infra* schémas V et VI, page 284, note 190, et Gaiser 367-370 (tr. fr. in *PC*, 1991, 120-126).
164. *République* IV 437a, *Cratyle* 436c, *Gorgias* 454c. Et Aristote, *Topiques* III, 6, 119b35.

de façon inattendue dans le *Ménon*, ne se réfère pas à son usage dialectique, mais attribue aux géomètres la pratique d'une telle procédure d'examen[165].

Une première façon de résoudre le paradoxe serait de considérer que c'est en fait la procédure de « l'analyse géométrique », en effet utilisée par les géomètres de ce temps, que Platon désigne ici comme « examen à partir d'une hypothèse ». Et cette nouvelle dénomination — qui a donc pour condition une forme de détournement du sens mathématique du terme *hypóthesis* — se justifierait par une raison méthodologique sérieuse. L'analyse est, en effet, une procédure d'invention, dont les résultats peuvent être reformulés sous forme d'hypothèses dialectiques, c'est-à-dire sous forme de propositions construites pour les besoins d'un problème et dont il faut vérifier les conséquences[166]. Le meilleur exemple d'analyse géométrique étant, aux yeux des Anciens, fourni par la construction des figures[167].

En désignant l'examen par hypothèse comme une procédure familière aux géomètres, Platon procéderait donc à une élaboration originale de la valeur du terme *hypóthesis* dont l'effet serait de transposer, dans le

165. Ce dont il ne reste, semble-t-il, aucune espèce de témoignage.

166. Contre le jugement de Descartes sur « l'analyse des Anciens » (les mathématiciens de l'Antiquité, « ayant découvert l'analyse l'ont sans doute étouffée... craignant qu'elle ne perde son prix à se divulguer » : *Règles pour la direction de l'esprit* IV tr. Brunschwig). Une tradition antique attribue à Platon l'invention de l'analyse (Proclus, *Commentaire aux Eléments d'Euclide* 211, 18-23, Diogène Laërce III, 24), tradition d'ailleurs nourrie d'une controverse sur l'examen des différents sens d' « analyse » (cf. *Ethique à Nicomaque* I, 2, 1095a32-b1).

167. Cf. Aristote, *Seconds Analytiques* I, 12, 76a6-13, *Ethique à Nicomaque* III, 5, 1112b11-24 : « on délibère sur les moyens d'atteindre les fins... ; une fois la fin posée, on examine par quels moyens elle se réalisera ; on procède dans la recherche et dans l'analyse comme dans la construction des figures... ce qui vient en dernier dans l'analyse vient en premier dans l'ordre de la génération ».

champ mathématique, le sens dialectique de ce terme. Mais nous verrons que par le fait même de chercher l'hypothèse (la vertu est connaissance) requise pour formuler l'implication : « si la vertu est connaissance, alors elle s'enseigne », et par le fait aussi de prouver cette hypothèse pour effectuer l'inférence, le terme « hypothèse » sera doté d'un sens encore plus riche qui fera la synthèse en quelque sorte du sens dialectique de l'hypothèse élenctique et du sens mathématique de l'hypothèse géométrique.

3. *L'évaluation des conséquences*

C'est la mise en évidence d'une relation nécessaire et suffisante entre la connaissance et l'enseignement qui donne, comme objet à l'hypothèse, la proposition « la vertu est connaissance[168] ». Si la vertu est connaissance, il est alors assuré qu'elle s'enseigne. La correspondance terme à terme avec le modèle de l'examen à partir d'une hypothèse est ainsi établie. Les conséquences de la conclusion obtenue — si la vertu s'enseigne, elle n'advient pas aux hommes par nature, et il doit en exister des maîtres et des disciples (89c) — ne seront examinées que beaucoup plus tard. En revanche, l'examen de l'hypothèse, « la vertu est connaissance », qui forme l'antécédent de cette implication, sera réalisé au cours des pages 87c-89a du *Ménon*.

Mais un tel examen sera conduit sous une forme assez problématique, puisque Socrate attribue le même nom d' « hypothèse » à deux choses tout à fait différentes. D'abord, comme nous l'avons vu, à l'énoncé « la vertu est connaissance ». Mais est également désignée comme *hypóthesis* la proposition « la vertu est le bien ». Socrate souligne assez le caractère incontestable et évident de cette dernière *hypóthesis*, pour qu'on y reconnaisse le sens mathématique tradi-

---

168. Sur le contenu problématique de l'hypothèse, voir *infra* page 291, note 224.

tionnel de l'*hypothésis*-axiome[169]. Nous constatons donc deux anomalies. D'abord la proposition « la vertu est connaissance » fait l'objet d'un examen, ce qui assure qu' « hypothèse » n'est pas à prendre ici au sens dialectique, puisque l'hypothèse dialectique n'est pas destinée à être testée. D'autre part, Socrate fait appel à une hypothèse qui est un axiome, à savoir « la vertu est le bien » (ou, sous sa forme plus développée, « la vertu est le bien, et, à ce titre, elle est nécessairement utile »). Cependant, en dépit de ces anomalies, la démonstration destinée à établir que « la vertu est connaissance » sera menée selon la procédure par hypothèse définie plus haut, et elle s'achèvera sur la conclusion suivante : la connaissance étant toujours le principe de la réussite de l'action, cette connaissance n'est nulle autre chose que le bien[170], c'est-à-dire, la vertu.

Tout examen d'une hypothèse exige l'évaluation des conséquences qui en sont déduites. Vérifier la vérité de celles-ci ou le fait qu'elles ne sont pas contradictoires entre elles sert à établir la proposition dont elles découlent. Si la vertu est connaissance et qu'elle s'enseigne, une première conséquence est qu'une telle vertu n'advient pas par nature[171]. Une deuxième conséquence est qu'on doit pouvoir en trouver des maîtres et des disciples. La question de savoir si de tels maîtres existent sera longuement débattue entre Anytos et Socrate, d'abord, entre Ménon et Socrate, ensuite. La conclusion à laquelle cet examen parvient est que l'accord ne se fait ni sur l'identité de ceux qui devraient enseigner la vertu ni sur le fait qu'une telle vertu s'enseigne. L'impossibilité de vérifier la consé-

---

169. En fait, cette *hypothésis* ne passera jamais le test dialectique de l'examen des conséquences, mais sera sans cesse réaffirmée ; 88c : « c'est nécessaire, dit Ménon, d'après nos accords », ce qui confirmerait son statut d'hypothèse-axiome.

170. Sur le *Ménon* comme première tentative d'élaborer la logique de la connaissance propositionnelle cf. Stahl 180-197.

171. Pour l'examen de ce point, *infra* page 290, note 221.

quence amène donc à retirer l'hypothèse, à contester
d'abord que la vertu s'enseigne, puis que la vertu soit
connaissance. L'erreur de raisonnement, à en croire
Socrate, consistait à penser que seule la science est le
principe d'une action droite[172], alors que l'opinion
vraie peut tout aussi bien remplir ce rôle.

L'utilisation de l'examen par hypothèse permet ainsi
de repérer l'erreur commise. Un des avantages que
Platon pouvait reconnaître à ce type de procédure est
de permettre de bien distinguer entre ce qui est inféré
et ce qui est posé. Etant une procédure contre-
intuitive, l'examen à partir d'une hypothèse permet
une rupture avec le sensible, c'est-à-dire, dans le cas de
la vertu, avec toutes les caractérisations empiriques qui
ont été données de celle-ci[173]. Mais en dépit de la
diversité d'emplois que nous avons soulignée, l'usage
que Platon fait du terme *hypothésis* n'est sans doute pas
homonymique : cet usage permettrait plutôt d'intégrer
à la fois « l'hypothèse-dialectique » (qu'on trouve dans
les dialogues socratiques) et « l'hypothèse-axiome »
(d'origine mathématique), liant ainsi les procédures
d'établissement de la vérité (une déduction valide
fondée sur un critère de cohérence) aux vérités premières et aux définitions[174]. Cette synthèse des différents sens du terme « hypothèse », dont le *Ménon*
semble nous donner une première formulation, représente ce que, ultérieurement, le *Phédon* et la *République* désigneront sous le terme « hypothèse[175] ».

172. Cf. 97a.
173. Cet usage de l'examen est confirmé par *République* VII 530b.
174. On retrouve cela clairement exposé dans *Phédon* 72a-74a,
101e, *République* VII 533b-534b, où les définitions mathématiques
sont traitées comme des « hypothèses » (cf. Robinson 139). Ce
mouvement a peut-être servi de modèle aux mathématiques de ce
temps puisqu'on y voit les premières tentatives de penser l'un en
fonction de l'autre le caractère déductif des mathématiques et
l'ensemble d'axiomes qui les commande (cf. aussi *Théétète* 165b et
Euthydème 275d-277a).
175. *Phédon* 101d-e, *République* VI 511d.

4. Hypothèse et réminiscence

Si chercher, c'est chercher à se souvenir, l'examen par hypothèse peut fournir un des moyens de mettre en œuvre le processus de réminiscence (qui, encore une fois, n'est pas tant un acte de mémoire qu'un processus de réactivation). En effet, un tel examen conduit à formuler un ensemble de propositions conditionnelles, qui sont des propositions vraies, portant sur des choses qu'on ne connaît pas. Or c'est sans doute le type de procédure que le jeune garçon, interrogé sur la duplication du carré, mettait déjà implicitement en œuvre. Le garçon a retrouvé, à partir d'une définition du carré, une de ses propriétés fondamentales, et cela, à l'aide d'un procédé d'invention, relatif à un problème de construction [176]. La méthode que le jeune homme a probablement adoptée est celle de l'analyse, et nous pouvons interpréter chacune de ses réponses comme le résultat d'une hypothèse qu'il aurait implicitement faite sur le rapport des côtés du carré donné et du carré cherché. L'intérêt de cet exemple de la duplication du carré est aussi de nous indiquer qu'une des façons d'amorcer le processus de la réminiscence est de s'interroger sur le *poîon* ou sur les liens existants entre le *poîon* et le *tí*. La réminiscence, une fois pleinement achevée, semble donner en ce cas la connaissance du *poîon* en même temps que celle du *tí* [177]. En effet, ce que Socrate demande au jeune garçon, c'est bien de savoir « quelle ligne » (*poía grammē*) est celle du carré double. La question de savoir « quelle chose de l'âme est la vertu » est également celle qu'il posera à Ménon.

Dans le deuxième entretien entre Ménon et Socrate, l'emploi fait à propos de la vertu d'une procédure par hypothèse représente sans doute la première étape d'un

176. Cf. *infra*, pages 266-267, notes 140 et 141.
177. Cf. *supra* page 95.

processus de réminiscence [178] dont l'objet est la vertu. Seulement si l'emploi d'une telle procédure, comme moyen méthodique de la réminiscence, a été efficace pour découvrir la solution du problème de géométrie, il s'est révélé peu adapté pour permettre de découvrir la vraie nature de la vertu.

Mais rappelons encore une fois que, lorsque est abordé dans le *Ménon* l'examen des conséquences de l'hypothèse « la vertu est connaissance », le contenu spécifique de la vertu semble changer de nature. En effet, il ne s'agit plus tellement de la vertu socratique, mais d'une vertu « démotique » et politique. Il est donc tentant de justifier l'échec de ce premier recours à la réminiscence par une telle modification d'objet. A rebours, la certitude que la réminiscence nous donne peut nous assurer que, sans cette mauvaise description de l'objet vertu qui intervient à un moment de la discussion, la recherche n'aurait pas été sans issue. A cette détermination inappropriée du contenu de la vertu, une autre définition aurait pu se substituer si l'examen avait été poursuivi. Mais l'entretien entre Socrate et Ménon s'interrompt après cette première définition de la vertu comme opinion vraie.

LES CONCLUSIONS DU *MÉNON*

Vertu connaissance ou vertu opinion ?

Une première façon d'interpréter la conclusion du *Ménon* est de la considérer comme partielle. Mais si on admet que la dernière partie du *Ménon* représente la

---

178. En 96d, Socrate signale que l'examen mené jusque-là a été une tentative infructueuse de recherche, tentative au cours de laquelle lui et son compagnon auraient pu devenir meilleurs. Réalité de la recherche et amélioration morale, on reconnaît là les deux effets attendus de la réminiscence (86b-c).

première phase d'une tentative de réminiscence de la vertu, et s'il en est de la vertu comme des autres vérités (en particulier la vérité géométrique redécouverte par le jeune garçon), la vertu devra être restituée, à ce stade initial de la réminiscence, seulement comme une opinion vraie, comme l'image d'un rêve. Si le processus de réminiscence avait pu se poursuivre au-delà de ce que nous indique le *Ménon*, il aurait sans doute permis de découvrir et d'évaluer les limitations que cette opinion vraie de vertu porte avec elle, et d'assurer, au moyen d'entretiens dialectiques répétés et par l'efficace de la connaissance innée, quoique latente, de la vertu, la transformation d'une telle opinion en connaissance.

Lorsqu'à la fin du *Ménon*, Platon dit que la vertu est *opinion vraie*, il mentionne explicitement la possibilité qu'existe un jour un homme qui sache enseigner la vertu à autrui. Il y a tout lieu de penser que la vertu qui serait alors enseignée ne serait ni la vertu/opinion vraie ni la vertu démotique chère à Ménon et Anytos et seule envisagée dans le dernier tiers du dialogue, mais plutôt une vertu/connaissance, étroitement dépendante du bien, et dont le domaine d'exercice privilégié est la politique.

Il n'y aurait donc pas nécessairement incompatibilité entre la conclusion explicite du *Ménon* (la vertu, opinion vraie, ne s'enseigne pas), conclusion qui n'est sans doute que partielle et provisoire et la suggestion clairement faite à la fin du dialogue (selon laquelle la vertu peut s'enseigner, ce qui incite à penser qu'elle consisterait alors essentiellement en connaissance). L'apparition d'une telle vertu, dont Platon souligne le caractère exceptionnel et improbable, devant modifier totalement l'exercice de la politique, comme le montreront les livres VI et VII de la *République*.

Enseignement ou réminiscence

La conclusion du *Ménon* selon laquelle il est impos-

sible d'enseigner la vertu a étonné plus d'un commentateur. Nombreux furent en effet ceux qui soulignèrent
qu'une telle impossibilité ne se rapportait qu'à l'enseignement au sens le plus trivial de « transmission
d'informations », et non pas à l'enseignement que
Platon a identifié à la réminiscence [179]. Mais il serait
tout de même étonnant que, dans cette dernière partie
du *Ménon*, le terme « enseigner » changeât de sens et
ne fût plus équivalent au « fait de se remémorer »,
quand Socrate a longuement élaboré une telle équivalence. De plus, le véritable homme politique dont
Platon dit que, seul, il saurait enseigner sa vertu,
l'enseignerait très probablement par remémoration [180].
Le sens premier du terme « enseignement » dans les
dernières pages du *Ménon* semble donc bien être
toujours celui de « réminiscence ».

Ainsi, la formule selon laquelle la vertu ne s'enseigne
pas peut se justifier dès qu'on la rapporte à son objet,
c'est-à-dire à la vertu démotique dont il est question à
la fin du *Ménon*. Une telle vertu est due à une
inspiration, à une faveur divine, c'est dire qu'elle
appartient au genre de ces opinions vraies dont la cause
est ignorée et la source extérieure.

Nous retrouvons ici la distinction établie plus haut
entre deux types d'opinions vraies. Les unes, premiers
produits de la réminiscence, sont destinées à devenir
connaissances, essentiellement sous l'effet d'un entretien dialectique. A ce titre, elles pourront, comme
ensemble intégré de connaissances, guider l'action
humaine. La lecture des dernières pages du *Ménon*
nous montre qu'à propos de la vertu, Ménon n'a même
pas eu accès à une opinion vraie de ce type. Mais il y a
un autre genre d'opinions vraies, qu'on pourrait

---

179. Cornford, *Principium Sapientiae*, Cambridge 1952, 60 n.1
(l' « ostensible conclusion » de 98d-e ne serait pas la véritable
conclusion du *Ménon*) ; voir aussi Wilkes 150.
180. Bluck 21, *Timée* 51e, cf. *didakhê* est aussi utilisé pour un
enseignement maïeutique.

dénommées « extérieures » (qu'elles proviennent d'inspiration ou d'information) pour indiquer surtout qu'elles ne résultent pas de la réminiscence. La vertu que Socrate reconnaît aux hommes politiques à la fin du *Ménon* est de ce genre. Ce sont là des opinions qui peuvent correctement guider l'action, mais parce qu'elles représentent la faculté de s'adapter aux circonstances plutôt que la connaissance de la façon dont les choses devraient être. En aucun cas, les résultats de cette pratique correcte ne pourraient permettre d'instaurer une conformité à une norme ou une quelconque connaissance du bien. Car ces opinions vraies qui ne sont pas objets de réminiscence ne pourront sans doute jamais s'intégrer dans un ensemble de connaissances. Ainsi, puisque l'enseignement se réalise en même temps que la réminiscence s'achève, on peut admettre que de telles opinions vraies ne sont guère susceptibles d'être enseignées.

Un des sens majeurs de l'équivalence socratique entre « enseigner » et « faire se remémorer » vient de là. Dans la mesure où seule la réminiscence peut achever le processus de connaissance, la connaissance s'enseigne en même temps qu'elle se remémore et seul le produit de la réminiscence (la connaissance comprise comme telle) peut s'enseigner, non pas au sens courant, mais au sens d'une redécouverte intérieure.

On le voit dans l'entretien avec le serviteur de Ménon. D'abord, Socrate fait se remémorer une propriété géométrique au jeune garçon, mais reconnaît bien lui-même qu'on enseigne, au sens courant, la géométrie [181]. Ensuite, lorsque le jeune garçon produit une opinion vraie au sujet de la duplication du carré, il serait évidemment incapable d'enseigner une telle opinion vraie. Il ne le pourrait qu'à condition d'avoir

---

181. Socrate en est conscient, puisqu'il pose la question : « lui a-t-on enseigné la géométrie ? » Cf. S. Scolnicov 50-62 ; et Burnyeat *De Magistro* 7-22.

intégralement compris cette vérité comme connaissance. De même, pour pouvoir enseigner la vertu, il
faut savoir qu'on connaît la vertu.

La possibilité qu'une telle connaissance soit achevée,
et que l'enseignement soit jamais réalisable, peut
donner lieu à un véritable paradoxe de l'enseignement.
En effet, on peut enseigner (au sens courant), c'est-
à-dire transmettre les vérités dont on dispose, mais cet
enseignement n'est réel qu'en tant qu'il suscite une
réminiscence qui s'accomplit en processus de compréhension. Or, dans le *Ménon*, Platon ne nous dit pas à
quelle condition une telle chose, lorsqu'il s'agit de la
vertu, est possible. Il précise simplement que celui qui
saurait enseigner la vertu semblerait comme un être
réel parmi les ombres.

Ainsi, rapportées à la première question de Ménon
(la vertu advient-elle par nature, par l'exercice ou
autrement ?), les conclusions du *Ménon* semblent avoir
opté pour la dernière possibilité (« ou autrement »).
Mais si la vertu des hommes politiques leur advient par
« faveur divine », il peut être intéressant de se demander à laquelle des trois possibilités suggérées par
Ménon pourrait correspondre la réminiscence.
L'enseignement, bien sûr, mais cette réponse n'est
sans doute pas exclusive des autres [182]. Car la connaissance latente de la vertu est présente en l'âme, de par la
nature de celle-ci, et elle s'acquiert aussi par l'exercice
en lequel peut consister le processus de la réminiscence [183]. La réponse socratique aura au moins remis en
cause l'extériorité réciproque des différentes sources de
la vertu mentionnée par Ménon.

---

182. Ce qui correspond à la conception éducative traditionnelle.
Pour l'exposé de points de vue différents : *République* VII 518b-c,
Phédon 71a-b, *Apologie* 38a, *Théétète* 177a-b, *Politique* 260d-261a.

183. L'*askēsis* et la *phúsis* pouvant désigner la réminiscence, au
même titre que la *didakhē*, laquelle ne renvoie pas à une source
d'information extérieure, mais à une recherche intérieure.

Faveur divine et privilège de vérité, le Ménon : *un anti-*Gorgias ?

Que la vertu au sens où l'entend Socrate constitue surtout le vrai savoir de la politique est une thèse suggérée dans le *Ménon* mais qui a été affirmée dans le *Gorgias*. Or si, dans ce dernier dialogue, Socrate semblait douter du fait que les hommes politiques eussent la moindre vertu, il paraît, dans le *Ménon*, leur accorder cette vertu sous forme de faveur divine. Cette conclusion est d'autant plus inattendue qu'après tout Anytos, l'ennemi de Socrate, pourrait être un des premiers prétendants à une telle faveur divine. Mais il y a peu de raisons de prendre cette attribution en bonne part, dans la mesure où l'opinion vraie reconnue aux hommes politiques n'est aucunement une connaissance [184]. Sur le point fondamental — les hommes politiques disposent-ils du savoir qui rend leur gouvernement légitime ? —, la critique du *Ménon* est donc aussi radicale que celle du *Gorgias*.

Il reste qu'avec cette apparente bienveillance à l'égard des hommes politiques, Platon poursuit sans doute une visée particulière. En accordant aux meilleurs de ces hommes politiques un privilège d'efficacité et de réussite, Platon souligne à la fois l'origine divine de leur vertu et son incapacité à devenir jamais exemplaire ou transmissible. Ainsi, reconnaître aux politiques une vertu faite d'inspiration est le meilleur moyen de leur refuser la connaissance et la plus sûre façon de les débouter de leur prétention à rendre la jeunesse vertueuse.

Ainsi, dans ce dialogue où l'on voit Socrate face à son futur accusateur et traitant avec lui une question (comment rendre les jeunes gens vertueux et ne pas les corrompre ?) directement liée aux motifs de sa condamnation, se manifeste de la part de Platon une

---

184. Sur l'ambivalence de la *theía moíra*, voir les références données *infra* page 315, note 338.

remarquable volonté d'écrire l'histoire à rebours. Dans cette tentative d'entretien entre Socrate et Anytos, il y a peut-être plus à apprendre qu'on ne croit. C'est une nouvelle « apologie de Socrate », la dernière peut-être, que Platon a écrite avec le *Ménon*. Diogène Laërce et Olympiodore nous rapportent que, lors du procès de Socrate, Platon, quoique un jeune homme, monta à la tribune afin de parler pour la défense de Socrate. Mais avant qu'il eût fini de prononcer ses premiers mots, les juges le huèrent et lui ordonnèrent de descendre. Cette voix de défense qui lui fut interdite, Platon la fait entendre encore, haute et claire, dans le *Ménon*.

Monique CANTO-SPERBER.

REMARQUES PRÉLIMINAIRES
À LA TRADUCTION

Le texte.

Le texte que nous avons traduit est, pour l'essentiel, celui édité par Bluck en 1964, à partir d'un nouvel examen des manuscrits platoniciens qui comportent le texte du *Ménon* (pour une description et une évaluation différenciée des principaux manuscrits, cf. Bluck 129-147). Mais il arrive que, sur certains points litigieux, nous ayons choisi le texte édité par John Burnet (*Platonis Opera*, tome III, Oxford, Oxford University Press, Clarendon Press, 1903), ou celui retenu par Alfred Croiset, éditeur et traducteur du dialogue dans la Collection des Universités de France, dite collection Budé, aux Belles Lettres.

Tout éditeur ou traducteur du *Ménon* doit tenir compte de deux autres sources d'information. D'une part, le *Ménon* a été traduit en latin entre 1154 et 1160 par Henri Aristippe. Cette traduction se veut si littérale — Aristippe rappelle, dans le prologue à sa traduction, combien il est soucieux de ne rien ajouter au texte de Platon — que l'original grec qu'elle a suivi peut se trouver en partie reconstitué. Or le manuscrit qui a servi à cette traduction ne fait apparemment pas partie de ceux dont nous disposons ; la traduction latine d'Aristippe est donc une source d'information supplémentaire sur le texte grec du *Ménon*.

Le *Ménon* a été également traduit par Marsile Ficin à la fin du XVe siècle. Mais sa traduction étant moins littérale que celle d'Aristippe, il est difficile de savoir si Ficin utilisait un (ou des) manuscrits indépendants des traditions manuscrites dont nous disposons. Quelques passages du *Ménon* sont cités aussi par Stobée et Clément d'Alexandrie. Quelques lignes de ce dialogue figurent également dans un papyrus.

Enfin, il faut mentionner l'existence d'un dialogue apocryphe *Sur la Vertu* (dont il est question *infra* page 211, note 2), rédigé sans doute dans les deux siècles qui ont suivi la composition du *Ménon*, qui en reprend des passages entiers et peut fournir une source d'information intéressante sur notre texte.

Dans le tableau comparatif présenté ci-dessous, on trouvera la liste non exhaustive des principaux cas où nous avons choisi un texte différent de celui que Bluck ou Croiset ont retenu. Pour information, nous avons mentionné aussi les choix de texte faits par l'autre éditeur.

TABLEAU COMPARATIF

	Croiset	Bluck	Leçon retenue
$72e_2$	*ge*	*te*	*ge*
$73d_3$	*hoíõ*	*hoíou*	*hoíou*
$75d_6$	*prosomologêi*	*proomologêi*	*proomologêi*
ibid.	*ho erōtốmenos*	*ho erōtôn*	*ho erōtôn*
$77d_1$	*autôi*	*hautôi*	*hautôi*
$78b_{4-5}$	*toû lekhthéntos*	*toútou lekhthéntos*	*toútou lekthéntos*
$79b_7$	*ti oûn dế* (mots attribués à Socrate)	*ti oûn dế* (mots attribués à Ménon)	*ti oûn dế* (mots attribués à Ménon)
$81a_1$	*oukoûn*	*oúkoun*	*oúkoun*
$81c_6$	*[kaì]*	*kaì*	*kaì*
$83c_5$	*tetrápoun*	*tétarton*	*tétarton*
$85c_6$	*[hỗn ouk oîde]*	*hỗn ouk oîde*	*hỗn ouk oîde*
$86a_8$	*âr'oûn*	*âr'ou*	*âr'ou*
$87d_8$	*án tin'autó*	*án ti autoû*	*án tin'autó*

$90e_4$	*zētoûnta*	[*zētoûnta*]	*zētoûnta*
	manthánein	*manthánein*	*manthánein*
	parà toútōn	[*parà toútōn*]	*parà toútōn*
$91c_1$	*suggenôn*	*tôn g'hemôn*	*tôn g'hemôn*
$92d_1$	*éstōn*	*estōsan*	*estōsan*
$94e_5$	*rhâıón*	*rháıdión*	*rháıdión*
$95b_2$	*te...kai*	*te...è*	*te...è*
$99a_3$		*tinòs orthôs*	
$99a_5$	*hôı dè ánthrōpos*	*hôn dè ánthrōpos*	*hôn dè ánthrōpos*
$99a_7$	*epistémē*	*epistémēı*	*epistémēı*
$99c_{10}$	*orthôs ár'*	*orthôs àn*	*orthôs àn*
$99d_9$	*theîos*	*seîos*	*theîos*
$100a_6$	*kaì euthùs*	*kaì entháde*	*kaì euthùs*

La traduction que nous proposons est divisée en pages et en paragraphes, reproduits aussi strictement que possible à partir de l'édition réalisée en 1578 à Genève par Henri Estienne (*alias* Stephanus). Il arrive parfois que, dans le texte original, la division tombe au milieu d'une expression ou d'un mot. Nous avons dû en ce cas apprécier l'emplacement où cette même division pouvait figurer dans la traduction, étant entendu que les indices (a, b, c, d, e) ne pouvaient pas être placés au milieu des mots, mais devaient coïncider autant que possible avec les unités sémantiques de traduction.

La traduction.

Le *Ménon* est un dialogue essentiellement argumentatif. Le premier impératif de la traduction a donc été de rendre le plus fidèlement possible le mouvement du raisonnement et la précision du lexique employé. Cela signifie que nous nous sommes efforcée, autant que possible, de 1. traduire le même terme grec par le même terme français ; de 2. rendre les termes grecs qui ont une parenté sémantique, laquelle fait argument dans le texte original, par des équivalents français

appartenant aussi à une même famille sémantique ; de
3. traduire, presque systématiquement, les particules
qui jouent un rôle décisif dans l'enchaînement d'un
argument.

Certains passages du dialogue (les nombreuses références aux conceptions d'Empédocle qui précèdent la
définition « tragique » de la couleur, l'évocation des
théories qui conduisent à la formulation de la Réminiscence) sont plus stylistiquement marqués. Nous avons
essayé de rendre sensible un tel contraste.

Mais le problème majeur que pose la restitution en
français d'un texte comme le *Ménon* est celui de la
traduction des principaux termes sur lesquels portent
les arguments. Les termes *dóxa* et *epistémē* sont à cet
égard les plus problématiques.

Dóxa est traditionnellement rendu en français par
« opinion », et le locuteur contemporain du français
comprend par ce terme une conception vague, peu
justifiée et facilement défaite par la critique. Or ce
n'est pas exactement le sens du terme grec *dóxa*. Les
équivalents anglais (« belief ») et allemand (« Meinung ») qui en sont le plus souvent proposés sont du
reste plus satisfaisants parce qu'ils évoquent davantage
l'idée d'une croyance à justifier que celle d'une opinion
inconsidérée. Une *dóxa* peut en effet s'appuyer sur des
raisons ou donner lieu à une activité rationnelle de
compréhension, ce qui rend plus immédiatement intelligible le rapport entre *dóxa* et *epistémē* que le *Ménon*
définit. Seulement, la traduction de *dóxa* par
« croyance » nous a paru pouvoir entraîner plus de
malentendus et de mésinterprétations que la traduction
traditionnelle par « opinion ». Nous avons donc en
cette matière suivi la tradition.

Le terme *epistémē* est souvent traduit par « science ».
Ce en quoi le lecteur contemporain ne peut manquer
de comprendre une discipline relativement constituée
avec ses normes et ses procédures spécifiques. Seulement, l'opposition entre *dóxa* et *epistémē*, omniprésente

dans le *Ménon,* paraît alors peu pertinente et sans
grand intérêt. Il faut en effet essayer de se replacer
dans un contexte intellectuel, celui du début du
IVe siècle, où la « science » n'était pas un domaine bien
défini du champ du savoir, mais pouvait s'identifier à
toutes les formes de rapport au savoir. En fait, cela
correspond davantage à ce que les « modernes » entendent par « connaissance » quoique l'*epistémē* soit aussi
une forme plus « forte » de connaissance qui peut
également inclure la capacité d'expliquer. Nous avons
donc à peu près systématiquement rendu *epistémē* par
ce terme de « connaissance ». Cette décision se justifie
dans le *Ménon,* sans préjuger pour autant de la
meilleure façon de traduire le même terme dans
d'autres dialogues de Platon.

Pour la « Réminiscence », nous avons adopté la
convention suivante : « Réminiscence », lorsqu'il
s'agit de la théorie platonicienne ; « réminiscence »,
lorsqu'il s'agit du processus de remémoration.

Pour les autres difficultés de vocabulaire, on se
reportera au court lexique qui figure en annexe à ce
volume et fournit un essai de restitution de la polysémie des principaux termes.

Les notes.

Figurent dans les notes les informations indispensables à l'intelligibilité de la traduction : l'identité des
personnages ou noms cités dans le *Ménon* ; la description des événements historiques auxquels il est fait
allusion ; des informations sur les institutions politiques, culturelles et religieuses qui sont évoquées dans
le texte. On y trouve aussi des indications sur différentes leçons textuelles en concurrence, et des éléments d'interprétation sémantique (les significations
liées à tel ou tel terme et expression, les contextes
auxquels ce terme renvoie et sa charge symbolique).

Mais les notes ont également une portée critique.
Lorsque le texte est problématique ou ambigu, nous

avons rappelé les différentes interprétations qui peuvent s'y appliquer.

Par ailleurs, étant donné le rôle charnière du *Ménon* dans la constitution de la pensée platonicienne (cf. *Annexe* I, page 323), les notes essaient de mettre en évidence le traitement spécifique qu'on trouve de telle ou telle notion dans le *Ménon*, par opposition aux autres présentations faites de la même notion dans un dialogue ultérieur. Ces notes présentent enfin de nombreuses références aux textes philosophiques et littéraires qui permettent d'éclairer le sens du *Ménon*. Nous avons essayé d'être aussi explicite que possible en citant les textes concernés.

La bibliographie.

On trouvera d'abord mentionnées les principales éditions et traductions de la totalité ou de certains passages du *Ménon*, présentées dans l'ordre chronologique (1. avant 1950 ; 2. après 1950) et auxquelles pourra se référer le lecteur soucieux d'approfondir sa connaissance du texte.

On trouvera ensuite une bibliographie générale sur le *Ménon* (commentaires d'ensemble et articles), une bibliographie plus restrictive portant sur des passages spécifiques de ce texte, et une courte liste mentionnant quelques essais récents fortement inspirés par le *Ménon*.

BIBLIOGRAPHIE

I. ÉDITIONS ET TRADUCTIONS DU *MÉNON*

Dans la liste suivante, nous ne mentionnons que les ouvrages les plus accessibles au lecteur moderne et susceptibles d'aider sa lecture. Nous indiquons, le cas échéant, s'il s'agit d'une édition, d'une traduction ou d'une édition avec traduction.

1. Avant 1950

SCHLEIERMACHER F. : *Platons Werke, übers.* F. Schleiermacher, vol. II, 1 (dritte Auflage), Berlin, 1856.

BEKKER I. : *Platonis scripta graece omnia, rec.* Bekker, *annotationibus...* Heindorfi... Heusdii... Cornarii, vol. IV, Londres, 1826.

AST F. : *Platonis quae exstant opera, rec., in ling. lat. convertit...*, vol. IX, Leipzig, 1827.

BUTTMANN Ph. : *Platonis dialogi IV Meno Crito Alcibiades uterque, cum annot. crit. et exeg. ed.* V, *curavit* Buttmann, Berlin, 1830

WINCKELMANN A. G. : *Platonis opera omnia, rec.* Baiterus, Orellius, Winckelmannus, vol. IX, Turin, 1839.

STALLBAUM G. : *Platonis opera omnia,* vol. VI (II), Gotha 1836 (*sec. ed. rec., prolegomenis et comment. instruxit* A. R. Fritzsche, Leipzig, 1885).

HIRSCHIG R. B. : *Platonis opera, ex. rec.* Hirschig, *graece et latine,* vol. I, Paris, Didot, 1856, 1873.

SCHANZ M. : *Platonis opera quae feruntur omnia, ed.* Schanz, vol. VIII, Leipzig, Tauchnitz, 1881.

HERMANN C. F. : *Platonis dialogi..., ex. rec.* Hermann, vol. III, Leipzig, Teubner, 1851, 1892.

THOMPSON E. Seymer : *The Meno of Plato*, edited with introduction, notes and excursuses, Londres, Macmillan, 1901, reprint. Garland Publishing, New York, 1980.

BURNET J. : *Platonis opera, rec.* Burnet, t. III, fasc. II, Oxford, 1912.

APELT O. : *Platons Menon, übersetz und erläutet von* O. Apelt, Lepizig, 1914.

CROISET A. : *Platon, œuvres complètes*, tome III, 2e partie, *Gorgias, Ménon*, texte établi et traduit par Alfred Croiset avec la participation de Louis Bodin, Paris, Belles Lettres, 1923.

STOCK St. G. : *The Meno of Plato*, with introduction and notes by St. George Stock, 1887 ; 3rd ed., revised with appendix, 1924.

LAMB W. R. M. : *Plato*, with an English translation, vol. IV, 1924, rev. and reprint. 1937, 1952.

2. *Après 1950*

JOWETT B. : *The Dialogues of Plato*, translated by Benjamin Jowett, II 3rd. ed., 1892 ; new ed. revised by D. J. Allan and H. E. Dale, Oxford, 1953.

ROBIN L. : *Platon, œuvres complètes*, tome I, traduction nouvelle et notes par Léon Robin, Paris, Gallimard, Bibliothèque de la Pléiade, 1950.

GUTHRIE W. K. C. : *Plato, Protagoras and Meno*, tr. with introduction by W. K. C. Guthrie, Londres, Penguin, 1956.

RUIZ DE ELVIRA A. : *Platon, Menon*, edición bilingüe por Rivera, Madrid, 1958.

BLUCK R. S. : *Plato's Meno*, ed. and commentary, Cambridge, At the University Press, 1961.

VERDENIUS M. J. : « Notes on Plato's *Meno* », *Mnemosyne*, 1957, 289-299 ; et aussi « Further Notes on Plato's *Meno* », *Mnemosyne*, 1964, 261-280.

THOMAS J. E. : *Musings on the Meno*, La Haye, Nijnoff, 1980 (english translation and commentary).

SHARPLES R. W. : *Plato : Meno*, ed. with translation and notes, Warminster, Aris and Phillips, 1985.

FRAISSE J.-C. : *Platon, Ménon, de la vertu*, tr. fr., Paris, Hatier, 1987.

MERKELBACH R. : *Platon, Menon*, Francfort, Athenäum, 1988.

PIETTRE B. : *Platon, Le Ménon*, Paris, Nathan, 1990.

II. COMMENTAIRES D'ENSEMBLE DU *MÉNON* ET RE-
CUEIL D'ESSAIS

GRIMM L. : *Definition in Plato's Meno*, Oslo, Oslo University
Press, 1962.

KLEIN J. : *A Commentary on Plato's Meno*, Chapel Hill,
University of North Carolina Press, 1965.

ECKSTEIN J. : *The Platonic Method. An Interpretation of the
dramatic-philosophic Aspects of the Meno*, New York,
Greewood Publishing, 1968.

SESONSKE A., FLEMING N. : *Plato's Meno : text and criti-
cism*, Belmont, California, Wadsworth Publishing Company, 1967.

BROWN M. ed. : *Plato's Meno*, translated by W. K. C.
Guthrie with essays, ed. by M. Brown, Indianapolis, The
Bobbs-Merrill Company, 1971.

BRAGUE R. : *Ménon, le restant*, Paris, Vrin/Belles Lettres,
1978.

STERNFELD R., ZYSKIND H. : *Plato's Meno. A Philosophy of
Man as acquisitive*, Southern Illinois University Press,
1978.

CANTO-SPERBER M. ed. : *Les Paradoxes de la connaissance.
Essais sur le Ménon de Platon*, Paris, Odile Jacob, 1991 (ci-
dessous *PC*).

III. ARTICLES : DISCUSSION DE L'ENSEMBLE DU *MÉNON*

ANDERSON D. E. : « The Theory of Recollection in Plato's
Meno », *The Southern Journal of Philosophy* 9, 1, 1971,
225-235.

ANDIC M. : « Inquiry and Virtue in the *Meno* », in *Meno* ed.
Brown (cf. II) 262-314.

BARNES J. : « Enseigner la vertu ? in *Revue Philosophique* 4,
1991, 571-589 (citée *Rev. Philo.* 1991), et J. Brunschwig,
ibid, 591-602.

BASTIAN R. J. : « The mental Character of Meno », *Classical
Bulletin* 27, 1951, 40-43.

BEDU-ADDO J. T. : « Sense-Experience and Recollection in
Plato's *Meno* », *American Journal of Philosophy* 104, 3,
1983, 228-248.

BENSON H. H. : « Meno, the Slave-Boy and the Elenchus »,
Phronesis 35, 2, 1990, 128-158.

BLUCK R. S. : « Plato's *Meno* », *Phronesis* VI, 2, 1961, 94-
101, tr. fr. in *PC*, 1991, 163-173.

BRANCACCI A. : « A proposito del *Menone* platonico »,
Elenchos, 1981, 193-210.

BROWN T. S. : « Meno of Thessaly », *Historia* 35, 1986, 387-404.

BURNYEAT M. F., BARNES J. : « Socrates and the Jury : Paradoxes in Plato's Distinction between Knowledge and true Belief », *Proceedings of the Aristotelian Society*, Supplementary Volume, 54, 1980, 173-206 (tr. fr. in *PC*, 1991, 237-270).

CAHN S. M. : « A Puzzle concerning the *Meno* and the *Protagoras* », *Journal of History of Philosophy*, XI, 1973, 4.

CAVEING M. : « Platon, Aristote et les hypothèses des mathématiciens », in *La Naissance de la raison en Grèce Ancienne*, dir. J.-F. Mattéi, Paris, PUF, 1990, 119-128.

CORNFORD F. M. : « *Anamnesis* », in *Principium Sapientae*, Cambridge, 1952, chap. IV, repris dans *Meno*, ed. Brown (cf. II), 108-127.

CROMBIE I. M. : « Socratic Definition », *Paideia. A Special Issue on Plato* 5, 1976, 80-102.

DEVEREUX D. : « Nature and Teaching in Plato's *Meno* », *Phronesis* XXIII 2, 1978, 118-126.

GAISER K. : « Platons *Menon* und die Akademie », *Archiv für Geschichte der Philosophie* 46, 1964, 241-246, 264-292, repris dans *Das Problem der ungeschriebenen Lehre Platons. Beiträge zum Verständnis der platonischen Prinzipienphilosophie*, herausgegeben von J. Wippern, Darmstadt, Wissenschaftliche Buchgesellschaft, 1972, 329-393, tr. fr. de 358-393 in *PC*, 1991, 113-141.

GIBLIN Ch. N. : « Meno's fundamental Weakness », *Classical Journal*, 48, 1952-1953, 201-207.

GOULD J. B. : « Klein on ethological Mimes, for example, the *Meno* », *The Journal of Philosophy*, 9, 1969, 253-265.

HALL R. W. : « *Orthe doxa* and *eudoxia* in the *Meno* », *Philologus* 108, 1964, 66-71.

HARTMAN M. : « Plato's Philosophy of Education in the *Meno* », *Personalist* LVII, 2, 1976, 126-131

HOERBER R. G. : « Plato's Meno », *Phronesis* 5, 1, 1960, 78-102.

MORAVCSIK J. : « Learning as Recollection », in *Plato. A Collection of critical Essays*, Garden City, New York, 1971, 53-69, tr. fr. in *PC*, 1991, 299-313.

MORRISON J. S. : « Meno of Pharsalus, Polycrates and Ismenias », *Classical Quarterly* 36, 1942, 57-78.

NARCY M. : « Enseignement et dialectique dans le *Ménon* », *Revue Internationale de Philosophie*, 90, fasc. 4, 1969, 474-494, repris dans *PC*, 1991, 175-191.

PLOCHMANN G. K. : « Plato's *Meno* : questions to be disputed », *The Journal of Value Inquiry* VIII, 4, 1974, 266-282.

ROSE L. E. : « Plato's *Meno* », *Journal of the History of Philosophy* VIII, 1970, 3-8.

RYLE G. : « The *Meno*. Many things are odd about our *Meno* », *Paideia. Special Issue on Plato*, 5, 1976, 1-9, tr. fr. in *PC*, 1991, 153-172.

SESONSKE A. : « Knowing and Saying : The Structure of Plato's *Meno* », *Archiv für Geschichte der Philosophie* 12, 1963, 3-13.

SCOLNICOV S. : « Three Aspects of Plato's Philosophy of Learning and Instruction », *Paideia. A Special Issue on Plato* 5, 1976, 50-62.

SCUBLA L. : « Ménon, la logique sacrificielle et le problème de l'interprétation », *Cahier du Créa* 5, 1985, 279-290.

TEJERA V. : « History and Rhetoric in Plato's *Meno*, or On the Difficulties of Communicating Human Excellence », *Philosophy and Rhetoric* 11, 1, 1978, 1-41.

VLASTOS G. : « What did Socrates understand by His " What is F ? " Question », « Socrates on the Parts of Virtue », *Platonic Studies*, 1981, 2nd ed., 410-417, 418-423, tr. fr. in *PC*, 1991, 193-312. Et : « The Socratic Elenchus », *Oxford Studies in Ancient Philosophy*, 1, 1984, 27-58 ; et « Afterthoughts on the Socratic Elenchus », *Ibidem*, 71-74. Et : « Elenchus and Mathematics : a Turning-Point in Plato's philosophical Development », *American Journal of Philology* 109, 1988, 362-396, tr. fr. in *PC*, 1991, 51-88.

WILKES K. V. : « Conclusions in the *Meno* », *Archiv für Geschichte der Philosophie*, 61, 1979, 1, 143-153.

WHITE N. : « Inquiry », *Review of Metaphysics* 28, 1974-5, 289-310.

IV. ARTICLES : DISCUSSION DE POINTS SPÉCIFIQUES

76e : la définition tragique de la couleur

BLUCK R. S. : « On *Tragike* : Plato, *Meno* 76e », *Mnemosyne* 14, 1961, 19-295.

GRIMAL E. : « A propos d'un passage du *Ménon* : une définition " tragique " de la couleur », *Revue des Etudes Grecques* 55, 1942, 1-13.

ROSENMEYER T. : « Gorgias, Aeschylus and *Apate* », *American Journal of Philology*, LXXVI, 1955, 225-260.

WRIGHT F. A. : « A note on Plato's definition of colour » *Classical Review*, XXXIV, 1920, 31-32.

79a

BLUCK R. S. : « Aristippus' *Meno* 79a », *The Classical Review* 8, 1958, 108-109.

80d-e : le paradoxe de Ménon

CALVERT B. : « Meno's Paradox reconsidered », *Journal of the History of Philosophy* XII, 1, 1974, 143-152.

MOLINE J. : « Meno's Paradox ? », *Phronesis* 14, n° 2, 1969, 153-161.

NEHAMAS A. : « Meno's Paradox and Socrates as a Teacher », *Oxford Studies in Ancient Philosophy*, 3, 1985, 1-30, tr. fr. in *PC*, 1991, 271-298.

PHILLIPS : « The Significance of Meno's Paradox », *Classical Weekly* XLII, 1948-9, 87-91.

ROHATYN D. : « Reflections on Meno's Paradox », *Apeiron*, XIV, n° 2, 1980, 69-73.

SCOTT D. : « Socrate prend-il au sérieux le paradoxe de Ménon ? » in *Rev. Philo.* 4, 1991, 627-658.

80a-86e : la Réminiscence

ALLEN R. E. : « *Anamnesis* in Plato's *Meno* and *Phaedo* », *The Review of Metaphysics*, XIII, 1959-60, 165-174.

BEDU-ADDO J. T. : « Recollection and the Argument " from an Hypothesis " in Plato's *Meno* », *Journal of Hellenic Studies*, CIV, 1984, 1-14.

BROWN L. : « *Episteme, doxa et anamnesis* dans le *Ménon* », in *Rev. Philo.* 4, 1991, 603-619.

EBERT Th. : « Plato's Theory of Recollection reconsidered. An Interpretation of *Meno* 80a-86c », *Man and World*, 6, 1973, 163-181.

GULLEY N. : « Plato's Theory of Recollection », *Classical Quarterly* 48, 1954, 194-213.

SCOTT D. : « Platonic *Anamnesis* revisited », *Classical Quarterly* 37, 2, 1987, 346-366.

VLASTOS G. : « *Anamnesis* in the *Meno* », *Dialogue* 4, 1965, 143-167.

81d : la parenté des parties de la nature

TIGNER S. S. : « On the " Kinship " of " all Nature " in Plato's *Meno* », *Phronesis* XV, 1970, 1-4.

82a-85b : l'interrogation du jeune garçon

BOTER G. J. : « *Meno*, 82c2-3 », *Phronesis*, 33, 1988, 208-215.

Brown M. : « Plato disapproves of the Slave-boy's Ans-
wer », *The Review of Metaphysics* 20, 1967, 57-93, repris
dans *Meno* ed. Brown (cf. II), 198-242.

Fowler D. H. : « Yet more on *Meno* 82a-85b, in *Phronesis*
35, 2, 1990, 175-181.

Sharples R. W. : « More on Plato, *Meno*, 82c3 », *Phronesis*,
34, 1989, 220-226.

85d-86c : opinions et connaissances

Anscombe G. E. M. : « Understanding Proofs : *Meno*,
85d9-86c2, Continued », *Philosophy* 54, 1979.

Seeskin K. : « *Meno* 86c-89a », in *Mélanges R. S. Brumbaugh*, 1987, 25-41.

87a : l'examen à partir d'une hypothèse

Gueroult M. : « Note sur le *locus mathematicus* du *Ménon*
(87a) », *Bulletin de l'Université de Strasbourg* 13, 1935,
repris dans *Revue Philosophique de la France et de l'Etranger* 159, 1969, 126-146, et dans *PC*, 1991, 107-111.

Heitsch E. : « Platons Hypothetisches Verfahren in
Menons », *Hermes* 105, 1977, 257-268.

Lloyd G. E. R. : « The *Meno* and the mysteries of
Mathematics », *Phronesis* 37, 1992, 166-183.

Meyers J. I. : « Plato's geometric Hypothesis : *Meno* 86e-
87b », *Apeiron* XXI, 3, 1988, 173-180.

Sternfeld R., Zyskind H. : « Plato's *Meno* : 86e-87a :
The geometrical Illustration of the Argument by Hypothesis », *Phronesis* XXII, 3, 1977, 206-211.

89c : la vertu est connaissance

Zyskind H., Sternfeld R. : « Plato's *Meno* 89c : 'Virtue is
Knowledge' a Hypothesis ? », *Phronesis* XXI, 2, 1976,
130-134.

97e-100a : la vertu est faveur divine

MacDonough B. T. : « A Study of the conclusions of
Plato's *Meno* », *Dialogos* 31, 1978, 169-177.

Tarrant H. : « *Meno* 98a. More Worries », *Liverpool
classical Monthly* 14, 1989, 121-122.

V. ARTICLES INSPIRÉS PAR LE *MÉNON*

Briskman L. : « Articulating our ignorance : hopeful skep-
ticism and the Meno paradox », *Etc.*, vol. 42, n° 3, 1985.

Brumbaugh R. S., Brown M., Neville R., Thompson
H. W. : « The *Meno* in secondary school », *Teaching
Philosophy* vol. I, 2, 1975, 107-124.

BRADIE M. : « Polanyi on the Meno Paradox », *Philosophy of Science*, 41, 2, 1974, 203.

DAVIDSON D. : « Plato the Philosopher », *London Review of Books*, 1ᵉʳ août 1985, tr. fr. in *PC*, 1991, 89-111.

HARE R. : « Philosophical Discoveries », *Mind*, LXIX, 274, 1960, 145-162. Et : « Platonism in Moral Education. Two Varieties », *The Monist* 58, 4, 1974, 568-580, tr. fr. in *PC*, 1991, 213-225.

POWERS L. R. : « Knowledge by deduction », *The Philosophical Review* LXXXVII 3, 1978, 337-371.

SIMON H. A. : « Meno's Paradox », *Models of Discovery, and other Topics in the Methods of Science*, Dordecht/Boston, Reidel, 1977, 338-344, tr. fr. in *PC*, 1991, 329-333.

SHANON B. : « Meno — a cognitive psychological View », *British Journal for the Philosophy of Science*, 35, n° 2, juin 1984, 129-147, tr. fr. in *PC*, 1991, 335-353.

STAHL H. P. : « Beginnings of propositional Logic in Plato », *in Meno*, ed. Brown (cf. II), 180-197.

Sigles et références

N.B. 1) Ces indications bibliographiques ne sont pas exhaustives. Pour la seconde moitié du XXᵉ siècle, on se reportera à H. Cherniss (« Plato 1950-1957 », *Lustrum* 4 et 5, 1959-1960) et à L. Brisson (« Platon 1958-1975 », *Lustrum* 20, 1977 ; « Platon 1975-1980 » — en collaboration avec H. Ioannidi —; *Lustrum* 25, 1983, pp. 31-320 ; « *Corrigenda* », *Lustrum* 26, 1984. pp. 205-296 ; et « Platon 1980-1985 », *Lustrum* 30, 1988).

Voir aussi R. D. Mac Kirahan, *Plato and Socrates. A comprehensive Bibliography 1958-1973*, Garland Publishing Company Inc., New York and London, 1978.

2) Sigles

C.A.F. : *Comicorum Atticorum Fragmenta*, ed. T. Kock, Leipzig, Teubner, 1880, tome I.

D.K. : *Die Fragmente der Vorsokratiker*, ed. H. Diels, W. Kranz, vol. II, Berlin, 1952, 6ᵉ éd.

L.S.J. : H. G. Lidell, R. Scott, *A Greek-English Lexicon*, rev. and aug. by H. Stuart Jones (9th ed., Oxford, 1940).

K.R.S. : G. S. Kirk, J. E. Raven, M. Schofield, *The Presocratic Philosophers*, 1957, 2nd ed., Cambridge, Cambridge University Press, 1983.

MÉNON

MÉNON

[a] Peux-tu me dire, Socrate, si la vertu s'enseigne[1] ? ou si elle ne s'enseigne pas mais s'acquiert pas l'exercice[2] ? Et si elle ne s'acquiert point par l'exercice ni ne s'apprend[3], advient-elle aux hommes par nature ou d'une autre façon[4] ?

SOCRATE

Jusqu'ici, Ménon, les Thessaliens étaient renommés chez les Grecs : on les admirait pour leur compétence équestre[5] et pour leur richesse[6]. Mais aujourd'hui, [b] me semble-t-il, on les admire aussi pour leur savoir, en particulier les citoyens de Larisse, Cité de ton ami Aristippe[7]. Et cela, vous le devez à Gorgias[8]. En effet, dès sa venue en cette ville, il transporta d'amour pour son savoir les chefs des Aleuades[9] — dont Aristippe, ton amant — et l'élite des autres Thessaliens. Il vous a ainsi inculqué l'habitude de répondre aux questions sans rien craindre et de façon magnifique[10] — comme les gens qui savent, tout naturellement, répondent —, car lui-même[c] procédait ainsi : il se mettait à la disposition de tout Grec désireux de lui poser la question de son choix, et il n'y a pas un homme à qui Gorgias ait manqué de répondre[11].

Mais à Athènes, mon cher Ménon, une situation toute contraire s'est établie. Il s'est produit comme un dessèchement du savoir [12], et [a] il paraît probable que, parti de ces lieux-ci, le savoir soit allé s'installer chez vous. En tout cas, si l'envie te prend de poser ta question à quelqu'un d'ici, il n'y aura personne qui ne se mette à rire et ne te dise : « Etranger, sans doute me tiens-tu pour un bienheureux, de croire que je sais si la vertu s'enseigne ou si elle advient d'une autre façon ! Mais moi, je suis si loin de savoir si la vertu s'enseigne ou ne s'enseigne pas que j'ignore absolument [13] ce que peut bien être la vertu. »

Eh bien moi aussi, Ménon, je suis dans le même cas. [b] En cette matière, je partage la misère de mes concitoyens, et je me blâme moi-même de ne rien savoir, rien du tout, de la vertu ; or si je ne sais pas ce qu'est la vertu, comment pourrais-je savoir quoi que ce soit d'elle ? Te paraît-il possible que, sans connaître aucunement Ménon et ignorant qui il est, on sache de lui qu'il est riche, beau, noble même, ou tout le contraire de cela [14] ? Ce fait te paraît-il possible ?

MÉNON

Non, cela ne me paraît guère possible. Mais, Socrate, est-il vrai que toi non plus tu ne saches pas ce qu'est la vertu ? Voyons, [c] est-ce bien ce que je dois aller, chez moi, rapporter sur ton compte ?

SOCRATE

Oui, non seulement cela, mon ami, mais aussi que je n'ai encore rencontré personne d'autre qui le sût, me semble-t-il.

MÉNON

Comment ? N'as-tu pas rencontré Gorgias quand il était ici [15] ?

SOCRATE

Si, je l'ai rencontré.

MÉNON

Et alors ? n'as-tu pas pensé qu'il le savait ?

SOCRATE

Je n'ai pas une très bonne mémoire [16], Ménon. Je ne peux donc pas te dire aujourd'hui ce que j'ai pensé alors. En fait, peut-être Gorgias le savait-il, mais c'est toi surtout qui dois savoir ce qu'il disait. Remémore-moi [17] donc ses paroles. [d] Ou si tu préfères, parle pour toi-même, car tu penses sans doute la même chose que lui.

MÉNON

Oui, en effet.

SOCRATE

Dans ce cas, lui, laissons-le tranquille, puisque après tout il n'est pas ici [18]. Mais toi-même, Ménon, au nom des dieux, dis-moi ce qu'est la vertu. Dis-le-moi, sans t'en montrer jaloux [19], parce que si tu fais voir que Gorgias et toi, vous savez ce qu'est la vertu, tandis que je déclarais n'avoir jamais rencontré personne qui le sût, ce serait une grande chance pour moi de m'être laissé tromper par cette trompeuse idée [20] ! [e]

MÉNON

Eh bien, ce n'est pas difficile à dire [21], Socrate. D'abord, si tu veux que je te fasse voir la vertu d'un homme, il est facile de répondre que la vertu d'un homme consiste à être capable d'agir dans les affaires de sa cité et, grâce à cette activité, de faire du bien à ses amis, du mal à ses ennemis, tout en se préservant soi-même de rien subir de mal [22]. Maintenant si tu veux parler de la vertu d'une femme, ce n'est pas difficile à expliquer : la femme doit bien gérer sa maison, veiller à son intérieur, le maintenir en bon état et obéir à son mari [23]. Il y a aussi une vertu différente pour l'enfant,

pour la fille et pour le garçon, une vertu pour l'homme
âgé, qu'il soit libre, si tu veux, ou esclave, si tu
préfères. [a] Et comme il existe une multitude d'autres
vertus, on n'est donc pas embarrassé pour définir la
vertu. Car on trouve une vertu pour chaque forme
d'activité et pour chaque âge, et ce, pour chacun de
nous, par rapport à chaque ouvrage que nous nous
proposons [24]. Je pense d'ailleurs que c'est pareil,
Socrate, pour le vice aussi.

SOCRATE

J'ai vraiment beaucoup de chance [25], apparemment,
Ménon ! J'étais en quête d'une seule et unique vertu, et
voilà que je découvre, niché en toi, tout un essaim de
vertus [26]. Justement dis-moi, Ménon, pour en rester à
l'image de l'essaim, suppose que je t'interroge [b] pour
savoir ce qu'est une abeille dans sa réalité [27], et que tu
déclares qu'il y en a beaucoup et de toutes sortes ; que
me répondrais-tu si je te demandais : « Est-ce du fait
qu'elles sont des abeilles [28] qu'il y en a, dis-tu, beaucoup, de toutes sortes, toutes différentes les unes des
autres ? Ou bien veux-tu dire que le fait d'être des
abeilles ne crée aucune différence entre elles, mais
qu'elles diffèrent par autre chose, par exemple en
beauté, en taille, ou par un autre attribut de ce
genre ? » Dis-moi, si on te posait cette question, que
répondrais-tu ?

MÉNON

Ceci : en tant qu'elles sont des abeilles, je dis qu'il
n'y a aucune différence entre deux d'entre elles.

SOCRATE

Or si je te demandais [c] ensuite : « Eh bien, Ménon,
dis-moi quelle est cette propriété qui, sans créer la
moindre différence entre ces abeilles, fait qu'elles sont
toutes la même chose. D'après toi, qu'est-ce que
c'est ? » A coup sûr, tu saurais me le dire !

MÉNON

Oui.

SOCRATE

Eh bien, c'est pareil aussi pour les vertus ! Même s'il
y en a beaucoup et de toutes sortes, elles possèdent du
moins une seule forme caractéristique [29] identique chez
toutes sans exception, qui fait d'elles des vertus. Une
telle forme caractéristique est ce qu'il faut bien avoir en
vue [30] pour répondre à qui demande de montrer ce en
quoi consiste la vertu. [d] Comprends-tu ce que je dis ?

MÉNON

Oui, j'ai bien l'impression de comprendre. Malgré
tout, je ne saisis pas encore comme je voudrais le sens
de ta question.

SOCRATE

Est-ce seulement au sujet de la vertu que tu crois
ainsi, Ménon, qu'il y a une vertu de l'homme, une
autre de la femme, et ainsi de suite ? Ou bien crois-tu
que c'est aussi le cas de la santé, de la taille et de la
force ? Penses-tu qu'il existe une santé de l'homme, et
une autre de la femme ? Ou bien, si tant est que la santé
soit la santé, ne consiste-t-elle pas dans tous les cas en
la même forme caractéristique, que celle-ci se trouve
chez un homme ou [e] chez n'importe qui [31] ?

MÉNON

Je pense que la santé est bien [32] la même, qu'elle soit
celle d'un homme ou celle d'une femme.

SOCRATE

C'est donc pareil pour la taille, et pour la force ? Si
une femme est réellement forte, n'est-ce pas grâce à
cette forme caractéristique identique — donc grâce à la
même force — qu'elle sera forte ? Et voici ce que je
veux dire quand je dis « grâce à la même force » : par

rapport au fait d'être la force, que la force se trouve
chez un homme, ou chez une femme, cela crée-t-il la
moindre différence ? Ou bien penses-tu qu'une telle
chose fasse une différence ?

MÉNON

Non, je ne le pense pas. [a]

SOCRATE

Et quand il s'agit de la vertu ? par rapport au fait
d'être la vertu, que la vertu se trouve chez un enfant ou
chez un vieillard, chez une femme ou chez un homme,
cela créera-t-il la moindre différence ?

MÉNON

J'ai bien l'impression, Socrate, que ce dernier cas
n'est plus semblable aux autres dont tu as parlé [33].

SOCRATE

Pourquoi ? Ne disais-tu pas que la vertu d'un
homme était de bien diriger sa cité, et celle d'une
femme, sa maison ?

MÉNON

Oui, je l'ai dit.

SOCRATE

Or peuvent-ils bien diriger leur cité, leur maison, ou
quoi que ce soit d'autre, sans diriger de façon tempérante [34] et juste ? [b]

MÉNON

Certes non !

SOCRATE

Or s'ils dirigent de façon juste et tempérante, ne
dirigeront-ils pas avec justice et avec tempérance ?

MÉNON

Nécessairement.

SOCRATE

L'homme et la femme ont donc tous deux besoin des mêmes qualités, s'ils doivent devenir des êtres bons : la justice et la tempérance.

MÉNON

Apparemment.

SOCRATE

Mais alors un enfant, un vieillard, pourraient-ils être jamais bons tout en étant déréglés et injustes ?

MÉNON

Certainement pas !

SOCRATE

Plutôt, en étant tempérants et justes ?

MÉNON

Oui. ᶜ

SOCRATE

Tous les êtres humains, qui sont des êtres bons, le sont donc de la même façon, puisque c'est grâce à des qualités identiques qu'ils deviennent bons.

MÉNON

Il semble bien.

SOCRATE

Et si leur vertu n'était pas la même vertu[35], ils ne seraient sans doute pas bons de la même façon.

MÉNON

Assurément pas !

SOCRATE

Eh bien, puisque la vertu est identique chez tous, essaie de te remémorer [36] et d'expliquer ce que Gorgias dit qu'elle est, et toi avec lui.

MÉNON

Que peut-elle être sinon la capacité de commander aux hommes ? puisque tu cherches vraiment [d] quelque chose d'unique qui s'applique à tous les cas [37].

SOCRATE

A coup sûr oui, c'est bien ce que je cherche. Mais est-ce la même vertu, Ménon, pour un enfant et pour un esclave ? est-ce la capacité de commander à son maître [38] ? Je veux dire, celui qui commande, crois-tu qu'il soit encore un esclave ?

MÉNON

Non, je ne le crois pas, Socrate, absolument pas !

SOCRATE

En effet, ce ne serait pas vraisemblable, excellent homme [39] ! Et puis, encore une fois, considère le point suivant. Tu dis : « avoir la capacité de commander » ; ne devons-nous pas ajouter à cette formule « avec justice et sans injustice » ?

MÉNON

Oui, je le pense, car la justice, Socrate, est vertu [40].

SOCRATE

La justice est-elle la vertu [e], Ménon, ou une vertu [41] ?

MÉNON

Que veux-tu dire ?

SOCRATE

Ce que je dirais pour n'importe quelle autre chose. Prenons un exemple. La rondeur, si tu veux. Je dirais, pour ma part, qu'elle est une figure, mais non pas qu'elle est, dans l'absolu et sans précision, la figure. Et la raison pour laquelle je m'exprimerais ainsi tient au fait qu'il existe encore d'autres figures.

MÉNON

Oui, tu as raison, et donc moi de même, je déclare qu'il n'y a pas seulement la justice, mais d'autres vertus aussi.

SOCRATE

Et quelles sont-elles ? Dis-moi. Par exemple,[a] si tu m'invitais à le faire, je pourrais te nommer également d'autres figures. Alors toi, à ton tour, désigne-moi d'autres vertus.

MÉNON

Eh bien, à mon avis, le courage est une vertu, ainsi que la tempérance, le savoir, la magnificence, et il y en a beaucoup d'autres[42].

SOCRATE

Voilà que de nouveau, Ménon, la même chose nous arrive. Nous cherchons une seule vertu, et encore une fois nous en trouvons plusieurs, quoique de façon différente de tout à l'heure. Mais cette vertu unique, qui relie toutes les vertus que tu as nommées, nous ne parvenons pas à la découvrir.

MÉNON

C'est que je n'arrive guère à saisir, Socrate, d'après la façon dont tu la cherches[b], cette unique vertu qui s'applique à tous les cas — comme je l'ai fait dans les autres exemples que tu as cités[43] !

SOCRATE

C'est bien normal ! Mais sache que je vais déployer tout le zèle dont je suis capable pour nous rapprocher

d'elle. Car tu te rends bien compte, je pense, qu'il en
est de même pour tout. Si quelqu'un t'interroge sur
l'exemple que je t'ai donné tout à l'heure : « Qu'est-ce
que la figure, Ménon ? », que tu lui répondes que c'est
la rondeur, puis qu'il te demande comme je l'ai fait :
« La rondeur est-elle la figure ou une figure ? », tu
diras sans doute que c'est une figure.

MÉNON

Oui, tout à fait.

SOCRATE

Or, la raison pour laquelle tu dirais cela[c] tient au fait
qu'il existe également d'autres figures ?

MÉNON

Oui.

SOCRATE

Et si on te demande alors quelles sont ces figures, les
indiqueras-tu ?

MÉNON

Oui, je le ferai.

SOCRATE

Et encore une fois, si quelqu'un t'interroge de la
même façon sur la couleur et te demande ce qu'elle est,
si toi tu réponds que c'est le blanc, et que, sur ce,
l'homme qui te questionne reprenne : « Le blanc est-il
la couleur ou une couleur ? », ne diras-tu pas que c'est
une couleur, parce qu'il existe aussi d'autres couleurs ?

MÉNON

Oui, en effet.

SOCRATE

Mais s'il te prie de désigner d'autres couleurs, n'en
nommeras-tu pas d'autres qui, tout autant que le
blanc,[d] sont des couleurs ?

MÉNON

Oui.

SOCRATE

Or, si cet homme poursuivait son argument, comme
moi-même je l'ai fait, et te demandait : « Nous en
arrivons toujours à une pluralité ! cesse de me répondre
ainsi [44] ! Voyons, puisqu'à cette pluralité de choses, tu
donnes un seul et unique nom, puisque tu affirmes
qu'il n'y en a pas une qui ne soit une figure, même si
elles sont contraires les unes aux autres, quelle est donc
cette chose qui comprend tout autant la figure ronde
que la figure droite, cette chose que justement tu
désignes comme figure et dont tu dis que la figure
ronde[e] n'est pas davantage une figure que la figure
droite [45] ? car n'est-ce pas ce que tu dis ? »

MÉNON

Oui, en effet.

SOCRATE

Or, quand tu t'exprimes ainsi, n'es-tu pas en train de
dire que la figure ronde n'est pas plus ronde que
droite, et que la figure droite n'est pas plus droite que
ronde [46] ?

MÉNON

Non, pas du tout, Socrate !

SOCRATE

Mais pourtant tu dis bien que la figure ronde n'est
pas davantage « une figure » que la figure droite, et
vice versa !

MÉNON

C'est vrai.

SOCRATE

Alors, quelle est donc cette chose qu'on appelle « la figure » ? Essaie de le dire. Bon, si à une pareille question portant sur la figure[a] et sur la couleur, tu répondais : « Mais moi, je ne comprends même pas ce que tu souhaites, mon cher, et je ne sais pas non plus ce que tu veux dire », notre homme s'étonnerait sans doute et dirait : « Ne comprends-tu pas que je cherche la nature identique présente dans tous ces cas particuliers ? » Pour les cas en question[47], Ménon, ne serais-tu pas non plus capable de répondre à celui qui te demanderait : « Quelle est cette chose présente dans la figure droite, la figure ronde, dans tout ce que tu appelles " figure ", quelle est cette chose identique, présente dans tous ces cas-là » ? Essaie de le dire, et que cela te serve d'exercice pour répondre au sujet de la vertu.

MÉNON

Non, tu n'as[b] qu'à répondre toi, Socrate !

SOCRATE

Veux-tu que je te fasse ce plaisir ?

MÉNON

Oui, absolument.

SOCRATE

Alors tu consentiras à ton tour à me dire ce qu'est la vertu ?

MÉNON

Oui.

SOCRATE

En ce cas, consacrons-y toute notre ardeur : cela en vaut la peine.

MÉNON

A coup sûr, sans réserves !

SOCRATE

Eh bien, allons, essayons de te définir ce qu'est la figure. Vois donc si tu acceptes la définition suivante. Appelons figure cette chose qui, seule entre toutes, s'accompagne toujours de la couleur[48]. Cela te suffit-il ou bien recherches-tu quelque chose d'autre ? Car, en ce qui me concerne, [c] si tu disais juste comme cela ce qu'est la vertu, je serais comblé.

MÉNON

Mais cette définition est vraiment naïve, Socrate !

SOCRATE

Que veux-tu dire ?

MÉNON

Ceci : selon ta définition, la figure est, si je comprends bien, ce qui « s'accompagne toujours de la couleur ». Soit. Mais si on prétendait ignorer justement la couleur, et n'être pas plus capable que pour la figure de dire ce qu'elle est, que vaudrait, penses-tu, ta réponse[49] ?

SOCRATE

A mes yeux, en tout cas, elle est vraie. Vois-tu, si l'homme qui m'interroge est l'un de ces savants qui se battent à coups d'arguments et font de tout entretien un concours et un combat[50], je lui répliquerai : [d] « J'ai donné ma réponse. Si j'ai tort, c'est à toi d'assumer la discussion et de réfuter[51]. » Mais quand ce sont des amis, comme toi et moi maintenant, qui souhaitent s'entretenir l'un avec l'autre, il faut répondre avec une plus grande douceur et en se conformant davantage aux règles de l'entretien[52]. Or, s'y conformer ne consiste sans doute pas seulement à répondre la vérité, mais aussi à répondre en se servant de ce que l'homme qui interroge admet déjà[53] connaître. Je vais donc essayer moi aussi de te répondre comme cela. Alors, dis-moi : y a-t-il quelque chose que tu appelles « fin »[54] ? Je veux dire quelque chose[e] comme un « terme » et une « limite ». C'est une chose identique que je veux exprimer en me servant de tous ces mots. Prodicos[55] ne serait peut-être pas d'accord avec nous, mais toi, en tout cas, tu dis sans doute qu'une chose « est terminée » ou qu'elle « est finie ». Tu vois de quoi je veux parler, cela n'a rien de compliqué.

MÉNON

Mais oui, je me sers de ces mots[56], et je comprends bien, je pense, ce que tu dis !

SOCRATE

Et le nom de « surface », le donnes-tu à quelque chose ?[a] et celui de « solide », cette fois, ne l'attribues-tu pas à une autre chose, conformément au sens qu'ont ces termes en géométrie ?

MÉNON

Oui, je le fais.

SOCRATE

Or c'est justement en te servant de ces termes que tu pourras comprendre comment je définis la figure. Voici donc ma définition, qui s'applique à toute figure : là où le solide se termine, voilà ce qu'est la figure. Ce que je résumerais en disant : la figure est la limite du solide[57].

MÉNON

Et la couleur, comment la définis-tu, Socrate ?

SOCRATE

Que tu es excessif, Ménon ! Tu ne cesses de proposer des difficultés à un vieillard pour le forcer à répon-

dre[58], mais toi-même, tu ne veux pas [b] faire le moindre
effort pour te remémorer ce que Gorgias pouvait bien
dire qu'est la vertu.

MÉNON

Eh bien, dès que tu m'auras répondu, Socrate, je te
le dirai !

SOCRATE

Même avec les yeux bandés, on saurait, Ménon, à la
façon dont tu parles, que tu es beau et que tu as encore
des amants[59].

MÉNON

Tiens ! Pourquoi ?

SOCRATE

Parce que quand tu parles, ce n'est que pour dicter
ta loi. C'est ainsi que font les êtres rompus aux
plaisirs : tant qu'ils sont dans la fleur de l'âge, ils
agissent en tyrans[60]. Du reste, tu as dû également [c]
comprendre que je suis faible devant les beaux gar-
çons[61]. Je vais donc te faire plaisir et te répondre.

MÉNON

Ah oui, fais moi ce plaisir extrême !

SOCRATE

Voyons, souhaites-tu que je te réponde comme
Gorgias[62], pour te permettre de suivre parfaitement ?

MÉNON

Oui, je le veux ! Et comment !

SOCRATE

Vous dites bien, suivant Empédocle[63], que les êtres
émettent certains effluves, n'est-ce pas ?

MÉNON

Oui, certes.

SOCRATE

Et qu'ils « comportent des pores », où se portent ces effluves et par lesquels ils passent.

MÉNON

Oui, tout à fait.

SOCRATE

Et que, parmi ces effluves, il en est certains qui s'adaptent à certains pores [64], tandis que les autres sont soit trop petits [d] soit trop gros.

MÉNON

C'est cela.

SOCRATE

Il y a bien aussi quelque chose que tu appelles « l'organe de la vue », n'est-ce pas ?

MÉNON

Oui.

SOCRATE

Eh bien justement, à l'aide de ces termes, « comprends de quoi je parle », comme dit Pindare [65]. Sache qu'une couleur est un effluve de figures, proportionné à l'organe de la vue, et donc sensible [66].

MÉNON

Chose excellente, Socrate, que cette réponse que tu viens de donner !

SOCRATE

Sans doute parce qu'elle est conforme à ce dont tu as l'habitude. Et en outre, tu conçois bien, je pense,

qu'en te servant de cette réponse tu saurais dire aussi
ce que sont la voix, l'odorat, et beaucoup d'autres
choses[e] du même genre.

MÉNON

Certainement.

SOCRATE

Ma réponse, Ménon, a quelque chose de tragique[67],
et donc elle te plaît plus que celle que je t'ai donnée à
propos de la figure.

MÉNON

En effet.

SOCRATE

Mais ce n'est pas elle la meilleure, enfant d'Alexidème[68], moi, je suis convaincu que l'autre est meilleure[69]. Du reste je crois que tu serais de cet avis s'il ne
te fallait, comme tu le rappelais hier, partir avant les
Mystères[70], et si tu pouvais rester ici pour te faire
initier.

MÉNON

Mais je resterais,[a] Socrate, si tu devais souvent me
parler ainsi !

SOCRATE

Sache que je ne manque pas de bonne volonté, dans
ton intérêt comme dans le mien, pour continuer à
m'exprimer comme cela. Mais je crains de n'être guère
capable de dire beaucoup de choses de ce genre.
Allons, essaie donc à ton tour d'acquitter la promesse
que tu m'as faite ; dis-moi ce qu'est la vertu en
général[71], et cesse de transformer une seule chose en
plusieurs — comme on dit pour se moquer des gens
qui cassent un objet[72]. Laisse plutôt la vertu entière,
intacte, et dis ce qu'elle est. Tu n'as[b] qu'à reprendre
les exemples que je t'ai donnés.

MÉNON

Eh bien, il me semble, Socrate, que la vertu consiste, selon la formule du poète, « à se réjouir des belles choses et à être puissant[73] ». Quant à moi, je déclare que la vertu, c'est le désir des belles choses avec le pouvoir de se les procurer.

SOCRATE

Veux-tu dire que l'homme qui désire les belles choses est désireux des bonnes[74] ?

MÉNON

Oui, plus que tout.

SOCRATE

Dis-tu cela avec l'idée que certains hommes désirent le mal, tandis que d'autres désirent le bien ? Ne crois-tu pas, [c] excellent homme, que tous les hommes désirent le bien[75] ?

MÉNON

Non, je ne le crois pas.

SOCRATE

Il y a donc des hommes qui désirent le mal !

MÉNON

Oui.

SOCRATE

En concevant ce mal comme un bien, est-ce ce que tu veux dire ? ou bien le désirent-ils quand même, tout en sachant que c'est un mal ?

MÉNON

Les deux cas existent, je crois.

SOCRATE

Parce que toi, Ménon, tu crois qu'on peut, tout en sachant que le mal est mal, le désirer quand même ?

MÉNON

Tout à fait.

SOCRATE

Que veux-tu dire ? Que désire-t-on : que le mal arrive à soi-même [76] ?

MÉNON

Qu'il arrive ! Evidemment ! [d]

SOCRATE

En considérant que ce mal est bénéfique à celui auquel il arrive [77] ? ou bien tout en sachant qu'il fera du tort à l'homme chez qui il advient ?

MÉNON

Certains considèrent que le mal est bénéfique, mais d'autres savent aussi que le mal fait du tort.

SOCRATE

Et toi alors, crois-tu qu'ils sachent que le mal est mal quand ils le considèrent comme bénéfique ?

MÉNON

Non, certainement pas ! Ce n'est pas ce que je crois !

SOCRATE

En ce cas, n'est-il pas évident que ces gens-là ne désirent pas le mal, puisqu'ils ignorent ce qu'il est, mais qu'ils désirent ce qu'ils croyaient être le bien, même si en fait ce bien est mal [78] ? De sorte que, s'ils ignorent le mal et le [e] prennent vraiment pour un bien, il est évident que c'est le bien qu'ils désirent, n'est-ce pas ?

MÉNON

Pour ces gens-là, oui, il est possible que ce soit vrai.

SOCRATE

Mais alors, les hommes qui désirent le mal, comme tu le prétends, tout en sachant que le mal nuit à celui auquel il arrive, ils doivent bien savoir que ce mal leur nuira ?

MÉNON

C'est nécessaire.

SOCRATE

Mais ces hommes-là ne croient-ils pas que, si une chose leur fait du tort, une telle chose, dans la mesure où elle leur nuit,[a] les rend misérables ?

MÉNON

Là aussi, c'est nécessaire.

SOCRATE

Mais en les rendant misérables, ne fait-elle pas d'eux des êtres malheureux[79] ?

MÉNON

Oui, je pense.

SOCRATE

Y a-t-il donc un homme qui veuille être misérable et malheureux ?

MÉNON

Il ne me semble pas, Socrate.

SOCRATE

Il n'y a donc personne, Ménon, qui veuille le mal, à moins de vouloir être comme cela[80]. En effet, être misérable, qu'est-ce que c'est, sinon désirer le mal et l'obtenir ?[b]

MÉNON

Il est possible que tu dises vrai, Socrate, et que personne ne veuille le mal[81].

SOCRATE

Or tout à l'heure, Ménon, tu affirmais que la vertu consiste à vouloir les bonnes choses et à être puissant.

MÉNON

Oui, je l'ai dit.

SOCRATE

Donc même si dans la définition que tu donnes[82], on trouve mentionné d'abord le fait de vouloir le bien, ce fait est à la portée de tout le monde, et ce n'est vraiment pas par là qu'un homme sera meilleur qu'un autre !

MÉNON

Il semble.

SOCRATE

En revanche, il est évident que, si un homme est réellement meilleur qu'un autre, c'est qu'il lui est supérieur en puissance.

MÉNON

Oui, tout à fait.

SOCRATE

D'après ta définition, c'est donc cela, semble-t-il, la vertu : la puissance de[c] se procurer les biens[83].

MÉNON

A mon avis, Socrate, c'est tout à fait cela, exactement comme tu viens de le dire !

SOCRATE

Examinons donc ce point-là pour voir si ce que tu dis est vrai. Car tu as peut-être raison. Tu prétends que la vertu, c'est être capable de se procurer les biens.

MÉNON

Oui.

SOCRATE

Or ce que tu appelles « biens », ce sont, par exemple, la santé et la richesse[84], n'est-ce pas ?

MÉNON

Je veux parler aussi de la possession d'or et d'argent, des honneurs obtenus dans sa cité, ainsi que des charges de commandement[85].

SOCRATE

Mais quand tu parles de biens, n'entends-tu rien d'autre que ce genre de biens ?

MÉNON

Rien d'autre, au contraire, c'est de tout ce genre de biens que je parle !

SOCRATE

Soit. [d] Donc, la vertu consiste à se procurer de l'or et de l'argent, d'après ce que dit Ménon, hôte héréditaire du Grand Roi par son père[86]. N'ajoutes-tu pas au moyen de se les procurer[87], Ménon, la précision « avec justice et avec piété », ou bien cela ne fait-il aucune différence pour toi ? au contraire, même si on se les procure sans aucune justice, donnes-tu toujours à cet acte le nom de vertu ?

MÉNON

Non, peut-être pas, Socrate.

SOCRATE

Tu l'appelles vice plutôt.

MÉNON

Tout à fait, sans aucun doute.

SOCRATE

Au moyen de se les procurer, il faut donc, semble-t-il, que viennent s'adjoindre justice, tempérance, piété, ou toute autre partie[e] de la vertu[88] ; sinon, ce moyen a beau servir à se procurer des biens, il ne sera pas la vertu.

MÉNON

En effet, sans cela, comment pourrait-il s'agir de vertu ?

SOCRATE

Mais, renoncer à se procurer or et argent, pour soi ou pour autrui, quand ce n'est pas juste, ce renoncement à user des moyens de se les procurer[89], n'est-ce pas là aussi vertu ?

MÉNON

Cela en a l'air.

Important

SOCRATE

Le moyen de se procurer ce genre de biens ne serait donc pas plus vertu que le renoncement aux moyens de se les procurer ! En revanche, il semble que l'acte accompli avec justice est vertu, mais qu'est vice, l'acte dépourvu de pareilles qualités.[a]

MÉNON

Je crois qu'il en est comme tu dis, de toute nécessité.

SOCRATE

Or n'affirmions-nous pas un peu plus tôt que chacune de ces qualités, la justice, la tempérance, et tout ce genre de choses, était une partie de la vertu ?

MÉNON

Oui.

SOCRATE

Alors, Ménon, tu te moques de moi !

MÉNON

Que veux-tu dire, Socrate ?

SOCRATE

Parce qu'il y a un instant, je t'ai demandé de ne pas démembrer la vertu, de ne pas la mettre en morceaux non plus, et, bien que je t'aie donné les exemples selon lesquels tu devais répondre, tu n'y as pas fait attention, et tu me dis que la vertu, c'est la capacité[b] de se procurer les bonnes choses « avec justice » ! mais ce dont tu parles, la justice, n'affirmes-tu pas qu'elle est une partie de la vertu ?

MÉNON

En effet, je le dis.

SOCRATE

En ce cas, il découle des accords que tu as donnés qu'accomplir son action avec une partie de la vertu, c'est cela la vertu. Car tu soutiens que la justice est une partie de la vertu, comme le sont chacune des qualités dont j'ai parlé.

MÉNON

Mais où veux-tu donc en venir[90] ?

SOCRATE

Voici ce que je veux dire : quand je t'ai demandé de définir la vertu en général, loin de dire ce qu'elle est, tu déclares de toute action qu'elle est une vertu, à condition qu'on l'accomplisse avec une partie de la vertu ! [c] Comme si tu m'avais dit ce qu'était la vertu en général et que je pouvais donc désormais la reconnaître même quand tu la découpes en parties ! Ne faut-il pas plutôt reprendre encore, c'est ce que je pense, depuis le début et que je te pose à nouveau la même question : qu'est-ce que la vertu [91], mon cher Ménon, si tu dis que toute action est une vertu quand elle est accomplie avec une partie de la vertu ? Car n'est-ce pas ce qu'on veut dire quand on déclare que toute action accomplie avec justice est vertu ? Ne crois-tu pas que tu as encore besoin de revenir à ma question, ou alors t'imagines-tu qu'on sache ce qu'est une partie de la vertu, tout en ne sachant pas ce qu'est la vertu ?

MÉNON

Non, je ne crois pas.

SOCRATE

En effet, [d] si tu te souviens bien, quand je t'ai répondu au sujet de la figure, nous avons rejeté une définition de ce genre, parce qu'elle s'essayait à donner une réponse qui se servait de ce qui était encore en question et n'avait donc pas encore fait l'objet d'un accord.

MÉNON

Et là, nous avons bien fait de la rejeter, Socrate.

SOCRATE

Eh bien ne t'imagine pas, excellent homme, alors que nous en sommes toujours à chercher ce qu'est la vertu en général, qu'en te servant dans ta réponse des parties de cette vertu, tu feras voir à quiconque ce qu'est la vertu, ni que tu pourras définir comme cela

quoi que ce soit d'autre. Sache au contraire qu'il te
faudra en revenir à la même question : quelle est cette
vertu dont tu parles comme tu en parles ? Ou bien
crois-tu que ce que je dis ne vaut rien ?

MÉNON

Je crois que tu as raison.

SOCRATE

En ce cas, réponds encore une fois, en reprenant dès
le début : ton ami et toi, que dites-vous qu'est la
vertu ?

MÉNON

Socrate, j'avais entendu dire, avant même [92] de te
rencontrer, que tu ne fais rien d'autre que t'embarras-
ser toi-même [a] et mettre les autres dans l'embarras [93].
Et voilà que maintenant, du moins c'est l'impression
que tu me donnes, tu m'ensorcelles, tu me drogues, je
suis, c'est bien simple, la proie de tes enchantements,
et me voilà plein d'embarras ! D'ailleurs, tu me fais
totalement l'effet, pour railler aussi un peu, de ressem-
bler au plus haut point, tant par ton aspect extérieur [94]
que par le reste, à une raie torpille, ce poisson de mer
tout aplati [95]. Tu sais bien que chaque fois qu'on
s'approche d'une telle raie et qu'on la touche, on se
trouve plongé, à cause d'elle, dans un état de torpeur !
Or, j'ai à présent l'impression que tu m'as bel et bien
mis dans un tel état. Car c'est vrai, je suis tout
engourdi, dans mon âme comme dans ma bouche, [b] et
je ne sais que te répondre [96]. Des milliers de fois
pourtant, j'ai fait bon nombre de discours au sujet de la
vertu, même devant beaucoup de gens [97], et je m'en
suis parfaitement bien tiré, du moins c'est l'impression
que j'avais. Or voilà que maintenant je suis absolument [98] incapable de dire ce qu'est la vertu. Aussi je
crois que tu as pris une bonne décision en ne voulant ni
naviguer ni voyager hors d'ici. Car si tu te comportais

comme cela, en tant qu'étranger, dans une autre cité,
tu serais vite traduit en justice comme sorcier[99] !

SOCRATE

Tu es un phénomène de malice, Ménon, et pour un
peu tu parvenais à me tromper !

MÉNON

Que veux-tu dire en fin de compte, Socrate ?

SOCRATE

Je sais[c] pourquoi tu m'as ainsi comparé.

MÉNON

Pourquoi donc penses-tu que je l'ai fait ?

SOCRATE

C'est pour qu'en échange, je te compare[100]. Je
connais bien ce trait chez tous les êtres beaux, qu'ils
prennent plaisir à se voir offrir des images de ce qu'ils
sont. Elles servent leurs intérêts. Car elles sont belles,
elles aussi, je pense, les images de la beauté. Mais je ne
te retournerai pas une image de toi en échange. Quant
à moi, si la torpille se met elle-même dans un tel état de
torpeur quand elle y met aussi les autres, je lui
ressemble[101]. Sinon, je ne lui ressemble pas. Car ce
n'est pas parce que je suis moi-même à l'aise que je
mets les autres dans l'embarras, au contraire, c'est
parce que je me trouve moi-même dans un extrême
embarras que j'embarrasse aussi les autres. Tu vois
bien qu'à présent,[d] parlant de la vertu, je ne sais pas ce
qu'elle est, tandis que toi, qui le savais sans doute
avant d'entrer en contact avec moi, tu ressembles tout
de même maintenant à quelqu'un qui ne le sait pas[102] !
Cependant, je veux bien mener cet examen avec toi,
pour que nous recherchions ensemble ce que peut bien
être la vertu.

MÉNON

Et de quelle façon chercheras-tu, Socrate, cette
réalité dont tu ne sais absolument pas [103] ce qu'elle est ?
Laquelle des choses qu'en effet tu ignores, prendras-tu
comme objet de ta recherche [104] ? Et si même, au
mieux [105], tu tombais dessus, comment saurais-tu qu'il
s'agit de cette chose que tu ne connaissais pas [106] ?

SOCRATE

Je comprends de quoi tu parles, Ménon. [e] Tu vois
comme il est éristique, cet argument que tu débites [107],
selon lequel il n'est possible à un homme de chercher
ni ce qu'il connaît ni ce qu'il ne connaît pas ! En effet,
ce qu'il connaît, il ne le chercherait pas, parce qu'il le
connaît, et le connaissant, n'a aucun besoin d'une
recherche ; et ce qu'il ne connaît pas, il ne le chercherait pas non plus, parce qu'il ne saurait même pas
ce qu'il devrait chercher [108]. [a]

MÉNON

Ne crois-tu donc [109] pas que cet argument soit bon,
Socrate ?

SOCRATE

Non, je ne le crois pas.

MÉNON

Peux-tu me dire en quoi il n'est pas bon ?

SOCRATE

Oui. Voilà, j'ai entendu des hommes aussi bien que
des femmes, qui savent des choses divines [110]...

MÉNON

Que disaient-ils ? Quel était leur langage ?

SOCRATE

Un langage vrai, à mon sens, et beau !

MÉNON

Quel est-il ? Et qui sont ceux qui tiennent ce langage ?

SOCRATE

Ce langage, ce sont ceux des prêtres et des prêtresses [111] qui s'attachent à rendre raison des choses auxquelles ils se consacrent, qui le tiennent. C'est aussi Pindare [b] qui parle ainsi [112], comme beaucoup d'autres poètes, tous ceux qui sont divins [113]. Ce qu'ils disent, c'est ceci. Voyons, examine s'ils te semblent dire la vérité.

Ils déclarent en effet que l'âme de l'homme est immortelle, et que tantôt elle arrive à un terme — c'est justement ce qu'on appelle « mourir » —, tantôt elle naît à nouveau, mais qu'elle n'est jamais détruite [114]. C'est précisément la raison pour laquelle il faut passer sa vie de la façon la plus pieuse possible [115].

> « En effet, les êtres dont Perséphone a accepté compensation d'un ancien mal [116], vers le soleil d'en haut [117], à la neuvième année [118], elle envoie de nouveau leurs âmes, et de ces âmes, croissent de nobles rois, [c] des hommes impétueux par la force ou très grands par le savoir [119]. Pour tout le temps futur, ils sont honorés par les hommes, comme des héros sans tache [120]. »

Or comme l'âme est immortelle et qu'elle renaît plusieurs fois, qu'elle a vu à la fois les choses d'ici et celles de l'Hadès [le monde de l'Invisible], c'est-à-dire [121] toutes les réalités, il n'y a rien qu'elle n'ait appris [122]. En sorte qu'il n'est pas étonnant qu'elle soit capable, à propos de la vertu comme à propos d'autres choses, de se remémorer ces choses dont elle avait justement, du moins dans un temps antérieur, la connaissance [123]. En effet, toutes les parties de la nature étant apparentées [124], [d] et l'âme ayant tout appris, rien n'empêche donc qu'en se remémorant une seule chose, ce que les hommes appellent précisément « appren-

dre », on ne redécouvre toutes les autres, à condition
d'être courageux et de chercher sans craindre la
fatigue. Ainsi, le fait de chercher et le fait d'apprendre
sont, au total, une réminiscence [125].

Il ne faut donc pas se laisser persuader par cet
argument éristique. En effet, il nous rendrait paresseux et, chez les hommes, ce sont les indolents qui
aiment à l'entendre, tandis que l'argument que j'ai
rapporté exhorte au travail [e] et rend ardent à cher
cher [126]. Puisque j'accorde foi à cet argument et crois
qu'il est vrai, je veux bien rechercher avec toi ce qu'est
la vertu [127].

MÉNON

Oui [128], Socrate, mais que veux-tu dire en affirmant
que nous n'apprenons pas, mais que ce que nous
appelons « apprendre » est une « réminiscence » ?
Peux-tu m'enseigner que c'est bien le cas ?

SOCRATE

Comme je te l'ai dit à l'instant, Ménon, tu es un
phénomène de malice [129] ! Voilà que tu me demandes si
je peux te donner un enseignement, à moi qui déclare
qu'il n'y a pas enseignement, [a] mais réminiscence !
C'est pour que justement j'aie moi-même aussitôt l'air
de me contredire !

MÉNON

Non, par Zeus, Socrate, ce n'est pas ce que j'avais en
vue en disant cela, j'ai plutôt parlé par habitude [130].
Pourtant si tu peux d'une façon ou d'une autre me
montrer qu'il en est comme tu dis, montre-le-moi.

SOCRATE

Mais ce n'est pas facile ! Pourtant je veux bien y
consacrer tout mon zèle [131] pour te faire plaisir. Eh
bien, appelle-moi quelqu'un de cette nombreuse compagnie qui t'escorte [132], celui que tu veux, [b] pour que je
puisse te faire une démonstration sur lui.

MÉNON (*s'adressant au jeune garçon*)   un esclave

Oui. Parfait. — Toi, viens ici.

SOCRATE

Est-il grec ? parle-t-il le grec ?

MÉNON

Oui, bien sûr, tout à fait, il est né dans ma maison [133].

SOCRATE

Alors prête bien attention à ce qu'il te paraît faire : s'il se remémore ou s'il apprend de moi [134].

MÉNON

Mais oui, je ferai attention !

SOCRATE

Dis-moi donc, mon garçon, sais-tu que ceci, c'est une surface carrée [135] ?

LE JEUNE GARÇON

Oui, je le sais.

SOCRATE

Et que, dans une surface carrée, ces côtés-ci, au nombre de quatre, sont égaux [136] ?

LE JEUNE GARÇON

Oui, tout à fait.

SOCRATE

Et aussi que ces lignes qui passent par le milieu sont égales, n'est-ce pas [137] ?

LE JEUNE GARÇON

Oui.

SOCRATE

Alors, une surface de ce genre ne peut-elle pas être et plus grande et plus petite ?

LE JEUNE GARÇON

Oui, tout à fait.

SOCRATE

Supposons donc que ce côté-ci ait deux pieds de long et que ce côté-là soit long de deux pieds aussi, combien le tout aurait-il de pieds carrés [138] ? Examine la question de cette façon-ci : si on avait deux pieds de ce côté-ci, mais seulement un pied de ce côté-là, n'obtiendrait-on pas une surface d'une fois deux pieds carrés ?

LE JEUNE GARÇON

Oui.

SOCRATE

Mais si[d] on a deux pieds aussi de ce côté-là, est-ce que cela ne fait pas deux fois deux ?

LE JEUNE GARÇON

En effet.

SOCRATE

Il y a donc là une surface de deux fois deux pieds carrés ?

LE JEUNE GARÇON

Oui.

SOCRATE

Or, combien cela donne-t-il, deux fois deux pieds carrés ? Fais le calcul et dis-moi.

LE JEUNE GARÇON

Quatre, Socrate.

SOCRATE

Alors, ne pourrait-on pas avoir un autre espace, double de cet espace-ci, mais de la même figure que lui [139], et qui, comme celui-ci, aurait toutes ses lignes égales ?

LE JEUNE GARÇON

Oui.

SOCRATE

Dans ce cas, combien aura-t-il de pieds carrés ?

LE JEUNE GARÇON

Huit.

SOCRATE

Eh bien justement, essaie de me dire quelle sera la longueur ^{c} de chacun des côtés de ce nouvel espace [140]. En effet, dans le premier espace, c'était deux pieds, mais dans ce nouvel espace, double du premier, quelle sera la longueur de chaque ligne ?

LE JEUNE GARÇON

Il est bien évident, Socrate, qu'elle sera double [141].

SOCRATE

Tu vois, Ménon, que je n'enseigne rien à ce garçon, tout ce que je fais, c'est poser des questions [142]. Et à présent, le voici qui croit savoir quelle est la ligne à partir de laquelle on obtiendra l'espace de huit pieds carrés. Ne penses-tu pas qu'il le croie ?

MÉNON

Oui, je le pense.

SOCRATE

Or le sait-il ?

MÉNON

Non, assurément pas !

SOCRATE

Mais ce qu'il croit à coup sûr, c'est qu'on l'obtient à partir d'une ligne deux fois plus longue ?

MÉNON

Oui.

SOCRATE

Eh bien observe-le, en train de se remémorer la suite [143], car c'est ainsi qu'on doit se remémorer.

Réponds-moi. Ne dis-tu pas que c'est à partir d'une ligne deux fois plus longue [a] qu'on obtient un espace deux fois plus grand ? Je parle d'un espace comme celui-ci, non pas d'un espace qui soit long de ce côté-ci et court de ce côté-là [144], mais d'un espace égal dans tous les sens, comme celui-ci, seulement qui soit deux fois plus grand que ce premier carré et mesure huit pieds carrés. Eh bien, vois si tu penses encore que cet espace s'obtiendra à partir d'une ligne deux fois plus longue.

LE JEUNE GARÇON

Oui, je le pense.

SOCRATE

Mais n'obtiendra-t-on pas la ligne que voici, double de la première, si nous y ajoutons une autre aussi longue ?

LE JEUNE GARÇON

Oui, tout à fait.

SOCRATE

Ce sera donc, dis-tu, à partir de cette nouvelle ligne, en construisant quatre côtés de même longueur, qu'on obtiendra un espace de huit pieds carrés, n'est-ce pas ?

LE JEUNE GARÇON

Oui.

SOCRATE

Donc à partir de cette ligne [145] traçons [b] quatre côtés égaux. N'aurait-on pas ainsi ce que tu prétends être le carré de huit pieds carrés ?

LE JEUNE GARÇON

Oui, tout à fait.

SOCRATE

Or, dans le carré obtenu, ne trouve-t-on pas là ces quatre espaces [146], dont chacun est égal à ce premier espace de quatre pieds carrés ?

LE JEUNE GARÇON

Oui.

SOCRATE

Dans ce cas quelle grandeur lui donner ? ne fait-il pas quatre fois ce premier espace ?

LE JEUNE GARÇON

Bien sûr que oui.

SOCRATE

Or, une chose quatre fois plus grande qu'une autre en est-elle donc le double ?

LE JEUNE GARÇON

Non, par Zeus !

SOCRATE

Mais de combien de fois est-elle plus grande ?

LE JEUNE GARÇON

Elle est quatre fois plus grande !

SOCRATE

Donc, à partir d'une ligne deux fois plus grande,
mon garçon,[c] ce n'est pas un espace double que tu
obtiens, mais un espace quatre fois plus grand.

LE JEUNE GARÇON

Tu dis vrai.

SOCRATE

De fait, quatre fois quatre font seize, n'est-ce
pas [147] ?

LE JEUNE GARÇON

Oui.

SOCRATE .

Alors à partir de quelle ligne obtient-on un espace de
huit pieds carrés ? N'est-il pas vrai qu'à partir de cette
ligne-ci, on obtient un espace quatre fois plus grand ?

LE JEUNE GARÇON

Oui, je le reconnais.

SOCRATE

Et n'est-ce pas un quart d'espace [148] qu'on obtient à
partir de cette ligne-ci qui est la moitié de celle-là ?

LE JEUNE GARÇON

Oui.

SOCRATE

Bon. L'espace de huit pieds carrés n'est-il pas, d'une
part, le double de cet espace-ci, et, d'autre part, la
moitié de celui-là ?

LE JEUNE GARÇON

Oui.

SOCRATE

Mais ne se construira-t-il pas sur une ligne plus longue que ne l'est celle-ci, et plus petite que ^d ne l'est celle-là ? N'est-ce pas le cas ?

LE JEUNE GARÇON

C'est bien mon avis.

SOCRATE

Parfait. Et continue à répondre en disant ce que tu penses [149] ! Aussi, dis-moi, cette ligne-ci n'était-elle pas longue de deux pieds, tandis que celle-là en avait quatre ?

LE JEUNE GARÇON

Oui.

SOCRATE

Il faut donc que le côté d'un espace de huit pieds carrés soit plus grand que ce côté de deux pieds, mais plus petit que ce côté de quatre.

LE JEUNE GARÇON

Il le faut.

SOCRATE

Alors essaie ^e de dire quelle est sa longueur, d'après toi.

LE JEUNE GARÇON

Trois pieds [150].

SOCRATE

En ce cas, s'il faut une ligne de trois pieds, nous ajouterons à cette première ligne sa moitié, et nous obtiendrons trois pieds. Nous aurons donc deux pieds et un autre pied. Et de ce côté-ci [151], c'est la même chose, deux pieds et un autre pied. Et voici que nous obtenons cet espace dont tu parlais.

LE JEUNE GARÇON

Oui.

SOCRATE

Or si cet espace a trois pieds de ce côté et trois pieds de cet autre côté, sa surface totale n'est-elle pas de trois fois trois pieds carrés [152] ?

LE JEUNE GARÇON

Il semble.

SOCRATE

Mais trois fois trois pieds carrés, combien cela fait-il de pieds carrés ?

LE JEUNE GARÇON

Neuf.

SOCRATE

Et combien de pieds carrés l'espace double devait-il avoir ?

LE JEUNE GARÇON

Huit.

SOCRATE

Ce n'est donc pas non plus à partir de la ligne de trois pieds qu'on obtient l'espace de huit pieds carrés.

LE JEUNE GARÇON

Certainement pas.

SOCRATE

Mais à partir de quelle ligne ? Essaie de nous le dire avec exactitude. [a] Et si tu préfères ne pas donner un chiffre [153], montre en tout cas à partir de quelle ligne on l'obtient.

LE JEUNE GARÇON

Mais par Zeus, Socrate, je ne le sais pas [154].

SOCRATE

Tu peux te rendre compte encore une fois, Ménon, du chemin que ce garçon a déjà parcouru dans l'acte de se remémorer [155]. En effet, au début il ne savait certes pas quel est le côté d'un espace de huit pieds carrés — tout comme maintenant non plus il ne le sait pas encore —, mais malgré tout, il croyait bien qu'à ce moment-là il le savait, et c'est avec assurance qu'il répondait, en homme qui sait et sans penser éprouver le moindre embarras pour répondre ; mais à présent le voilà qui considère désormais qu'il est dans l'embarras, et tandis qu'il ne sait pas, au moins ne croit-il pas non plus[b] qu'il sait [156].

MÉNON

Tu dis vrai.

SOCRATE

En ce cas n'est-il pas maintenant dans une meilleure situation à l'égard de la chose qu'il ne savait pas [157] ?

MÉNON

Oui, cela aussi, je le crois.

SOCRATE

Donc en l'amenant à éprouver de l'embarras et en le mettant, comme la raie-torpille, dans cet état de torpeur, lui avons-nous fait du tort ?

MÉNON

Non, je ne crois pas.

SOCRATE

Si je ne me trompe, nous lui avons bien été utiles, semble-t-il, pour qu'il découvre ce qu'il en est. En effet, maintenant, il pourrait en fait, parce qu'il ne sait pas, se mettre à chercher avec plaisir, tandis que tout à l'heure, c'est avec facilité, devant beaucoup de gens et un bon nombre de fois[158], qu'il croyait s'exprimer correctement sur la duplication du carré[c] en déclarant qu'il faut une ligne deux fois plus longue.

MÉNON

C'est probable.

SOCRATE

Or penses-tu qu'il entreprendrait de chercher ou d'apprendre ce qu'il croyait savoir et qu'il ne sait pas, avant d'avoir pris conscience de son ignorance, de se voir plongé dans l'embarras et d'avoir aussi conçu le désir de savoir ?

MÉNON

Non, je ne crois pas, Socrate.

SOCRATE

En conséquence, le fait de l'avoir mis dans la torpeur lui a-t-il été profitable ?

MÉNON

Oui, je crois.

SOCRATE

Examine donc ce que, en partant de cet embarras, il va bel et bien découvrir en cherchant avec moi, moi qui ne fais que l'interroger[d] sans rien lui enseigner[159]. Surveille bien pour voir si tu me trouves d'une façon ou d'une autre en train de lui donner enseignement ou explication au lieu de l'interroger pour qu'il exprime ses opinions.

Dis-moi donc, mon garçon, n'avons-nous pas là un espace de quatre pieds carrés[160] ? Comprends-tu ?

LE JEUNE GARÇON

Oui, je comprends.

SOCRATE

Pourrions-nous lui ajouter cet autre espace, qui lui est égal ?

LE JEUNE GARÇON

Oui.

SOCRATE

Et aussi ce troisième espace qui est égal à chacun des deux autres ?

LE JEUNE GARÇON

Oui.

SOCRATE

En ce cas, nous pourrions combler cet espace-ci dans le coin[161] ?

LE JEUNE GARÇON

Oui, tout à fait.

SOCRATE

Les quatre espaces que voici, ne seraient-ils pas égaux ?[e]

LE JEUNE GARÇON

Oui.

SOCRATE

Que se passe-t-il alors ? Ce tout qu'ils forment, de combien de fois est-il plus grand que cet espace-ci ?

LE JEUNE GARÇON

Quatre fois plus grand.

SOCRATE

Mais il nous fallait obtenir un espace deux fois plus grand, ne t'en souviens-tu pas ?

LE JEUNE GARÇON

Oui, tout à fait.

SOCRATE

Or n'a-t-on pas ici une ligne [162] qui va d'un coin à un autre coin et coupe en deux [a] chacun de ces espaces ?

LE JEUNE GARÇON

Oui.

SOCRATE

Et n'avons-nous pas là quatre lignes, qui sont égales, et qui enferment cet espace-ci ?

LE JEUNE GARÇON

Oui, nous les avons.

SOCRATE

Eh bien, examine la question : quelle est la grandeur de cet espace ?

LE JEUNE GARÇON

Je ne comprends pas.

SOCRATE

Prenons ces quatre espaces qui sont là [163], chaque ligne ne divise-t-elle pas chacun d'eux, à l'intérieur, par la moitié ? N'est-ce pas le cas ?

LE JEUNE GARÇON

Oui.

SOCRATE

Or combien de surfaces de cette dimension se trouvent dans ce carré-ci ?

LE JEUNE GARÇON

Quatre.

SOCRATE

Et combien dans ce premier espace ?

LE JEUNE GARÇON

Deux.

SOCRATE

Mais combien de fois deux font quatre ?

LE JEUNE GARÇON

Deux fois.

SOCRATE

Donc ce carré, [b] combien a-t-il de pieds ?

LE JEUNE GARÇON

Huit pieds carrés.

SOCRATE

Sur quelle ligne est-il construit ?

LE JEUNE GARÇON

Sur celle-ci.

SOCRATE

Sur la ligne qu'on trace d'un coin à l'autre d'un carré de quatre pieds ?

LE JEUNE GARÇON

Oui.

SOCRATE

C'est justement la ligne à laquelle les savants donnent le nom de « diagonale [164] ». En sorte que, si cette ligne s'appelle bien « diagonale », ce serait à partir de

la diagonale que, d'après ce que tu dis, serviteur de
Ménon, on obtiendrait l'espace double.

LE JEUNE GARÇON

Oui, parfaitement, Socrate.

SOCRATE

Que t'en semble, Ménon ? Y a-t-il une opinion que
ce garçon ait donnée en réponse, qui ne vînt pas de lui ?

MÉNON

Non, [c] au contraire, tout venait de lui-même.

SOCRATE

Et pourtant il est vrai qu'il ne savait pas, comme
nous le disions un peu plus tôt.

MÉNON

C'est la vérité.

SOCRATE

Mais ces opinions-là se trouvaient bien en lui, n'est-
ce pas ?

MÉNON

Oui.

SOCRATE

Chez l'homme qui ne sait pas, il y a donc des
opinions vraies [165] au sujet des choses qu'il ignore,
opinions qui portent sur les choses que cet homme en
fait ignore [166] ?

MÉNON

Apparemment.

SOCRATE

Et maintenant en tout cas ce sont bien ces opinions-
là qui ont été, à la manière d'un rêve, suscitées en

lui [167] ; puis, s'il arrive qu'on l'interroge à plusieurs reprises sur les mêmes sujets, et de plusieurs façons [168], tu peux être certain qu'il finira par avoir sur ces sujets-là [d] une connaissance aussi exacte que personne [169].

MÉNON

C'est vraisemblable.

SOCRATE

En ce cas, sans que personne ne lui ait donné d'enseignement, mais parce qu'on l'a interrogé, il en arrivera à connaître, ayant recouvré lui-même la connaissance en la tirant de son propre fonds [170].

MÉNON

Oui.

SOCRATE

Mais le fait de recouvrer en soi-même une connaissance, n'est-ce pas se la remémorer ?

MÉNON

Oui, parfaitement.

SOCRATE

Or la connaissance que ce garçon possède à présent [171], ne faut-il pas soit qu'il l'ait reçue à un moment donné soit qu'il l'ait possédée depuis toujours ?

MÉNON

Si.

SOCRATE

En ce cas, si, d'un côté, il la possédait depuis toujours, c'est que depuis toujours aussi il savait [172]. D'un autre côté, s'il l'a reçue à un moment donné, il ne l'aurait assurément pas reçue dans le cours de sa vie actuelle [173]. Lui a-t-on [e] enseigné la géométrie ? Car c'est pour toute question de géométrie que ce garçon se ressouviendra pareillement, et même pour tous les autres objets d'étude [174]. Y a-t-il donc quelqu'un qui lui ait tout enseigné ? C'est bien à toi de le savoir, je pense, surtout puisqu'il est né dans ta maison et y a été élevé.

MÉNON

Mais je sais bien que personne ne lui a jamais rien enseigné.

SOCRATE

Or possède-t-il ces opinions-là, oui ou non ?

MÉNON

Nécessairement, Socrate, c'est clair.

SOCRATE

Mais s'il ne les a pas reçues dans sa vie actuelle, n'est-il pas désormais[a] évident qu'il les possédait en un autre temps, les ayant déjà apprises ?

MÉNON

Apparemment.

SOCRATE

Or ce temps-là, n'est-ce pas bien sûr le temps où il n'était pas un être humain [175] ?

MÉNON

Si.

SOCRATE

Donc, si, durant tout le temps qu'il est un homme et tout le temps qu'il ne l'est pas, des opinions vraies doivent se trouver en lui [176], opinions qui, une fois réveillées par une interrogation, deviennent des connaissances [177], son âme ne les aura-t-elle pas [178] apprises de tout temps [179] ? Car il est évident que la totalité du

temps, c'est le temps où soit on est un être humain soit
on ne l'est pas.

MÉNON

Apparemment.

SOCRATE

Donc, si la vérité des êtres est depuis toujours dans
notre âme, [b] l'âme doit être immortelle [180], en sorte que
ce que tu te trouves ne pas savoir maintenant, c'est-à-
dire ce dont tu ne te souviens pas, c'est avec assurance
que tu dois t'efforcer de le chercher et de te le
remémorer.

MÉNON

J'ai l'impression que tu as raison, Socrate, je ne sais
comment [181].

SOCRATE

Sache que moi aussi, j'ai cette impression, Ménon. A
vrai dire, il y a des points pour la défense desquels je ne
m'acharnerais pas trop ; mais, le fait que si nous
jugeons nécessaire de chercher ce que nous ne savons
pas [182], nous serons meilleurs, plus courageux, moins
paresseux, que si nous considérions [c] qu'il est impossible de le découvrir et qu'il n'est pas non plus nécessaire
de le chercher, ce fait, pour le défendre, je me battrais
avec la dernière énergie, aussi fort que j'en serais
capable, et dans ce que je dis et dans ce que je fais !

MÉNON

Sur ce point encore, tu me donnes bien l'impression
d'avoir raison, Socrate.

SOCRATE

Donc, consens-tu, puisque nous sommes d'accord
pour dire qu'il faut chercher ce qu'on ne sait pas, à ce
que nous nous appliquions à rechercher ensemble ce
que peut bien être la vertu [183] ?

MÉNON

Certes oui. Toutefois ce n'est pas cela, Socrate, mais c'est autre chose qui me ferait le plus plaisir, oui, ce que je te demandais au début, j'aimerais le prendre pour objet d'examen et je voudrais t'entendre dire s'il faut aborder la recherche en considérant que la chose [184 d] elle-même s'enseigne ou si c'est par nature ou d'une autre façon que la vertu se trouve en l'homme.

SOCRATE

Eh bien, si j'avais de l'autorité, Ménon, non seulement sur moi, mais aussi sur toi, nous n'examinerions pas si la vertu s'enseigne ou ne s'enseigne pas avant d'avoir d'abord recherché ce qu'elle est [185]. Mais puisque, d'une part, tu n'essaies même pas de te maîtriser, pour rester libre crois-tu, et que, d'autre part, tu cherches à exercer ton autorité sur moi, et que de fait tu l'exerces, je te céderai ; en effet, qu'ai-je d'autre à faire [186] ?

Ainsi, il est probable qu'il nous faille examiner comment est une chose [e] dont nous ne savons pas ce qu'elle est [187]. Si tu ne veux céder sur rien d'autre, relâche ton autorité au moins sur ce point, de peu d'importance, et à ton tour concède-moi de faire, à partir d'une hypothèse, l'examen de la question de savoir si la vertu s'enseigne ou si elle advient autrement. Quand je dis « à partir d'une hypothèse [188] », je parle d'un procédé semblable à ce que les géomètres font souvent au cours de leurs examens, quand on leur demande, par exemple à propos d'une surface, s'il est possible d'inscrire en tant que triangle une telle surface dans un cercle donné. [a] A cela un géomètre répondrait : « Je ne sais pas encore si cette surface a une telle propriété, mais je crois à propos d'adopter, pour le problème posé, la forme d'hypothèse suivante [189]. Si la surface en question est telle qu'une fois appliquée sur sa ligne donnée, elle laisse pour reste un espace semblable à l'espace qui a été appliqué, je pense qu'il s'ensuit telle chose, et à l'inverse telle autre chose, s'il est impossible que cette situation se produise [190]. Donc après avoir fait cette hypothèse, je veux bien te dire ce qui en résulte pour l'inscription [b] de cette surface dans le cercle, si elle est impossible ou si elle ne l'est pas. »

Or c'est là que nous en sommes au sujet de la vertu aussi. Puisque nous ne savons dire ni ce qu'elle est ni quoi que ce soit d'elle, nous allons examiner, en faisant une hypothèse, la question de savoir [191] si elle s'enseigne ou ne s'enseigne pas. Formulons la chose ainsi : parmi les réalités qui se rapportent à l'âme [192], de quel genre doit être la vertu [193] pour qu'elle puisse s'enseigner ou qu'elle ne le puisse pas ? Première chose : si elle est différente de ce qu'est la connaissance, peut-elle ou non s'enseigner, ou encore, comme nous disions tout à l'heure, être objet de réminiscence [194] ? Le fait que nous nous servions de l'un ou l'autre terme nous est indifférent, [e] il s'agit toujours de savoir si la vertu s'enseigne. Or n'est-il pas évident pour tout le monde qu'il n'y a que la connaissance qui s'enseigne à l'homme [195] ?

MÉNON

Il me semble.

SOCRATE

Par ailleurs si la vertu est bien une forme de connaissance, n'est-il pas évident qu'elle peut s'enseigner [196] ?

MÉNON

Bien sûr !

SOCRATE

Nous voilà donc bien vite débarrassés de cette question [197] : si la vertu est telle, elle s'enseigne, sinon, elle ne s'enseigne pas.

MÉNON

Oui, parfaitement.

SOCRATE

Alors, voici, semble-t-il, ce que nous devons examiner après cela : la vertu est-elle connaissance ou est-elle différente d'une connaissance [198] ?

MÉNON

Je crois en effet qu'après la question précédente, [d] c'est celle-là qu'il nous faut considérer.

SOCRATE

Alors, justement, que dire ? Affirmons-nous que cette chose [199] est un bien, je veux dire la vertu ; aussi, que la vertu soit un bien, est-ce là une hypothèse [200] qui reste vraie à nos yeux ?

MÉNON

Oui, parfaitement.

SOCRATE

Donc, s'il existait une chose qui soit un bien tout en étant différente de la connaissance, il se pourrait que la vertu ne soit pas connaissance ; mais s'il n'y a aucun bien que la connaissance n'enferme, n'aurions-nous pas de bonnes raisons de soupçonner que la vertu est le bien [201] ?

MÉNON

C'est cela.

SOCRATE

Par ailleurs, c'est bien grâce à une vertu que nous sommes bons ?

MÉNON

Oui.

SOCRATE

Mais[e] si nous sommes bons, nous sommes utiles. En effet, tout ce qui est bon est utile, non[202] ?

MÉNON

Oui.

SOCRATE

La vertu aussi, n'est-elle pas précisément chose utile ?

MÉNON

Nécessairement, d'après ce dont nous sommes convenus.

SOCRATE

Examinons donc, en les passant en revue chacune à son tour, quelles sont les choses qui nous sont utiles. La santé, disons-nous, la force, la beauté, et bien sûr la richesse[203]. De ces réalités, et de celles qui sont dans le même genre, nous disons qu'elles sont utiles. Non ?

MÉNON

Oui.

SOCRATE

Mais de ces mêmes réalités, ne disons-nous pas[a] que parfois aussi elles font du tort. Toi, dis-tu autre chose ou bien comme moi ?

MÉNON

Non, au contraire, comme toi.

SOCRATE

Voyons donc quel est le principe qui, lorsqu'il guide l'usage de chacune de ces choses, les rend avantageuses pour nous, et quel est celui qui les rend nuisibles. Lorsqu'elles sont l'objet d'une utilisation correcte,

n'est-ce pas là qu'elles sont utiles[204], tandis que sans
cela, elles font du tort ?

MÉNON

Oui, tout à fait.

SOCRATE

Voyons ceci encore : qu'en est-il des réalités qui
relèvent de l'âme ? Y a-t-il une chose que tu appelles
tempérance, et une autre justice, courage, facilité à
apprendre, mémoire, générosité, et toutes les réalités
de ce genre[205] ?

MÉNON

Oui, [b] en effet.

SOCRATE

Examine donc si, au nombre des réalités dont tu
crois qu'elles ne sont pas des connaissances mais se
distinguent de la connaissance, il n'y en pas qui parfois
nous font du tort, parfois nous sont avantageuses ?
Prenons l'exemple du courage, lorsque le courage n'est
pas raison, mais semble être une simple audace[206] :
quand un homme fait voir une audace dépourvue
d'intelligence, n'est-ce-pas à son détriment ? tandis que
s'il a de l'intelligence, cela lui sera utile[207] ?

MÉNON

Oui.

SOCRATE

En ce cas n'en est-il pas de même aussi pour la
tempérance et la facilité à apprendre[208] ? Avec de
l'intelligence, les choses qu'on apprend et celles qui
servent à se maîtriser[209] sont choses utiles, tandis que,
sans intelligence, elles sont nuisibles.

MÉNON

Oui, certainement. [c]

SOCRATE

Alors, en résumé, ce que l'âme entreprend et ce qu'elle supporte[210], tout cela aboutit au bonheur si la raison en est le guide[211], mais si c'est la déraison, le résultat obtenu est alors tout à fait contraire.

MÉNON

Il semble.

SOCRATE

Si donc la vertu est une des choses qui sont en l'âme, et s'il est nécessaire que cette chose soit utile[212], elle ne peut être que raison. En effet, toutes les réalités qui se rapportent à l'âme ne sont par elles-mêmes[213] ni utiles ni nuisibles, mais c'est selon que la raison ou l'absence de raison s'y ajoutent, qu'elles deviennent nuisibles ou utiles. d D'après cet argument en tout cas, la vertu, si elle est utile, doit être une forme de raison.

MÉNON

Je le crois.

SOCRATE

Aussi venons-en justement aux autres réalités dont nous parlions tout à l'heure, la richesse et les choses du même genre[214], dont nous avons dit que parfois elles sont bonnes et parfois nuisibles. N'en va-t-il pas pour elles comme pour les autres qualités de l'âme[215] — quand la raison guide leur usage, les réalités de l'âme sont source de bienfaits, alors que sujettes à la déraison, elles deviennent nuisibles —, n'est-ce pas pareil e pour les réalités dont je parle : quand l'âme s'en sert correctement et les dirige de façon droite, elles deviennent bénéfiques[216], mais mal dirigées, les voilà nuisibles ?

MÉNON

Oui, parfaitement.

SOCRATE

Mais l'âme raisonnable[217], n'est-elle pas à coup sûr celle qui dirige et guide de façon droite, au lieu que l'âme déraisonnable dirige en se trompant ?

MÉNON

C'est cela.

SOCRATE

En ce cas, voici ce qu'on peut dire sur l'ensemble de ces réalités[218]. Chez l'être humain, toutes choses dépendent de l'âme. Et si l'on passe aux choses qui appartiennent à l'âme,[a] tout ce qui doit être bon en elles dépend de la raison même[219]. Aussi, suivant ce raisonnement, l'utile ne peut être que raison ; or n'affirmons-nous pas que la vertu est l'utile ?

MÉNON

Oui, c'est tout à fait exact.

SOCRATE

Déclarons-nous donc que la vertu est la raison, soit toute la raison, soit une partie de la raison[220] ?

MÉNON

Je crois, Socrate, que ce que tu dis est juste.

SOCRATE

Or si c'est le cas, les êtres bons ne sauraient l'être par nature.

MÉNON

Non, je ne le pense pas.

SOCRATE

Car en fait, voici sans doute ce qui se passerait alors.[b] Si les hommes bons devenaient bons par nature, il devrait exister chez nous, j'imagine, des

personnes qui reconnaîtraient, parmi les jeunes gens,
ceux dotés de bonnes natures ; et les jeunes gens qui se
seraient révélés être tels[221], nous les recueillerions et,
leur ayant apposé un sceau leur donnant une valeur
plus précieuse que celle de l'or, nous les garderions
dans l'Acropole[222], pour éviter qu'on ne les corrom-
pît[223], et pour que, lorsqu'ils en auront atteint l'âge, ils
puissent être utiles aux cités.

MÉNON

Oui, c'est assez vraisemblable, Socrate.

SOCRATE

Donc, puisque les bons ne deviennent pas bons par
nature,[c] est-ce par le fait d'apprendre ?

MÉNON

Voilà qui me paraît désormais nécessaire. Aussi il est
évident, Socrate, conformément à notre hypothèse,
que si une vertu est une connaissance, elle
s'enseigne[224].

SOCRATE

Peut-être, par Zeus, mais n'est-ce pas à tort que
nous sommes convenus de cela ?

MÉNON

Pourtant, tout à l'heure nous pensions avoir raison
de le dire.

SOCRATE

Eh bien sache qu'il ne fallait pas tout à l'heure seulement croire que nous avions raison de le dire, mais le
croire aussi en cet instant présent et dans la suite du
temps[225], si ce que nous disons doit être de bon aloi.

MÉNON

Où veux-tu en venir alors ?[d] Qu'as-tu en tête pour
trouver à cela des difficultés et douter que la vertu soit
connaissance ?

SOCRATE

Je vais te le dire, Ménon. En réalité, que la vertu
s'enseigne, si elle est vraiment connaissance, je ne le
retire pas en déclarant que nous avons eu tort de
l'admettre[226]. Mais qu'elle soit connaissance, examine
si, d'après toi, nous n'avons pas de bonnes raisons d'en
douter. En effet, réponds-moi sur ce point : si une
chose s'enseigne, quelle que soit cette chose, et je ne
parle pas seulement de la vertu, n'est-il pas nécessaire
qu'il y ait à la fois des maîtres qui l'enseignent et des
élèves qui l'apprennent[227] ?

MÉNON

Oui, je crois.

SOCRATE

Or à rebours, prenons le cas contraire,[e] une chose
dont il n'y aurait ni maîtres ni élèves, n'aurait-on pas
raison de conjecturer qu'elle ne s'enseigne pas ?

MÉNON

C'est exact. Mais ne crois-tu pas qu'il y a des maîtres
de vertu ?

SOCRATE

J'ai souvent cherché en tout cas s'il existait des
hommes qui enseignent la vertu, et j'ai beau tout faire,
je n'arrive pas à en trouver[228]. Pourtant, nombreux
sont ceux qui m'aident à mener une telle recherche,
surtout ceux dont je pense qu'ils sont les plus expéri-
mentés en la matière.

Tiens voici que justement maintenant, Ménon, au
bon moment, Anytos, oui, celui-là[229], est venu s'as-
seoir à côté de nous : associons-le à notre recherche !
Nous aurions de bonnes raisons de le faire. Car cet
Anytos[a] est tout d'abord le fils d'un père riche et
savant, Anthémion[230], qui ne s'est enrichi ni par
hasard ni à la suite d'un don — comme de nos jours

Isménias de Thèbes[231] qui vient de recevoir les
richesses de Polycrate[232] ; au contraire, ses richesses,
Anthémion les a acquises par son savoir et sa diligence[233] ; et puis, pour le reste aussi, il ne passait pas
pour un citoyen arrogant, gonflé de son importance et
insupportable, mais au contraire, pour un homme
modéré et facile à vivre[234]. b Et puis, cet Anytos que tu
vois, Anthémion l'a bien élevé et l'a bien éduqué,
comme en a décidé le peuple des Athéniens[235] ! En tout
cas, ils le choisissent pour les charges les plus importantes[236]. Ce n'est que justice de rechercher, en
compagnie de pareils hommes, s'il y a ou s'il n'y a pas
de maîtres de vertu.

Eh bien, toi, Anytos, viens chercher avec nous, avec
ton hôte, Ménon que voici[237], et avec moi, quels
seraient les maîtres de la matière dont je parle.
Examine la question de cette façon-ci : si nous voulions
que Ménon, ici présent, devînt un bon médecin, c à
quels maîtres l'adresserions-nous ? Ne serait-ce pas aux
médecins[238] ?

ANYTOS

Oui, tout à fait.

SOCRATE

Et si nous voulions qu'il devînt un bon cordonnier ?
ne serait-ce pas aux cordonniers ?

ANYTOS

Oui.

SOCRATE

Et pour les autres apprentissages, en serait-il de
même ?

ANYTOS

Oui, tout à fait.

SOCRATE

Justement ainsi, à propos des mêmes exemples, réponds-moi encore une fois. Nous faisons bien d'envoyer ce garçon fréquenter, par exemple, les médecins, parce que nous voulons qu'il devienne médecin. Mais alors, ne voulons-nous pas dire^d ainsi qu'il serait raisonnable de notre part de l'envoyer chez ceux qui prétendent être les praticiens de l'art de la vertu plutôt que chez ceux qui ne le sont pas ! c'est-à-dire de l'envoyer chez ceux qui, en raison de cette prétention, se font payer un salaire, et se déclarent capables d'enseigner la vertu à tout homme désireux de venir auprès d'eux pour l'apprendre [239] ? N'est-ce pas en considérant ces raisons que nous ferions bien de le leur adresser ?

ANYTOS

Oui.

SOCRATE

Or les mêmes raisons ne s'appliquent-elles pas aussi à l'art de jouer de la flûte comme à toute autre matière ? Si on veut qu'un homme devienne flûtiste,^e c'est montrer une grande inintelligence que de refuser de l'envoyer auprès de ceux qui promettent d'enseigner l'art de la flûte et exigent un salaire ! Cela, pour créer des ennuis à d'autres gens, en voulant que cet homme cherche à apprendre [240] auprès d'eux, eux qui n'ont aucune prétention à enseigner un tel art, et qui n'ont pas le moindre disciple, étudiant auprès d'eux la matière en question — je veux dire, l'art de la flûte, dont nous voudrions que notre homme l'apprenne chez ceux à qui nous l'adresserons ! Ne crois-tu pas que ce serait faire preuve d'un grand manque d'intelligence ?

ANYTOS

Oui, par Zeus, je le crois, et c'est en plus de l'ignorance [241] !

SOCRATE

Tu as raison. Maintenant je vois, tu es à même de réfléchir[a] de concert avec moi sur le cas de cet homme, Ménon, qui est ton hôte. Car voilà un moment, Anytos, qu'il me dit désirer acquérir ce savoir et cette vertu qui permettent aux hommes de bien gouverner leurs maisons et leurs cités, de rendre un culte à leurs parents, de savoir comment accueillir, de façon digne d'un homme de bien, citoyens et étrangers, et comment prendre congé d'eux[242]. Or pour qu'il apprenne[243] la vertu dont je parle — réfléchis, à qui[b] aurions-nous raison de l'adresser ? N'est-il pas bien évident, d'après ce que nous venons de dire, que c'est auprès de ceux qui promettent d'être des maîtres de vertu et se déclarent à même d'enseigner la vertu, sans distinction de personne[244], à tout Grec désireux de l'apprendre ? n'est-ce pas à ceux qui ont fixé un salaire pour cela et qui se le font payer[245] ?

ANYTOS

Et quels sont ces gens dont tu parles, Socrate ?

SOCRATE

Tu le sais bien sans doute toi aussi : ce sont ceux que les hommes appellent sophistes[246].

ANYTOS

Par Héraclès,[c] prends garde à tes paroles[247], Socrate ! Qu'aucun des miens en tout cas, ni de mes amis, homme de notre cité ou étranger[248], ne soit pris d'une pareille folie, d'aller chez ces gens-là pour y être empesté, car ils sont, c'est bien évident, la peste et la destruction de ceux qui les fréquentent[249] !

SOCRATE

Que veux-tu dire, Anytos ? Ces hommes-là sont donc les seuls, parmi ceux qui prétendent savoir faire du bien, à être tellement différents des autres que non

seulement ils ne sont, au contraire de ces derniers,
d'aucune utilité pour l'objet qu'on leur confie, mais
que de plus, tout au contraire, [d] ils le ruinent ! Et c'est
en échange de cela qu'ils exigent au grand jour de se
faire payer des fortunes ! Alors moi, je ne sais pas
comment je pourrai te croire. Car je suis sûr qu'un
homme comme Protagoras, à lui seul, s'est acquis avec
ce savoir-là plus de richesses que Phidias [250] — lequel a
sculpté des œuvres si manifestement belles — et que
dix autres sculpteurs mis ensemble !

Vraiment, tu dis une chose prodigieuse ! Quoi ?
Tandis que ceux dont le travail est de remettre en état
vieilles chaussures et vieux vêtements, ne pourraient
pas, s'ils rendaient vêtements et chaussures en plus
mauvais état qu'ils ne les ont reçus, agir ainsi, à l'insu
de tous, pendant plus de trente jours [e] — au contraire,
s'ils agissaient ainsi, ils seraient vite réduits à la
famine —, Protagoras, lui, à l'insu de la Grèce entière,
aurait donc corrompu ceux qui le fréquentaient, les
rendant pires qu'il les avait pris [251], pendant près de
quarante ans ! Car il est mort, je crois, alors qu'il avait
presque soixante-dix ans [252], ayant passé quarante ans à
exercer son art. De plus, durant tout ce temps-là
jusqu'au jour d'aujourd'hui, il n'a cessé d'être bien
considéré. Et il ne s'agit pas seulement de Protagoras,
mais aussi de beaucoup d'autres sophistes, [a] les uns qui
ont vécu avant lui [253], les autres qui sont encore vivants
aujourd'hui. Alors, que dire ? D'après ce que tu
prétends, savaient-ils qu'ils trompaient les jeunes gens
et qu'ils étaient pour eux une calamité ? ou bien le
faisaient-ils à leur propre insu ? Allons-nous penser que
ces hommes étaient fous [254] à ce point, eux qui sont, au
dire de certains, les plus savants des hommes ?

ANYTOS

Ils sont bien loin d'être fous, Socrate, mais beaucoup
plus fous sont les jeunes gens qui leur donnent de
l'argent ! et encore plus fous ceux qui le leur permet-

tent[255], leurs parents![b] mais plus folles que tout, et de beaucoup, les cités qui laissent les sophistes s'installer, au lieu de chasser tout individu qui, étranger ou de la cité[256], entreprend de pratiquer pareil métier!

SOCRATE

Mais, Anytos, un des sophistes t'a-t-il fait du tort? Sinon pour quelle raison es-tu si irrité contre eux?

ANYTOS

Non, par Zeus, pour ma part, je n'ai jamais fréquenté l'un de ces individus! Et je ne le permettrais à aucun des miens non plus!

SOCRATE

Tu n'as donc absolument aucune connaissance de ces hommes!

ANYTOS

Oui, et puissé-je n'en avoir jamais!

SOCRATE

Mais dans ce cas, bienheureux,[c] comment pourrais-tu savoir qu'il y a du bon dans ce qu'ils font ou que c'est vain, si tu n'y connais absolument rien[257]?

ANYTOS

C'est facile. En tout cas, ces gens-là, je sais ce qu'ils sont, que je les connaisse ou pas!

SOCRATE

Tu es sans doute devin[258], Anytos! Puisque, comment sinon, en s'en tenant à ce que tu dis toi-même, connaîtrais-tu ces hommes? c'est ce dont j'aurais lieu de m'étonner! — Et puis, quoi qu'il en soit, les hommes que nous recherchons, ce ne sont pas les gens qui, s'il les fréquentait, rendraient Ménon plus mauvais! Bon, ces gens-là,[d] si tu y tiens, mettons que ce soient [259] les sophistes. Mais alors les autres, dis-nous qui ils sont, et rends service à cet ami que ton père t'a légué, en lui indiquant qui fréquenter, dans cette grande ville d'Athènes, pour se distinguer par la vertu que j'ai décrite en détail tout à l'heure.

ANYTOS

Et toi, pourquoi ne le lui indiques-tu pas ?

SOCRATE

Mais moi, j'ai nommé ceux qui, d'après moi, enseignaient ces choses ! Or il se trouve que j'ai parlé pour rien, à ce que tu dis ! [e] Et sans doute as-tu raison. A toi donc de lui dire à ton tour quels sont les Athéniens qu'il ira trouver ; donne le nom de qui tu veux.

ANYTOS

Mais pourquoi doit-on prononcer le nom d'un homme en particulier ? En effet, qu'il aille trouver n'importe quel Athénien, homme de bien [260], il n'y en a pas un qui ne le rendra meilleur que ne le feraient les sophistes, pourvu qu'il veuille bien écouter !

SOCRATE

Mais les hommes de bien dont tu parles, sont-ils devenus tels spontanément et, sans avoir rien appris de personne, sont-ils néanmoins capables d'enseigner aux autres ce qu'eux-mêmes [a] n'ont pas appris ?

ANYTOS

Eux aussi, ils ont appris, à mon sens, auprès de ceux qui les ont précédés, qui étaient des hommes de bien. Est-ce que tu ne crois pas qu'il y a eu beaucoup d'hommes bons dans notre cité d'Athènes ?

SOCRATE

Je le crois, Anytos, et aussi qu'il y a à Athènes des hommes bons en politique, qu'il y en a eu jusqu'à

présent pas moins qu'il n'y en a encore[261]. Mais ont-ils
été aussi de bons maîtres pour enseigner leur propre
vertu ? En effet, c'est sur ce point que porte notre
discussion. Non pas sur la question de savoir s'il y a,
ou s'il n'y a pas, à Athènes, des gens de bien, ni sur
celle de savoir s'il y en a eu[b] dans le passé, mais notre
examen porte depuis un moment sur la question de
savoir si la vertu s'enseigne. Or, au cours de cet
examen, nous en sommes venus à considérer le point
suivant[262] : y a-t-il des hommes de bien, parmi nos
contemporains et chez leurs prédécesseurs, qui aient su
transmettre également à autrui cette vertu en laquelle
eux-mêmes excellaient ? ou bien cette vertu est-elle une
chose qui ne peut se transmettre à un homme, ni qu'un
homme puisse recevoir d'autrui ? Voilà ce que nous
recherchons depuis un moment, Ménon et moi[263].
Essaie donc en partant de tes propres affirmations de
mener cet examen. Ne dirais-tu pas que Thémistocle[264] [c] a été un homme de bien ?

Anytos

Oui, plus que tous, bien sûr !

Socrate

Il serait donc aussi un bon maître, et si jamais
homme a pu être à même d'enseigner sa propre vertu,
ce fut bien lui !

Anytos

Oui, je pense, à condition qu'il l'ait voulu.

Socrate

Alors, tu penses qu'il aurait pu ne pas vouloir que
d'autres hommes devinssent bons, et plus que tout,
sans doute, son propre fils ? Penses-tu qu'il était jaloux
de son fils, et que c'est à dessein qu'il ne lui a pas
transmis la vertu[d] en laquelle lui-même excellait ?
N'as-tu pas entendu dire que Thémistocle fit donner

des leçons[265] à son fils, Cléophante[266], pour qu'il devienne bon cavalier ? En tout cas, Cléophante parvenait à se tenir debout sur son cheval et, une fois debout sur son cheval, à lancer le javelot[267] ; de plus, il arrivait à accomplir bien d'autres prouesses aussi étonnantes, en lesquelles son illustre père l'avait fait éduquer et rendu expert, toutes choses qui dépendaient de bons maîtres. N'as-tu entendu des anciens raconter cela ?

ANYTOS

Je l'ai entendu.

SOCRATE

On ne saurait donc en tout cas accuser la nature de son fils d'être mauvaise[268] !e

ANYTOS

Sans doute non.

SOCRATE

Mais comment expliquer la chose suivante ? Que Cléophante, fils de Thémistocle, soit devenu un homme bon et savant dans les mêmes matières que son père, l'as-tu déjà entendu dire par un jeune ou par un vieux ?

ANYTOS

Non, certes pas !

SOCRATE

Or allons-nous croire, en admettant que la vertu s'enseigne vraiment, que Thémistocle, quoique voulant lui-même instruire son propre fils en ce savoir qu'il possédait, ne soit pas parvenu à le rendre meilleur que ses voisins ?

ANYTOS

Non, sans doute pas, par Zeus !

SOCRATE

Et c'est un tel homme qui est pour toi un maître de
vertu, dont tu reconnais qu'il est parmi les meilleurs de
nos prédécesseurs ![a] Mais passons plutôt à l'examen de
quelqu'un d'autre : Aristide[269], le fils de Lysimaque,
n'admets-tu pas que ce fut un homme bon ?

ANYTOS

Oui, certes, sans réserve.

SOCRATE

Or lui aussi, il a fait éduquer son fils, Lysimaque, de
façon que celui-ci soit, pour tout ce qui dépendait de
maîtres, le plus brillant des Athéniens, mais penses-tu
qu'il en ait fait un homme meilleur que n'importe qui ?
Toi aussi tu dois sans doute connaître ce Lysimaque, et
tu peux voir ce qu'il est[270] ! Et Périclès, si tu préfères,
un homme si magnifiquement[b] savant, sais-tu qu'il a
élevé deux fils, Paralos et Xanthippe[271] ?

ANYTOS

Oui, je le sais.

SOCRATE

Pourtant à ces fils, comme tu le sais aussi, il fit
enseigner à être des cavaliers qui ne le cèdent en rien à
aucun des Athéniens, et pour la musique, la lutte, et
tout ce qui dépend d'un art, ils les a fait éduquer en
sorte qu'ils soient plus forts que n'importe qui.
N'aurait-il pas voulu en faire aussi des gens de bien ? Il
l'a voulu, me semble-t-il, mais je crains que la vertu ne
s'enseigne pas. Et pour que tu n'ailles pas croire que
c'est un petit nombre d'Athéniens, et les plus médiocres, qui se sont révélés incapables[c] en ce domaine,
songe que Thucydide à son tour a élevé deux fils,
Mélésias et Stéphanos[272], qu'il les a fait instruire en
tout, et surtout en l'art de la lutte pour qu'ils soient à

Athènes les plus brillants lutteurs. En effet, il a confié
l'un à Xanthias, et l'autre à Eudore[273]. Or ces hommes
étaient réputés, je crois bien, être parmi les meilleurs
lutteurs de ce temps. Ne t'en souviens-tu pas ?

ANYTOS

Oui, je l'ai entendu dire.

SOCRATE

En ce cas, n'est-il pas évident que Thucydide, lequel
fit enseigner[d] à ses enfants tout ce dont l'enseignement
exigeait des dépenses, leur aurait enseigné, s'il était
possible d'enseigner la vertu, à être des hommes de
bien, ce pour quoi aucune dépense n'était requise ?
Mais il est vrai que Thucydide était sans doute un
homme sans valeur ! Qu'il n'avait point de très nombreux amis chez les Athéniens et chez leurs alliés[274] !
Sache seulement qu'il venait d'une grande famille,
qu'il était fort puissant, et dans cette cité et dans le
reste de la Grèce. En sorte que si vraiment la vertu était
une chose qui s'enseignât, il aurait trouvé quelqu'un,
soit un de ses concitoyens soit un étranger, pour rendre
ses fils hommes de bien, — et ce, dans la mesure où
lui-même n'aurait pas eu le loisir de s'en charger, à
cause du soin qu'il prenait de la cité[275]. Mais de fait,
Anytos mon ami, j'ai bien peur que la vertu ne
s'enseigne pas[276].

ANYTOS

Socrate, j'ai l'impression qu'il est facile pour toi de
dire du mal des gens ! Alors, pour ma part, je te
donnerai le conseil, si tu veux bien m'écouter, de
prendre garde. Il est peut-être facile[277] dans toute autre
cité de faire aux gens du mal plutôt que du bien, mais
dans notre cité en tout cas rien n'est plus facile que
cela ; j'en suis bien sûr ! Je crois d'ailleurs[a] que tu n'es
pas toi-même sans le savoir[278].

SOCRATE

Anytos me paraît être irrité, Ménon, et cela ne m'étonne pas. En effet, d'abord il pense que j'accuse ces hommes, et ensuite il considère qu'il est lui-même l'un d'eux[279]. Mais si un jour il arrive à cet homme de savoir ce que c'est que dire du mal, il ne fera plus l'irrité ! Seulement, aujourd'hui, il ne le sait pas[280] ! Et toi, dis-moi, n'y a-t-il pas chez vous[281] aussi des hommes de bien ?

MÉNON

Oui, tout à fait.

SOCRATE

Alors que font-ils ? Ces hommes consentent-ils[b] à se proposer eux-mêmes pour enseigner la vertu aux jeunes gens et reconnaissent-ils qu'ils en sont les maîtres, c'est-à-dire[282] que la vertu s'enseigne ?

MÉNON

Non, par Zeus, Socrate, au contraire, tantôt tu les entendrais dire qu'elle s'enseigne, tantôt qu'elle ne s'enseigne pas.

SOCRATE

En ce cas, devons-nous dire qu'ils enseignent cette matière, eux qui ne parviennent même pas à se mettre d'accord sur une telle question ?

MÉNON

Non, je ne le pense pas, Socrate.

SOCRATE

Mais que penses-tu alors ? D'après toi, les sophistes sont-ils des maîtres de vertu, eux qui sont les seuls qui déclarent l'enseigner[283] ?[c]

MÉNON

Tu sais, ce que j'apprécie le plus chez Gorgias, Socrate, c'est que tu ne l'entendrais jamais faire ce genre de promesses[284], et de plus il se moque des autres, quand il les entend promettre cela ; lui, il estime qu'il doit rendre les gens habiles à parler.

SOCRATE

Donc toi non plus, tu ne crois pas que les sophistes puissent enseigner la vertu ?

MÉNON

Je ne peux pas dire, Socrate. Car vois-tu, il m'arrive la même chose qu'à la plupart des gens. Parfois je pense qu'ils l'enseignent, et parfois non[285]

SOCRATE

Hé bien, sais-tu que[d] vous n'êtes pas les seuls, toi et les hommes politiques, à croire tantôt que la vertu s'enseigne, tantôt qu'elle ne s'enseigne pas, mais le poète Théognis[286], sais-tu qu'il fait lui aussi la même chose que vous ?

MÉNON

Dans quels vers[287] ?

SOCRATE

Dans ses élégies, quand il dit :

> « Et auprès de ces hommes, bois et mange, et avec ces hommes
> Assieds-toi, et sois aimable avec ceux dont la puissance est grande[288] !
> Car des êtres nobles, tu apprendras[289] de nobles choses.
> Mais si tu viens te mêler aux mauvais,[e] même ce que tu as d'intelligence, tu le perdras. »

Comprends-tu que, dans ces vers-là, il parle de la vertu comme d'une chose qui s'enseigne ?

MÉNON

Oui, il semble.

SOCRATE

Mais, dans d'autres vers, le voilà qui change de thème[290] ; il dit :

> « Si la faculté de l'intelligence pouvait être fabriquée et placée dans l'homme, »

et il ajoute en substance que :

> « elle apporterait des salaires importants et nombreux »,

là, il parle de ceux qui seraient capables de le faire. Puis :

> « Jamais d'un père bon ne naîtrait fils mauvais,[a] s'il obéissait à de sages conseils ;
> mais, par l'enseignement, tu ne feras jamais qu'un méchant devienne bon ».

Comprends-tu que cette fois, sur le même sujet, c'est lui-même qui se contredit[291] ?

MÉNON

Apparemment.

SOCRATE

Or, y a-t-il une autre chose, quelle qu'elle soit[292], dont tu puisses dire que, de ceux qui déclarent l'enseigner, on s'accorde à reconnaître que non seulement ils ne peuvent l'enseigner à autrui, mais qu'ils ignorent même la nature de cette chose, et sont néfastes[b] précisément en ce domaine qu'ils prétendent enseigner ? tandis que ceux dont on reconnaît qu'ils sont des gens de bien, déclarent tantôt que la vertu s'enseigne, tantôt qu'elle ne s'enseigne pas ? Alors toi, pourrais-tu admettre que, quelle que soit la matière en question, les êtres qui s'y montrent si versatiles sont ceux qui, par excellence, l'enseignent ?

MÉNON

Non, par Zeus, je ne saurais l'admettre !

SOCRATE

En tout cas, si ni les sophistes ni les hommes de bien eux-mêmes ne savent enseigner cette matière, il est évident que personne d'autre ne le saura [293].

MÉNON

Personne, en effet, je crois.

SOCRATE

Mais, bien sûr, [c] s'il n'y a pas de maîtres, il n'y a pas non plus d'élèves ?

MÉNON

Je suis d'accord avec ce que tu dis.

SOCRATE

Nous étions bien convenus de ceci : une chose dont il n'y a ni maîtres ni élèves, ne peut pas non plus s'enseigner.

MÉNON

Nous en étions convenus.

SOCRATE

Or, des maîtres de vertu, nous n'en voyons apparaître nulle part ?

MÉNON

C'est un fait.

SOCRATE

Mais s'il n'y a pas de maîtres, il n'y a pas non plus d'élèves [294] ?

MÉNON

C'est le cas apparemment.

SOCRATE

En conséquence la vertu ne s'enseignerait pas ?

MÉNON

Elle n'en a pas l'air, si notre examen a été bien conduit. [d] En sorte que justement j'en viens à me demander avec étonnement, Socrate, s'il a même jamais existé des êtres bons ou, à supposer qu'il y en ait, de quelle façon ils le deviennent.

SOCRATE

Il est possible, Ménon, que toi et moi, nous soyons des gens bien médiocres, que toi, Gorgias ne t'ai pas suffisamment éduqué, ni moi, Prodicos[295]. En ce cas, c'est à nous-mêmes qu'il faut surtout prêter attention, et rechercher qui nous rendra meilleurs, par quelque moyen que ce soit ! [e] Je dis cela parce qu'en revoyant la recherche que nous menons depuis tout à l'heure, j'aperçois qu'il nous a échappé de façon ridicule que ce n'est pas seulement lorsque la science les guide que les actions des hommes se font avec rectitude et bonheur ! Voilà sans doute par quelle route la connaissance du moyen grâce auquel les hommes deviennent bons nous a échappé[296] !

MÉNON

Que veux-tu dire par là, Socrate ?

SOCRATE

Ecoute. Qu'il faille que les êtres bons soient utiles, sur ce point, nous avons eu raison d'admettre qu'il ne saurait en être autrement, [a] n'est-ce pas ?

MÉNON

Oui.

SOCRATE

Et qu'ils seront utiles s'ils assurent la bonne conduite de nos affaires, cela aussi, n'avions-nous pas, sans doute, raison d'en convenir ?

MÉNON

Oui.

SOCRATE

Mais qu'il ne soit guère possible d'assurer cette bonne conduite sans le faire par raison, sur ce point, nous avons tout l'air de gens qui en sont convenus à tort.

MÉNON

Que veux-tu donc dire [297] ?

SOCRATE

Je vais t'expliquer. Si quelqu'un, connaissant la route qui conduit à Larisse [298], ou à tout autre lieu que tu veux, s'y rendait et y conduisait d'autres personnes, ne le ferait-il d'une façon qui soit juste et bonne [299] ?

MÉNON

Oui, absolument.

SOCRATE

Mais qu'en serait-il de l'homme qui aurait une opinion correcte [b] sur la route à prendre, sans pourtant être allé à Larisse ni connaître la route pour s'y rendre, cet homme-là, ne pourrait-il pas lui aussi être un bon guide ?

MÉNON

Oui, parfaitement.

SOCRATE

En tout cas, aussi longtemps, disons, qu'il a une opinion correcte sur la même chose dont l'autre a une connaissance, il ne sera pas un moins bon guide, lui qui a une opinion vraie [300], même si cette opinion est dépourvue de raison, que l'autre qui connaît par raison.

MÉNON

Non, en effet.

SOCRATE

Donc, une opinion vraie n'est pas un moins bon guide, pour la rectitude de l'action, que la raison. Voilà précisément ce que nous avions négligé tout à l'heure, quand nous avons fait l'examen de ce qu'était la vertu, et que nous disions [c] que c'est seulement lorsque la raison guide l'action que l'action est correcte ; mais en fait c'est le cas aussi de l'opinion vraie.

MÉNON

Oui, il semble.

SOCRATE

L'opinion droite n'est donc en rien moins utile que la science.

MÉNON

A ceci près, Socrate, que l'homme qui possède la connaissance réussira toujours, tandis que celui qui a une opinion correcte, tantôt réussira, tantôt non [301].

SOCRATE

Que veux-tu dire ? L'homme qui a une opinion correcte, ne réussira-t-il pas tout le temps, aussi longtemps qu'il conçoit des opinions correctes ?

MÉNON

Cela me paraît nécessaire. Alors je m'étonne, Socrate, [d] s'il en est ainsi, du fait que la connaissance ait beaucoup plus de valeur que l'opinion droite, et je me demande aussi pour quelle raison on les distingue l'une de l'autre !

SOCRATE

Sais-tu donc pourquoi tu t'étonnes, ou bien dois-je te le dire ?

MÉNON

Oui, absolument, dis-le.

SOCRATE

C'est à cause des statues de Dédale [302], tu n'y as pas
prêté attention ! Mais peut-être n'y en a-t-il pas non
plus chez vous [303] !

MÉNON

Mais pour quelle raison me parles-tu de cela ?

SOCRATE

Parce que ces statues, elles aussi, s'échappent en
secret et s'enfuient si on ne les attache pas [304], mais une
fois attachées, elles restent à leur place.

MÉNON

Et alors ? [e]

SOCRATE

Posséder une œuvre de ce sculpteur sans qu'elle soit
attachée, cela ne vaut pas grand-chose, c'est comme
posséder un esclave enclin à s'évader [305] : ils ne restent
pas à leur place [306]. Mais une fois la statue attachée, elle
est d'une grande valeur, car ce sont là des œuvres
parfaitement belles [307]. Pourquoi je te parle de cela ?
c'est au sujet des opinions vraies. Car, vois-tu, les
opinions vraies, aussi longtemps qu'elles demeurent en
place, sont une belle chose [308] et tous les ouvrages
qu'elles produisent sont bons. Mais ces opinions ne
consentent pas à rester longtemps [a] en place, plutôt
cherchent-elles à s'enfuir de l'âme humaine [309] ; elles ne
valent donc pas grand-chose, tant qu'on ne les a pas
reliées par un raisonnement qui en donne l'explication [310]. Voilà ce qu'est, Ménon, mon ami, la réminiscence, comme nous l'avons reconnu par nos accords
précédents [311]. Mais dès que les opinions ont été ainsi
reliées, d'abord elles deviennent connaissances, et

ensuite, elles restent à leur place[312]. Voilà précisément
la raison pour laquelle la connaissance est plus précieuse que l'opinion droite, et sache que la science
diffère de l'opinion vraie en ce que la connaissance est
lien.

MÉNON

Oui, par Zeus, Socrate, il a tout l'air d'en être ainsi. [b]

SOCRATE

Encore que même moi, je ne dis pas cela parce que je
le sais, je le conjecture[313] plutôt. Mais que l'opinion
droite et la connaissance soient différentes l'une de
l'autre, cela je ne crois aucunement que ce soit une
conjecture. Au contraire, s'il y a une autre chose que je
prétendrais savoir, et il y a peu de choses dont je le
dirais, ce serait bien l'unique chose que je mettrais au
nombre de celles que je sais.

MÉNON

Et tu as bien raison, Socrate.

SOCRATE

Et n'ai-je pas raison de dire ceci : lorsque l'opinion
vraie est un guide pour produire l'ouvrage propre à
chaque forme d'action, cet ouvrage n'est en rien plus
mauvais que celui que la connaissance produit[314] ?

MÉNON

Là aussi, je crois que ce que tu dis est vrai. [c]

SOCRATE

Par rapport aux actions, l'opinion correcte ne sera en
rien plus mauvaise que la connaissance ni moins utile
qu'elle ; et l'homme pourvu d'une opinion correcte ne
sera pas non plus inférieur à l'homme qui a une
connaissance.

MÉNON

C'est cela.

SOCRATE

Par ailleurs, l'homme bon est un homme utile, nous étions d'accord pour le dire.

MÉNON

Oui.

SOCRATE

Or, puisque ce n'est pas seulement grâce à une connaissance que des hommes, si tant est que de tels hommes existent, sont bons et de plus utiles à leurs cités, mais qu'ils le sont aussi grâce à une opinion droite, puisque aussi aucune de ces deux choses, la connaissance ou l'opinion vraie[315 d], n'advient aux hommes par nature, — à moins que tu ne penses que l'une des deux ne leur vienne par nature[316]?

MÉNON

Non, je ne le pense pas.

SOCRATE

Donc puisqu'elles n'adviennent pas par nature, ce n'est pas non plus par nature que les hommes sont bons.

MÉNON

Non, certainement pas.

SOCRATE

Alors puisqu'ils ne sont pas bons par nature, nous avons ensuite examiné si la vertu[317] peut s'enseigner.

MÉNON

Oui.

SOCRATE

Or, il nous a semblé que cela s'enseignait[318], à condition que la vertu soit raison[319].

MÉNON

Oui.

SOCRATE

Et que si la vertu s'enseigne, c'est qu'elle est raison ?

MÉNON

Oui, parfaitement.

SOCRATE

Et que, si on trouve vraiment des gens qui l'enseignent, elle s'enseigne, e tandis que s'il n'y en a pas, elle ne s'enseigne pas.

MÉNON

En effet.

SOCRATE

Mais en fait, nous étions d'accord pour dire qu'il n'y avait pas de maîtres de vertu.

MÉNON

C'est cela.

SOCRATE

Nous étions donc d'accord pour affirmer qu'elle ne s'enseigne pas et qu'elle n'est pas non plus raison [320].

MÉNON

Oui, parfaitement.

SOCRATE

Mais pourtant, nous reconnaissons qu'elle est vraiment un bien [321].

MÉNON

Oui.

SOCRATE

Et que le principe qui nous guide correctement est à la fois utile et bon ?

MÉNON

Oui, absolument.

SOCRATE

Mais, à coup sûr, il n'y a que deux principes pour nous guider de façon correcte : [a] l'opinion vraie et la connaissance. Et l'homme qui en dispose est un bon guide. En effet, ce qui résulte de la fortune [322] ne dépend pas d'une direction humaine ; mais l'homme qui guide d'autres hommes [323] en visant à la rectitude le fait selon deux principes : l'opinion vraie et la connaissance.

MÉNON

C'est bien mon avis.

SOCRATE

Or, puisqu'une telle chose ne s'enseigne pas [324], on ne peut plus dire que la vertu vienne d'une connaissance [325] ?

MÉNON

Apparemment pas.

SOCRATE

Donc, des deux réalités qui sont bonnes et utiles, [b] en voilà déjà une acquittée [326], et ce ne serait pas à la connaissance d'être guide en matière d'action politique.

MÉNON

Je pense que non, en effet.

SOCRATE

Ce n'est donc pas grâce au savoir qu'ils possèdent, ce n'est pas non plus parce qu'ils étaient savants que pareils hommes ont été les guides de leurs cités — je parle des Thémistocle [327] et autres, que celui-là, Anytos, a mentionnés tout à l'heure [328]. L'absence d'un tel savoir est aussi la raison pour laquelle ils ne sont pas capables de rendre d'autres hommes pareils à eux-mêmes. En effet, ce qu'ils sont, ils ne le doivent pas à une connaissance.

MÉNON

Il me semble qu'il en est comme tu dis, Socrate.

SOCRATE

Or s'ils ne sont pas bons grâce à une connaissance, ils le sont — c'est la possibilité qui reste — grâce à la bonne opinion [329]. C'est en se servant de ce moyen que les hommes politiques [c] gardent leurs cités bien droites, mais, pour ce qui est du fait de raisonner, il n'y a aucune différence entre eux, les diseurs d'oracles et les prophètes [330]. Car le fait est que ces gens-là disent beaucoup de choses vraies, mais sans rien connaître à ce dont ils parlent.

MÉNON

Il est possible que ce soit le cas.

SOCRATE

Alors, Ménon, ces hommes-là ne méritent-ils pas d'être appelés divins [331], eux qui, sans aucune intelligence, assurent une droite direction en bien des choses importantes, qu'ils accomplissent ces choses ou qu'ils les prononcent.

MÉNON

Oui, parfaitement.

SOCRATE

N'aurait-on pas [332] raison d'appeler divins tous ceux dont nous venons de parler,[d] prophètes, devins et poètes [333]. Et des hommes politiques, nous dirons qu'ils ne sont pas moins que ceux-là des hommes divins, nous dirons qu'un dieu les habite, et que lorsqu'ils prononcent bien des choses d'importance et en accomplissent autant, mais sans savoir de quoi ils parlent, ils sont inspirés et possédés par le dieu [334].

MÉNON

Oui, parfaitement.

SOCRATE

Du reste, ce sont bien sans doute les femmes, Ménon, qui donnent aux hommes bons le nom d'hommes divins [335]. Les Lacédémoniens aussi le font : quand ils louent un homme bon, « cet homme, disent-ils, c'est un homme divin ! ».[e]

MÉNON

Il semble bien, Socrate, qu'ils aient raison de le dire. Toutefois, peut-être cet Anytos t'en veut-il de ce que tu dis [336].

SOCRATE

Cela m'est égal. Nous nous entretiendrons une autre fois encore avec cet homme [337]. Quant à nous, à présent, si dans toute la discussion que nous avons eue, c'est une belle recherche que par la parole nous avons menée, la vertu ne saurait ni venir par nature ni s'enseigner, mais elle serait présente comme une faveur divine [338], dépourvue d'intelligence, chez les hommes où elle se trouve.[a] A moins qu'il n'y ait, chez les hommes politiques, un homme capable de faire aussi d'autrui un homme politique [339]. Si un tel homme existait, on dirait presque qu'il est parmi les vivants tel qu'Homère décrit Tirésias chez les morts, disant de lui : « là, lui le sage », dans l'Hadès, « et les autres, que des ombres errantes [340] ». L'homme dont je parle, il serait aussitôt [341], pour ce qui est de la vertu, telle la réalité vraie auprès des ombres.

MÉNON

C'est bien beau ce que tu dis, je crois, Socrate. [b]

SOCRATE

Or, si on suit ce raisonnement, Ménon, il nous apparaît que c'est par une faveur divine que la vertu est présente chez ceux où elle se trouve. Cependant, nous la connaîtrons avec une plus grande clarté lorsque, avant de chercher de quelle façon la vertu se trouve en l'homme, nous essaierons de rechercher ce qu'est la vertu elle-même prise comme telle [342].

Mais à présent, c'est l'heure pour moi de m'en aller. Toi, tu essaieras de convaincre aussi ton hôte Anytos, pour qu'il acquière la même conviction que tu as et qu'il montre une plus grande douceur. Sache que, si tu parviens à le convaincre, [c] ce sera aussi au profit des Athéniens [343].

NOTES

1. La question de l'enseignement de la vertu a été l'objet de nombreux débats dans l'Antiquité, débats provoqués sans doute par la prétention qu'avaient les sophistes du V⁰ siècle d'enseigner la vertu (*Protagoras* 318a, 318c-319a, 324d, *Euthydème* 273d-c) et par les doutes qu'une telle promesse suscitait chez les contemporains des sophistes (tel Socrate : cf. Xénophon, *Banquet* II,6) comme chez les Grecs du IV⁰ siècle (Aristote, *Éthique à Nicomaque* X, 10, 1179b23-24, Isocrate, *Sur l'Échange* 274). Cependant, Socrate paraît parfois soutenir que la vertu peut s'enseigner (*Protagoras* 361b), ou du moins une telle thèse lui est-elle attribuée (*Clitophon** 408b). Diogène Laërce nous rapporte qu'Antisthène, philosophe cynique qui faisait partie du cercle socratique, considérait que la vertu pouvait faire l'objet d'un enseignement (*Vies, Doctrines et Sentences des Philosophes Illustres* VI, 10), tandis que Criton d'Athènes, sectateur et ami de Socrate, aurait écrit un dialogue intitulé *Que la science ne donne pas la vertu* (II, 121), et que Simon d'Athènes, familier de Socrate, aurait composé un dialogue : *Que la vertu ne peut être enseignée* (II, 122). Ces témoignages montrent en tout cas que la question de l'enseignement de la vertu renvoie à un débat académique et scolaire (sur lequel tout philosophe devait faire ses preuves) et à un problème pratique : peut-on transmettre à autrui, de la même façon qu'on transmet n'importe quel contenu de connaissance, des qualités intérieures à l'être humain et qui semblent le définir ? Quant à l'importance philosophique de cette question et sur le sens de la conclusion apparente du *Ménon*, selon laquelle la vertu ne s'enseigne pas, voir *Introduction* 50-54.

L'adjectif utilisé ici, *didaktós*, comme souvent les adjectifs en *tós*, peut avoir le sens de chose « enseignée » ou de chose « qui peut s'enseigner » (pour des occurrences de chacun des deux sens, voir Bluck 200). Le choix du premier sens (chose « enseignée ») paraît justifié dès qu'on souligne que, pour contester que la vertu s'enseigne, Socrate (un peu plus loin dans le dialogue : 96b-c) montre qu'on ne peut trouver nulle part de maîtres de vertu, ce qui, selon lui, suffirait à prouver que la vertu ne s'enseigne pas (au sens de « n'est pas actuellement enseignée ») ; pour la discussion de la validité de cette « démonstration » socratique, voir *Introduction* 52). Nous préférons toutefois le second sens plus général (chose « qui peut s'enseigner ») parce que, s'il est sûr que la réalité concrète de l'enseignement de la vertu est mise en cause dans l'entretien entre Ménon et Socrate, la question majeure qui s'y trouve débattue est celle du rapport à établir entre les propriétés de la vertu et la réalité concrète de son enseignement. Toutefois, même si l'on exclut que la seule possibilité empirique accidentelle soit en cause dans l'adjectif *didaktós*, la question demeure de savoir si ce terme désigne une possibilité conceptuelle (la possibilité de s'enseigner appartiendrait au concept de la vertu) ou une possibilité d'un autre type (comme une propriété essentielle quoique empirique, mais qui n'appartiendrait donc pas au concept) ; sur ce point, cf. les contributions de J. Barnes, « Enseigner la vertu ? », *Revue Philosophique*, à paraître 1991 (voir aussi, du même auteur, la discussion du terme *anepíkritos*, *The Toils of Scepticism*, Cambridge University Press, 1990, 17 sqq.), et les observations de J. Brunschwig, *ibid.*, 1991.

Sur la valeur du terme grec *aretê* que nous traduisons par « vertu », voir *Introduction* 38-40.

Sur le personnage historique et dramatique de Ménon, voir *Introduction* 17-26.

2. Le sens moral de ce terme *askêtón* (qui se rapporte ordinairement à un exercice physique et signifie « qui s'exerce, qui s'acquiert par la pratique ou l'exercice ») est d'emploi assez rare. Les termes voisins (*askêtés*, *áskêsis*, *askêtikós*, d'où viennent les termes français « ascète », « ascèse », « ascétique ») ont d'abord désigné un mode de vie ou une profession, avant de se trouver appliqués à la discipline de certaines écoles philosophiques, ou de servir à qualifier l'idéal de vie de la théologie chrétienne.

Entre une discipline qui s'acquiert par l'enseignement et un savoir-faire acquis par l'exercice, Platon semble établir une hiérarchie (en *Phédon* 82b, il est dit que « la vertu politique s'acquiert par l'habitude et l'exercice (*ex éthous te kaì melétês*), sans philosophie ni intelligence »). Pourtant une telle hiérarchie ne paraît pas correspondre à la valorisation de l'exercice chère au Socrate de Xénophon (*Mémorables* I, 2, 19-23). En fait, l'importance accordée à l'exercice (*áskêsis*), à l'entraînement et au soin (qu'exprime plutôt *epimeleía*), en particulier pour l'acquisition de la vertu, remonte aux sophistes (*Protagoras* 323c-d : « la vertu s'enseigne et elle s'acquiert par l'exercice, *didaktón te kaì ex epimeleías paragígnesthai* »). Seulement, lorsque ce même thème de la valorisation de l'exercice se trouve attribué à Socrate, ou exprimé par certaines tendances philosophiques issues du cercle socratique (chez les philosophes cyniques, par exemple), il faut bien prendre garde au fait que les termes *áskêsis* et *epimeleía* n'ont pas tout à fait le même sens ; sur cette question, voir *Introduction* 47, 106.

Un autre problème soulevé par ce passage a trait aussi au rapport entre enseignement et exercice. Notons d'abord que, dans la question de Ménon, les mots grecs traduits par « mais s'acquiert-elle par l'exercice ? Et si elle ne s'acquiert point par l'exercice » sont absents d'un des principaux manuscrits. Il est vrai que le texte du *Sur la vertu* (un dialogue apocryphe, d'époque ultérieure, pastiche du *Ménon*, et qui en reproduit parfois des séquences entières, cf. *Remarques* 110), reprend la question de Ménon en omettant cependant toute mention de l'hypothèse de l'exercice. Davantage, l'opposition entre enseignement et exercice ne réapparaît pas explicitement dans la suite du *Ménon* (sinon peut-être dans les premiers vers cités de Théognis en 95d, vers qu'Aristote interprétera bien plus tard comme une exhortation à l'exercice de la vertu ; mais l'opposition entre enseignement et exercice sur laquelle se fonde Aristote, distinction qui n'apparaît qu'avec les sophistes du Ve siècle, n'était guère thématisée à l'époque de Théognis ; sur l'interprétation de ce poème, cf. *infra* note 291). Mais ces deux raisons ne paraissent pas suffisantes pour douter du texte que nous proposons, car le débat traditionnel, que Platon reprend ici, incluait l'*áskēsis* parmi les modes d'acquisition de la vertu ; et il est difficile d'imaginer que la question de Ménon l'omette, même si la notion d'*áskēsis* est ensuite soumise à une élaboration philosophique qui pourrait la confondre avec la réminiscence (sur ce point controversé, cf. *Introduction* 106).

3. Il faut remarquer qu'ici Ménon substitue le terme *mathētón* (« qui s'apprend ») au terme *didaktón* (« qui s'enseigne »). Ménon emploie-t-il ces deux termes comme équivalents, ou y a-t-il entre eux la différence décisive que certains commentateurs se sont efforcés d'y voir (Hoerber 91, et la réponse de Bluck 95, tr. fr. 1991, et Nehamas 9-10, tr. fr. 1991).

4. Les sophistes du Ve siècle étaient en général opposés à l'idée que la vertu pût venir par nature (*phúsei*), cf. *Protagoras* 323c. La position platonicienne est plus nuancée car, tandis que les sophistes semblent désigner comme « nature » l'ensemble des éléments indépendants de l'action humaine qui, à la différence de l'art, ne peuvent pas s'enseigner, Platon définit parfois la nature d'une réalité comme sa constitution fondamentale et intelligible ; en ce sens « par nature » et « par enseignement » ne s'opposent plus du tout comme dans la perspective sophistique.

On admet en général que c'est à la dernière possibilité (que la vertu advienne « d'une autre façon ») que Socrate souscrira à la fin du *Ménon*, lorsqu'il reconnaîtra que les hommes ne possèdent la vertu ni par l'enseignement, ni par l'exercice, ni par la nature, mais par une « faveur divine », *theía moíra*, cf. 99e, et *infra* note 338. Mais rien n'empêche que cette « faveur divine » ne soit partiellement identifiée à l'une des autres possibilités d'acquérir la vertu : l'enseignement, la nature ou l'exercice, cf. *Introduction* 106.

5. Il faut ici sous-entendre *tékhnē* (« art, compétence »). Vanter les chevaux ou l'habileté équestre des Thessaliens était un lieu commun (cf. Homère, *Iliade* II 202, Hérodote VII 196, Isocrate, *Sur l'Echange* 298), et Platon ne manque pas d'y faire lui aussi allusion (*Hippias Majeur* 284a). Deux faits témoignent de cette réputation : Bucéphale, le fameux cheval d'Alexandre, venait de Thessalie ; par

ailleurs, les monnaies des villes thessaliennes représentaient souvent
un cheval. En général, les Athéniens ne tenaient pas la Thessalie en
très haute estime, cf. *Criton* 53d-54b (Criton propose à Socrate de se
réfugier en Thessalie, mais ce dernier ne voit en ce pays qu'un lieu
« de désordre et de dérèglement »); sur Ménon, originaire de
Thessalie, et sur les rapports entre Athènes et la Thessalie du VIᵉ au
IVᵉ siècle, cf. *Introduction*, surtout 17, 19 et *Annexe* II.

6. Isocrate mentionne aussi le fait que les Thessaliens (à l'époque
où Gorgias a vécu en Thessalie, c'est-à-dire dans le dernier quart du
Vᵉ siècle) étaient parmi les plus riches des Grecs (*Sur l'Echange* 155),
mais il ajoute qu'ils ne le sont plus : « les Thessaliens, héritiers
d'immenses richesses, possesseurs d'une contrée opulente et très
étendue, se trouvent dans le besoin (*aporía*) » (*Sur la paix* 117). Ces
deux jugements d'Isocrate sont extraits de discours composés vers le
milieu du IVᵉ siècle, et la ruine de la prospérité thessalienne,
survenue en l'espace d'un demi-siècle, dont ils témoignent, s'explique par des raisons politiques (cf. *Annexe* II).

7. Aristippe, que Socrate mentionne ici (homonyme d'Aristippe
de Cyrène, le disciple de Socrate), était originaire de la ville de
Larisse en Thessalie et il appartenait à la famille des Aleuades, une
des deux familles dominantes en cette ville (cf. *infra* note 9,
Introduction 21 et *Annexe* II). Etant l'obligé de Cyrus (fils cadet de
Darius, frère et rival d'Artaxerxès Mnemon, qui devint roi de Perse à
la mort de son père), lequel lui avait envoyé hommes et argent pour
tenter de rétablir la prédominance des Aleuades à Larisse et lutter
contre les factions opposées (Xénophon, *Anabase*, I, 1,10), Aristippe
rejoignit l'expédition que Cyrus lança contre son frère Artaxerxès.
Cette expédition (que Xénophon raconte dans l'*Anabase*) avait pour
but « de soustraire à jamais Cyrus au pouvoir de son frère et, s'il le
pouvait, de régner à sa place ». A cette même expédition, ont
participé, aux côtés d'Aristippe, notre Ménon (lui aussi Thessalien
et originaire de Pharsale) et Proxène de Béotie (également
ancien élève de Gorgias, cf. *Anabase* II, 6, 16). Chacun de ces
trois hommes devait commander une section de mercenaires
grecs.

C'est apparemment grâce au soutien de cet Aristippe (dont il avait
gagné l'amitié — *Anabase* II, 6,28 — mais Xénophon n'est guère
précis sur les liens qui unissaient les deux hommes ; voir le portrait
de Ménon proposé en *Introduction* 23) que Ménon est devenu, encore
tout jeune, le commandant d'une grosse partie des troupes qu'Aristippe avait emmenées avec lui (environ quinze cents hommes). Sur
les liens entre Cyrus et Aristippe et sur la participation de ces
deux nobles Thessaliens à l'expédition de Cyrus, voir *Introduction*
21-23.

8. Gorgias (483 ?-376 ?), sans doute le premier et le plus fameux
des orateurs grecs, est originaire de Léontium en Sicile. Il serait
arrivé à Athènes en 427, quatre ans après le début de la guerre du
Péloponnèse, y aurait connu un succès immédiat et aurait gagné des
sommes d'argent considérables en enseignant la rhétorique. Il
séjourna en Thessalie (ou à Larisse) (Cicéron, *De l'Orateur* 52, 175

(DK 82 A32), Quintilien, *Institution Oratoire* III 1, 8 (et 13) (DK 82 A16), Isocrate, *Sur l'Echange* 155, Pausanias VI, 17, 7 (DK 82 A7), Aristote, *Politique* III, 2, 1275b26 ; voir aussi notre « Un cas de style contagieux. L'épidémie du rhéteur Gorgias en Thessalie », *Traverses* 32, 1984, 84-95).

9. Les expressions amoureuses ne sont pas rares chez Platon pour décrire les réactions auxquelles le savoir des sophistes et des rhéteurs pouvait donner lieu. Par exemple : *Protagoras* 317c, *Euthydème* 276d, *Phèdre* 257b ; et sur l'amour que les Thessaliens portaient à Gorgias, Philostrate, *Vie des Sophistes*, 73 (II, 257, 2, ed. Teubner : Loeb 502) lequel nous dit qu'en Thessalie, Gorgias fut si admiré que « gorgianiser » était devenu synonyme de « parler en public ».

On remarquera que dans ce passage, le terme *erastés* (« amoureux, amant ») est utilisé deux fois : les chefs des Aleuades sont *erastái* du savoir de Gorgias et Aristippe est l'*erastés* de Ménon.

Sur les Aleuades, famille aristocratique, dominante à Larisse, et sur l'histoire de la Thessalie liée à celle de cette famille, voir la reconstitution historique et les références proposées en *Annexe* II.

10. *Megaloprepôs*, dit le grec, adverbe formé sur *mégas* (« grand »), qui signifie « avec grandeur, de façon grandiose ». Le terme *megaloprépeia* comporte trois sens principaux : 1. « magnificence » ou « pompe » en parlant des manières de vivre ou d'agir ; 2. « enflure » en parlant d'un style ; 3. enfin, le terme peut être utilisé pour donner un titre : « Sa Grandeur ». L'adverbe *megaloprepôs* retient les deux premières valeurs du substantif. Il évoque le caractère grandiose et magnifique des réponses que feraient les Thessaliens (de manière d'autant plus appropriée que la *megaloprépeia* était une vertu qui leur était communément attribuée, cf. Xénophon, *Helléniques* VI, 1, 3, à propos de Polydamas de Pharsale) avec tout de même ici une certaine ironie, puisque Socrate doute probablement qu'une telle générosité de réponses soit fondée sur un savoir réel. La même nuance ironique se trouve aussi présente un peu plus loin dans le dialogue, en 94b, où Périclès est désigné comme un homme *houtôs megaloprepôs sophòn*, « un homme si magnifiquement savant » (cependant, en *République* III 402c, VI 486a, 487a, la *megaloprépeia* n'est ni dépréciée ni qualifiée de vertu thessalienne, mais a le sens de générosité, esprit élevé, grandeur d'âme). Peut-être Socrate fait-il aussi allusion au style de cette réponse imaginaire, sans doute influencé par la manière très particulière de s'exprimer que Gorgias avait inculquée aux Thessaliens, style enflé ou excessif qui s'opposerait donc au style « sec » ou « desséché » (valeur évoquée par le terme *aukhmós*, cf. *infra* note 12) désormais pratiqué à Athènes.

11. Cf. *Gorgias* 447c-e. Cette compétence de Gorgias est mentionnée aussi par Philostrate, *Vie des Sophistes*, I, 1 (DK A A1), 4 (DK 82 A24), Cicéron, *De l'Invention* 5, 2 (DK 82 A26). Elle supposait la prétention à un savoir universel, auquel il était, selon Platon, impossible d'accéder (cf. *Euthydème* 296d-c, *République* X 597e-602a, *Sophiste* 266a-e). Sur la traduction de *áte kaì*, cf. Verdenius 1957, 289.

Gorgias n'aurait, semble-t-il, pas prétendu, contrairement aux sophistes contemporains, transmettre la vertu (cf. Dodds, *Plato, Gorgias*, Oxford, At the Clarendon Press, 1959, p. 217, et notre traduction *Platon, Gorgias*, Paris, GF Flammarion, 1987, pp. 27-31, en rapport avec *Ménon* 73c, 96d), mais se serait limité à l'enseignement de l'art rhétorique. Cependant, l'allusion faite par Socrate au « dessèchement du savoir », lequel empêcherait les Athéniens de répondre à la question « qu'est-ce que la vertu ? », est peut-être une façon ironique de suggérer qu'en même temps que Gorgias, c'est le savoir de la vertu qui a quitté Athènes pour aller s'établir à Larisse. Gorgias se trouverait ainsi implicitement désigné comme le maître d'une telle vertu. Mais Ménon, élève de Gorgias, rapporte un peu plus loin (96d) un jugement de Gorgias, jugement très réservé à l'égard des sophistes, au nombre desquels il serait donc difficile de le ranger (voir aussi *Gorgias* 450b-c, 454b.).

12. L'expression est ici assez imagée. Le terme grec *aukhmós* désigne la sécheresse ou les conséquences de la sécheresse. Le sens le plus obvie du passage serait donc que le savoir ne prospère plus à Athènes. Mais sans doute gagne-t-on à opposer ce terme (lié aux significations de rareté et de mesquinerie) qui décrit la situation athénienne, à celui de *megaloprépeia* (« magnificence, enflure »; cf. *supra* note 10) utilisé à propos de la Thessalie. L'opposition a encore plus de saveur si on rappelle que ces deux termes peuvent aussi servir à caractériser un style (sec et pauvre, dans un cas, pompeux et enflé dans l'autre cas). Il est donc assez clair que l'admiration de Socrate pour la magnificence du style thessalien et sa désolation devant la situation athénienne sont à prendre *cum grano salis*. Le diagnostic que porte Platon sur l'étiolement du savoir athénien correspond en tout cas assez mal à ce que nous savons de la vie intellectuelle athénienne de l'époque. Donc, deux solutions : soit Platon veut dire le contraire de ce qu'il dit ; soit il décrit la situation telle qu'elle devrait être : personne ne sachant ce qu'est la vertu, il vaut mieux ne pas en parler ou bien répondre le plus brièvement possible (cf. *Gorgias* 449c).

13. Socrate est probablement le seul Athénien qui répondrait par un tel aveu d'ignorance, comme il serait le seul à affirmer que pour lui le savoir est une denrée rare, c'est-à-dire qu'il ne sait rien.

L'expression grecque *tò parápan* (« de façon absolue, absolument ») peut qualifier l'absence de savoir (« ne savoir absolument pas ») ou l'objet de ce savoir (« la vertu, prise de façon absolue »). Dans les usages faits ultérieurement de la même expression, au cours des quelques lignes qui suivent cet emploi, la première interprétation s'impose, et nous l'avons adoptée aussi pour le présent passage. Notons enfin que dans la réponse fictive de l'Athénien, l'alternative « si elle s'enseigne ou ne s'enseigne pas » est substituée à la complexité de la question de Ménon, et que le terme *sumpénomai* « partager la misère » ne se trouve jamais employé ailleurs.

14. Est ici évoquée une distinction fréquente dans les dialogues platoniciens entre l'essence d'une réalité (ce que désigne le pronom interrogatif, *tí :* « ce que c'est ») que donne sa définition, et les qualités,

l'ensemble des attributs, de cette réalité (*poíon*, comment elle est, quelle elle est, quelles qualités, quelles qu'elles soient, lui attribuer). On retrouve cette opposition mentionnée plusieurs fois dans le *Ménon* (86d-e, 87b, 100b). Mais, dans le *Ménon* comme ailleurs, Platon en donne des illustrations plutôt qu'il ne la décrit. Par exemple, le *poíon* peut désigner une qualité accidentelle par rapport à l'essence de la chose (*Gorgias* 448c : « l'art de Gorgias est le plus beau de tous » ; *Euthyphron* 6e-7a : « la piété est ce qui plaît aux dieux », 11a), une partie (*Ménon* 79d-e, *Euthyphron* 12d et *Gorgias* 454a, 463c), une propriété qui intervient dans la définition de l'objet et permet donc de le caractériser sans pour autant le définir (*Phédon* 103e, *Phèdre* 246a), ou parfois un caractère définitionnel (*Ménon* 87b).

La manière dont Socrate écarte ici la question de Ménon comme secondaire par rapport à celle dont l'objet serait la nature de la vertu, laisserait penser qu'il considère la qualité « peut s'enseigner » sinon comme non essentielle, du moins comme non définitionnelle. Mais la suite du dialogue amène à un jugement beaucoup plus nuancé sur ce point (cf. *Introduction* 101).

Par ailleurs, le parallélisme établi ici par Socrate entre les caractéristiques d'un individu (Ménon) et les propriétés d'une essence (la vertu) est un peu surprenant. Certes, on peut trouver un exemple analogue dans le *Théétète* (209b-c : à propos de Théétète) et dans le *Banquet* (201d, 202e : à propos d'Eros). De plus, la possibilité d'une connaissance de l'individu est mentionnée en *République* VI 510a-b. Notre passage voudrait donc dire qu'il faut connaître l'individu Ménon pour savoir s'il est beau, riche ou noble. Mais on peut contester cet argument : en effet, pour savoir si Ménon est beau, il suffit de le regarder ; pour savoir s'il est riche ou noble, il faut, non seulement le connaître de vue, mais être également informé sur sa famille et sa naissance. Dans les deux cas, une connaissance directe (par accointance, que cette connaissance soit ou non empirique, cf. *Introduction* 62 note 108) de ce qu'est Ménon paraît indispensable à la connaissance de ses attributs, mais, dans le dernier cas, une telle connaissance ne suffit pas à faire connaître l'ensemble des attributs de Ménon. Par ailleurs, ce n'est pas ce type de connaissance directe empirique qui donnera la connaissance de la vertu. Aussi ce parallélisme (entre la connaissance de Ménon et celle de la vertu) semble-t-il induire en erreur, à moins qu'on en limite la portée . Socrate s'en servirait seulement afin de montrer que, pour toute sorte d'être, la connaissance de l'essence (ou de l'être entier, lorsque cet être est empirique) est logiquement antérieure à celle de ses caractéristiques. On remarquera aussi qu'un tel parallélisme omet de suggérer la différence qui existe entre « savoir qui est Ménon » (*gignóskein ;* connaissance directe, par accointance, non exprimable par une proposition) et « connaître les attributs de Ménon » (*eidénai :* connaissance propositionnelle).

Enfin, outre son usage didactique, Socrate se sert probablement de cet exemple de manière assez taquine, puisqu'il énumère les qualités dont Ménon s'enorgueillit le plus tout en montrant qu'on ne peut les lui attribuer avant de le connaître et que, privé de cette connaissance, on peut tout aussi bien lui attribuer les qualités contraires.

15. La première (la seule ?) visite de Gorgias à Athènes remonte à 427, quand Gorgias vint à la tête d'une ambassade envoyée par sa cité, Léontium en Sicile, pour demander l'aide d'Athènes contre Syracuse (cf. Diodore XII, 53 et 54 : DK 82 A4). Peut-être est-ce cette rencontre entre Socrate et Gorgias que Platon représente dans le *Gorgias*, bien que d'autres indications jouent en faveur d'une date dramatique du *Gorgias* ultérieure à 427. Voir notre *Platon, Gorgias* (cité *supra* note 11), 53.

16. Les oublis de Socrate ou ses défauts de mémoire sont souvent stratégiques et obligent ses interlocuteurs 1. à faire des réponses courtes et motivées (*Protagoras* 334c-d), 2. à formuler explicitement leurs opinions et donc à s'engager à les justifier au lieu de les faire dépendre d'une autorité ou d'une évidence trompeuse.

Il faut signaler que Socrate emploie l'adjectif *mnēmōn* « qui se souvient » ; or, *Mnēmōn* était le titre d'Artaxerxès, frère aîné et ennemi de Cyrus, directement responsable de la mort du Ménon historique. Peut-être y a-t-il ici un jeu de mots, sur ces deux *Mnēmōn* (Socrate qui ne l'est pas et Artaxerxès qui l'est) ou simplement entre Ménon et *mnēmōn*, puisque Ménon est *mnēmōn* (il se souvient de ce que Gorgias a dit, Klein 72-73) plutôt que « savant » (pour une autre interprétation du nom de Ménon, « celui qui reste », cf. Brague 216).

17. On ne peut que remarquer ici l'emploi du verbe *anamimnéiskein*, « se remémorer », dont le radical est identique à celui du terme *anámnēsis*, que Platon utilisera plus loin pour désigner le fait de la remémoration ou le processus de la réminiscence (sur la réminiscence, cf. *infra* note 125, et *Introduction* 79-87).

Notons l'opposition présentée ici et dans les lignes qui précèdent entre deux valeurs du mot « savoir » (« savoir par soi-même », et « savoir par ouï-dire »). A l'égard de ces deux types de savoir, la mémoire occupe une position ambiguë, puisqu'elle peut servir au rappel d'une information extérieure (rappel d'une connaissance acquise) ou à la réactivation d'un savoir déjà présent en l'âme (réminiscence).

18. Etre absent physiquement, cela signifie être incapable de participer à un entretien dialectique, faute de pouvoir rendre raison de ce qu'on dit. Dans la mesure où Gorgias n'est pas présent pour justifier auprès de Socrate et de Ménon sa définition de la vertu, cette définition ne peut faire l'objet d'un examen critique à moins que Ménon ne se l'approprie et ne réponde comme si elle était sienne. Etant entendu que la défaite éventuelle de l'élève n'entraînera pas celle du maître ; on peut toujours penser que celui-ci aurait pu, mieux que son élève, défendre sa propre thèse. C'est une caractéristique des rhéteurs dans les dialogues platoniciens que de chercher à se dérober à l'échange dialectique (cf. *Euthydème* 305c-d, *Gorgias* 458c).

19. Le verbe grec dont se sert ici Socrate est formé sur le terme *phthónos* qu'on traduit en général par « envie » ou « jalousie » (cf.

E. Milobenski, *Der Neid in der griechischen Philosophie*, Klassisch-Philologische Studien 29, Wiesbaden, Otto Harrassowitz, 1964). La notion est définie dans le *Philèbe* (48b, 49b) comme ce mélange de plaisir et de douleur, qui consiste à se réjouir du malheur qui frappe ses amis et à leur envier leur richesse, leurs honneurs, ou, pire que tout, leur savoir et leur vertu (cf. aussi *Lois* V 730e-731b). Dans l'*Apologie de Socrate*, Socrate suggère que sa propre obstination à faire voir aux Athéniens leur absence de savoir lui a valu leur *phthónos* (18d, 28a). Euthyphron, le devin, se plaint, lui, de ce que les Athéniens montrent du *phthónos* envers son savoir (*Euthyphron* 3c-d). Le *phthónos* paraît donc être un sentiment anti-éducatif puisqu'il peut causer une rétention d'information (réelle ou supposée) soit qu'on refuse de rendre autrui aussi savant que soi (cf. *Gorgias* 489a, *Protagoras* 320c, *Phédon* 61d, *Phèdre* 247a, *Timée* 29e, *Lois* I 641d) soit qu'on craigne d'éveiller chez lui un sentiment de jalousie (*République* V 476e, *Protagoras* 316d-e; cette note est inspirée d'un essai de Luc Brisson, *La Notion philosophique de phthónos chez Platon* à paraître dans les *Actes du colloque de Cerisy sur la jalousie*, éd. F. Monneyron, Paris, Klincksieck, 1991). En demandant ici à Ménon de ne pas se montrer jaloux, Socrate feint de croire que son interlocuteur est en possession d'un savoir réel qu'il pourrait hésiter à lui communiquer. Il n'y a aucune raison de penser, comme le fait Bluck (216) en citant *Hippias Mineur* 372e, que Socrate se serve ici d'une forme conventionnelle d'encouragement.

20. Socrate dit *pseûsma epseusménos*, expression difficile à rendre fidèlement, d'autant plus que c'est le seul emploi de *pseûsma* « mensonge, tromperie, illusion » chez Platon. On peut comprendre l'expression au moyen (ce que nous avons traduit : « je me suis laissé tromper ») ou au passif.

21. On retrouve chez quelques autres interlocuteurs des dialogues la même inconscience de la difficulté propre à la question socratique « qu'est-ce que X ? »; nombreux sont ceux qui proposent, en réponse, différents cas particuliers où se manifeste cette réalité X, cf. *Hippias Majeur* 286e, *Lachès* 190e, *Théétète* 146c. Ménon mettra en effet longtemps à comprendre ce que Socrate lui demande (pas avant 72d). Si, à la fin de la présente réplique, en 72a, Ménon souligne que les vertus sont si nombreuses qu' « on n'est pas embarrassé pour définir la vertu », c'est pourtant à un tel embarras qu'il sera ultérieurement réduit (cf. 79e-80a), embarras en lequel Socrate reconnaît la marque d'un véritable travail critique.

22. Pour notre traduction de *ei boúlei* (« si tu veux »), voir Bluck 217. La définition que Ménon donne ici de la vertu (comme une forme d'excellence essentiellement civique et politique) est représentative de la morale populaire de l'époque (Thucydide VI, 9, 2, et VI, 14 : la définition de la vertu selon le général athénien Nicias; et Xénophon, *Mémorables* IV, 2, 11); elle sera proposée à Anytos en 91a. C'est bien le type de vertu que les sophistes et les rhéteurs (étant donné le rôle dominant joué en cela par l'art oratoire) prétendaient enseigner (cf. *Protagoras* 318e-319d, 325a), reprenant ainsi une conception commune de la vertu (cf. *Introduction* 38-40, 46).

Par ailleurs, l'obligation d'amitié à l'égard de ses proches et d'agressivité à l'égard des ennemis (laquelle fait un devoir de l'amitié et de la vengeance) semble avoir fait le fond des vues éthiques de l'époque (cf. *Gorgias* 473b, *République* I 334b — où Polémarque exprime une conception rétributive de la justice alors que la première définition donnée par Céphale en 331b-e exprimait une conception plutôt coopérative —, *Clitophon* 410a, et M. W. Blundell, *Helping Friends and Harming Enemies. A Study in Sophocles and Greek Ethics*, Cambridge, Cambridge University Press, 1989). C'est sans doute une des innovations les plus radicales de la morale socratique que d'avoir critiqué une telle conception (*Criton* 49c-e, *République* I 335e, et G. Vlastos, *Socrates, Ironist and moral philosopher*, Cambridge, Cambridge University Press, à paraître en 1991), non pas par souci d'altruisme (à la différence de la pensée chrétienne, cf. *Évangile selon Matthieu* V. 43-44), mais au nom d'une définition de la justice comme seule capable de préserver la bonne santé de l'âme.

23. Ici, Ménon exprime sans doute la vue la plus commune dans l'Antiquité grecque sur la fonction de la femme, réduite au soin de sa famille et à la gestion domestique ; pour la femme, les vertus de tempérance, justice, courage n'ont pas les mêmes définitions que les vertus masculines correspondantes : cf. Aristote, *Politique* I, 13, 1260a20 (ce dernier lieu est intéressant à un triple égard : Aristote paraît se référer à ce passage du *Ménon* ; il semble tenir pour acquis que les propos auxquels s'oppose Socrate expriment les opinions de Gorgias ; enfin il approuve Gorgias), quoique l'expression d'Aristote soit plus nuancée que celle de Ménon, cf. K. J. Dover, *Greek Popular Morality in the Time of Plato and Aristotle*, Oxford, Oxford University Press, 1974, 101. Socrate semble avoir été opposé à une telle conception d'une vertu spécifique pour la femme (cf. Xénophon, *Banquet* II, 9) ; d'autre part, la réforme politique platonicienne, exposée au livre V de la *République* (surtout, 451e), remet radicalement en cause ce point de vue. Une critique identique de l'inexistence politique de la femme était aussi, semble-t-il, le fait d'Antisthène (d'après Diogène Laërce VI, 12). Pour une mise au point récente de la question, N. H. Bluestone, *Women in the ideal Society. Plato's Republic and modern Myths of Gender*, Oxford, Berg, 1987, 10-18.

24. L'idée que la vertu d'un acte se rapporte à la spécificité de l'objet que cet acte vise à réaliser se trouve parfois suggérée dans les dialogues platoniciens (cf. *République* I 353b). Mais la thèse qui s'y trouve le plus fréquemment exposée est au contraire celle qui insiste sur le fait que la vertu n'admet aucun objet spécifique, à la différence des autres sciences qui exigent, pour être définies, qu'on détermine leurs objets (cf. *Charmide* 165e, *République* I 333a). Contrairement à la définition d'une pratique quelconque, la définition de la vertu devrait donc être indépendante de l'objet de l'acte vertueux ou de son but. C'est précisément cette universalité propre à la vertu, qui l'affranchit de toute situation particulière et de tout intérêt concret (universalité par laquelle la vertu se distingue de la *tékhnê*, art, compétence ou science), que Ménon ne parvient pas à saisir, surtout

parce que cette universalité définit la vertu morale et ne s'applique guère à la vertu selon Ménon, essentiellement politique.

Il n'est pas exclu que la définition (quelque peu alambiquée) que Ménon donne ici de la vertu (laquelle rend la vertu relative aux caractéristiques du sujet vertueux et de l'objet qu'il vise) soit empruntée à Gorgias (cf. *supra* note 23), même si la présence de gorgianismes (allégories, répétitions, allitérations, etc.) n'est pas aussi marquée que dans le discours d'Agathon (lui aussi élève de Gorgias) : *Banquet* (198c).

25. *Eutukhía* (« chance, bonheur »), dit ici Socrate. Un terme fort proche (*eutukhéstaton*, « ayant une grande chance ») était utilisé plus haut, en 71d. Dans ce dernier emploi, l'idée était que Socrate considérait comme une chance de voir une de ses erreurs (à savoir, la conviction que personne ne sait ce qu'est la vertu) réfutée (cf. *Théétète* 146d). En revanche, « la chance » dont il est question ici n'est qu'apparente (elle consiste à obtenir plusieurs objets quand on n'en demande qu'un seul), puisque l'objet que recherche Socrate, la vertu, doit être essentiellement unique et ne saurait donc être désigné par une telle pluralité. C'est là un exemple typique de ces significations dissociées (ou ironiques) si fréquentes dans les dialogues socratiques : il est apparemment exact, mais réellement absurde, de considérer ici la réponse de Ménon comme une « chance » (cf. Ch. Rowe, « Platonic Irony », *Nova Tellus* 5, 1987, 83-101).

26. Le terme « essaim » est souvent utilisé de façon métaphorique pour désigner un ensemble, cf. *Cratyle* 401e, *République* V 450b, IX 574d, Aristophane, *Nuées* 297. Nous traduisons la formule *katà tèn eikóna* (qui signale la métaphore) par « pour en rester à l'image de », parce que si l'essaim est la liste de vertus proposée par Ménon, la définition de la vertu unique serait comme la définition de l'abeille. Il faut également noter l'ironie qu'il y a à prétendre trouver « niché » en Ménon « un essaim de vertus » (même si l'expression n'implique pas que Ménon possède ces vertus), alors que Ménon est incapable de définir la vertu et que tout lecteur contemporain du *Ménon* devait savoir que le Ménon historique était lui-même privé de pareilles vertus (cf. *Introduction* 23).

27. Sur la valeur particulière du temps aoriste (à valeur d'aspect) utilisé dans ces questions rhétoriques, voir Bluck 220. L'expression grecque que nous traduisons par « dans sa réalité » est *perì ousías*. Les sens du terme *ousía* dans les dialogues platoniciens sont multiples. En effet, ce terme peut désigner :

1. la propriété ou le revenu réel (sens commun du terme au Ve siècle);

2. l'existence réelle d'une chose (cf. *Protagoras* 349b et *Euthyphron* 11a);

3. la nature réelle ou l'essence d'une chose : a) soit cette *ousía* n'est pas d'un type d'être différent de celui des individus particuliers où elle existe (*Euthyphron* 11a, où l'*ousía* recherchée est la nature immanente de la piété, commune à toutes les actions pieuses et qui permet de les appeler telles); quoique elle appartienne au même

niveau ontologique, cette réalité ne se confond pas avec les individus concrets, puisque, bien qu'immanente aux êtres sensibles, elle est de nature intelligible ; b) soit l'*ousía* est ontologiquement différente des réalités nommées d'après elles, et ne peut être connue que par la pensée (*Phédon* 65d, 78d, 92d).

Dans la question qu'il pose à Ménon au sujet de l'abeille, Socrate, en se servant de la précision « dans sa réalité », se réfère sans doute au sens 2 et 3a) du terme *ousía*. En effet, il est précisé en 72c qu'il s'agit de l'élément réel en fonction duquel toutes les abeilles sont des abeilles et se trouvent être, en tant que telles, identiques. La définition requise pour cette espèce animale pourrait être semblable à celles qui servaient aux classifications zoologiques et botaniques (cf. *Sophiste* 220a-b, *Politique* 261b, 266e, 267c ; voir les critiques d'Aristote, *Parties des Animaux* I, 2 et 3) qui étaient couramment pratiquées, semble-t-il, dans l'Académie (Epicrate, frag. 11, Kock II 287, pour la définition de la citrouille). Robin suggère que la précision « des abeilles de toutes sortes » montre que le caractère général exigé par Platon s'applique non seulement aux abeilles, mais à tous les hyménoptères qui ressemblent aux abeilles (cf. Robin, I, 1290 n. 6). Même si la comparaison entre la recherche de la définition de la vertu et celle de la définition d'une espèce naturelle comme l'abeille n'est pas proposée de façon très rigoureuse, il reste que, grâce à cette comparaison, Socrate veut surtout montrer à Ménon comment détacher son esprit de la pluralité des exemples de vertu et saisir quel type d'unité rechercher.

28. L'expression employée ici (*tôi melíttas eînai*, littéralement « du fait qu'elles sont des abeilles ») a des synonymes dans les lignes qui suivent (en particulier, *hêi mélittai eîsin*, un peu plus bas ; cf. *Hippias Majeur* 292d, 299d, *Phédon* 102c, *Parménide* 145e ; et, pour un usage contemporain de *hêi* au sens de « dans la mesure où », Xénophon *Mémorables* II, 1, 18). Cette expression « en tant que » se retrouvera chez Aristote comme une formule stéréotypée pour désigner le point de vue sous lequel on considère une chose en ayant seulement égard à son essence ou à ses attributs, cf. *Ethique à Nicomaque* I, 4, 1096b2.

29. Platon emploie ici le terme *eîdos*, que nous avons traduit par « forme caractéristique », cette forme dont Socrate affirme qu'elle est unique et identique chez toutes les abeilles, une fois reconnue leur identité spécifique (72c). C'est en se servant de ce même terme *eîdos* que Platon désignera la Forme (entendue comme réalité indépendante du sensible, existant par elle-même et inaccessible aux sens) ; mais antérieurement, ou parallèlement, à l'usage ontologique du terme *eîdos*, ce terme peut désigner plusieurs autres choses, en particulier :

1. la forme extérieure, l'apparence physique (c'est le sens le plus trivial) ;

2. l'espèce ou le genre (chez Hérodote ou dans les écrits hippocratiques), le caractère spécifique qui définit le genre.

A son tour, le sens platonicien de *eîdos* n'est pas univoque ; on en trouve deux usages majeurs pour désigner :

1′. une réalité non sensible par rapport à laquelle est dénommée (le plus souvent selon un rapport d'imitation ou de participation) une classe d'êtres sensibles, cf. : a) *Phédon* 102b, *République* X 597a, *Parménide* 129a-135c — où l'*eîdos* représente toute la réalité dont les êtres sensibles sont dépourvus —, b) *Euthyphron* 6d, *Hippias Majeur* 289d, *Gorgias* 503e — où, de même que pour notre passage du *Ménon*, l'usage d'*eîdos* ne suggère pas une différence ontologique de nature déterminée entre l'*eîdos* et les êtres particuliers ni ne désigne une relation de nature déterminée entre cette forme caractéristique et les êtres particuliers qui en tirent leur nature et leur nom ;

2'. un universel logique, une sorte de genre opposé à des espèces plus petites ou à des particuliers (cf. *Théétète* 178a, *Banquet* 205b, *République* II 357c, *Politique* 258e, 263b). Par ailleurs, le terme *eîdos* est parfois accompagné de la précision « en lui-même, par lui-même » (*autò kath'hautò*), qui sert le plus souvent l'usage 1a) et distingue la forme des sensibles (*Phédon* 83b, *Parménide* 130b). Mais, utilisée en *Ménon* 72c, l'expression voisine, *tautón*, semble indiquer plutôt la permanence d'un caractère général.

Dans ce passage du *Ménon*, rien ne paraît imposer le sens 1a) de *eîdos* (*parà tà pólla* signifie : distingué de la pluralité). En effet, ni la conception selon laquelle l'*eîdos* serait doté d'une forme de réalité supérieure à celle de l'être sensible, ni celle qui donnerait à l'*eîdos* une forme d'existence séparée ne sont envisagées. Le terme a donc probablement ici le sens (socratique ?) 1b) (« caractère général, forme distinctive »).

Par ailleurs, la question est controversée de savoir quelles sont les relations sémantiques entre *eîdos* et *idéa* (terme qui a aussi le double sens d'apparence physique et d'essence). Voir, par exemple, pour l'usage de ces deux termes, *Hippias Majeur* 289d et 297b, *Phédon* 103e, *République* X 596 a-b, *Parménide* 132a, 135a, et *Phèdre* 249b. On ne trouve pas d'occurrence du terme *idéa* dans le *Ménon*.

30. La fonction de l'*eîdos* exposée ici (comme élément de référence que doit considérer toute tentative de définition, cf. *Euthyphron* 6e) en fait également une réalité qui doit orienter et guider aussi bien l'action technique (dans le cas de l'artisan — *Gorgias* 503e — comme dans le cas de l'orateur qui se guide sur le juste — *Gorgias* 504d) que le comportement moral et l'action politique (*République* VI 501b).

31. D'après ce texte, la santé, la force et la taille existent dans des sujets particuliers, ont des effets réels sur ces sujets et, quoique de nature intelligible, appartiennent à une totalité perceptible par les sens. Mais on peut s'interroger sur le type exact de relation ici suggérée entre la forme caractéristique de la santé et les sujets qui la possèdent. Est-ce que la force, la santé, la taille sont vraiment incluses dans les sujets auxquels elles appartiennent ? En ce cas, comment faut-il interpréter la distinction (que fera ultérieurement le *Phédon*) entre la grandeur en soi et la grandeur qui est en nous (cf. 102d, 103b) ? Comment comprendre aussi que, toujours dans le *Phédon* (65d-e), Platon évoque — comme il le fait dans le *Ménon* — la force, la santé et la taille, mais cette fois en insistant sur le fait que leur réalité (*ousía*) ne peut pas être appréhendée par les sens,

seulement par l'esprit, et qu'elles existent en soi, et non pas dans une réalité sensible ? Certes il y a tout lieu de penser que, dans le *Phédon*, Platon critique la théorie exposée dans ce passage du *Ménon*. Mais cela ne signifie pas qu'au moment même où il composait le *Ménon*, Platon n'ait eu aucune idée d'une définition plus abstraite de ces qualités (définition qui permette de distinguer en particulier entre la qualité générale qui existe dans les sensibles et la Forme pleinement réelle) que celle proposée ici. Car en fait, dans notre passage, Platon ne dit que ce qui est nécessaire pour illustrer le type de définition requis, à savoir que la définition de qualités telles la force ou la santé est indépendante des caractéristiques des sujets où elles se trouvent. Mais jusqu'à quel point est-il juste de dire que la santé et la force sont identiques chez un homme et chez une femme (surtout s'il s'agit de « la santé chez un homme » et de « la santé chez une femme ») ? sinon de manière très générale et qui reste assez peu informative ? Dans la mesure où, au contraire, Socrate souhaite une définition de la vertu qui, non seulement soit générale, mais détermine une manière d'agir, on peut s'interroger sur la pertinence de ces exemples.

32. Je traduis ici le texte du manuscrit F (que gardent Burnet, Sharples et Croiset), lequel propose *ge* (« bien »), au lieu du texte retenu par Bluck et Verdenius (*te*).

33. On retrouve toujours la même réticence de la part de Ménon à accorder à toutes les manifestations de la vertu, une identité comparable à celle qu'il reconnaît aux différentes formes de la force ou de la santé ; sur les raisons que Ménon peut avoir de ne pas comprendre la question de Socrate, cf. Thomas 83.

34. La valeur de l'adverbe *sôphrónōs*, « de façon tempérante », et celle du substantif correspondant (la vertu de *sôphrosúnē*, « la raison, le fait d'être raisonnable, la tempérance ») se réfèrent à la vertu politique, civique et domestique, cf. *Protagoras* 325a, *Phédon* 82a-b (pour la critique qu'en fait Socrate), *Banquet* 209a (pour la définition positive de cette vertu). Sur le lien qui existe entre la vertu (entendue comme droiture morale) et cet ensemble de vertus sociales, civiles et domestiques, voir les références données dans l'*Introduction* 40.

On remarquera que Ménon acquiesce aisément à la présence indispensable de la tempérance et de la justice pour qualifier l'action politique (ou domestique) d'action vertueuse. Mais admet-il un lien nécessaire et général entre l'action qui réussit (l'action vertueuse, au sens où Ménon entend le mot vertu) et l'action juste (la vertu, au sens socratique), ou bien se limite-t-il à admettre entre elles un rapport qui demande à être reconsidéré dans chaque cas pratique ? En fait, lorsque Ménon reconnaît en 73b que les hommes vertueux sont bons (*agathoí*), cela peut simplement signifier qu'ils réussissent et qu'ils ont du succès, sans aucunement indiquer qu'ils doivent être moralement bons, cf. A.W.H. Adkins, *Merit and Responsability*, Oxford, Oxford University Press, 1960, 229.

35. L'argument par lequel Socrate veut convaincre Ménon consiste à montrer que la vertu est la même dans tous les cas cités, parce que c'est le même élément qui, dans chaque cas, fait la vertu.

Mais encore faut-il montrer que cet élément commun, cette forme
caractéristique, est bien la définition qui donne l'essence de la vertu,
et non pas simplement une spécification de la vertu (car il s'agit de
montrer l'essence réalisée de façon identique dans tous les objets
d'une même sorte, et non pas de fixer l'unité des sens d'un terme),
cf. R. Robinson, *op. cit. supra* page 59 note 102, 57.

36. Il faut noter ici l'usage du terme *anamnēsthênai* (« se remémorer »), utilisé une fois de plus en référence à Gorgias, cf. 71d, *supra*
note 17, et 76a-b. Dans cette dernière demande, Socrate ne fait pas
grand crédit à l'inventivité de Ménon puisque, préjugeant de son
accord avec Gorgias, il lui demande seulement de se souvenir de la
définition de son maître.

37. Cette seconde définition que Ménon donne de la vertu ne fait
que développer sa première caractérisation de la vertu masculine ; de
la formule « être capable d'agir dans les affaires de sa cité » (71e) est
retenu l'élément décisif : « la capacité de commander aux hommes ».
Une telle façon de comprendre l'*aretế* n'est sans doute pas propre à
Ménon, elle exprime un idéal d'efficacité politique, largement
partagé dans la jeunesse ambitieuse athénienne de la fin du Ve siècle,
idéal dont les rhéteurs et les sophistes, en prétendant qu'ils
pouvaient l'enseigner, ont été amenés à préciser les conditions et les
effets. Le *Gorgias* offre un exemple assez frappant d'une telle
communauté de vues chez trois individus dont les origines et
activités sont très différentes : Gorgias, professeur de rhétorique,
indique que son art est « cause de liberté pour les hommes qui le
possèdent et principe du commandement que chaque individu, dans
sa propre cité, exerce sur autrui » (452d) ; après lui, Polos, jeune
orateur politique, affirme à son tour que les meilleurs des hommes
sont les plus puissants (466b) ; et enfin Calliclès, jeune Athénien
nourri d'ambitions politiques, voit dans la domination du puissant
sur le faible la marque de la justice (483d ; cf. aussi la justice selon
Thrasymaque : *République* I 344a). Pour une bonne définition des
caractères communs à ces définitions de la vertu : cf. P. Vidal-
Naquet, *Le Chasseur noir*, Paris, La Découverte, 2e éd. 1983, 32.

Pour désigner la relation entre l'élément unique et commun (que
Socrate lui demande de dégager et qui justifie l'appellation de
« vertu ») et les cas particuliers où cet élément figure, Ménon se sert
de l'expression *katà pántōn* (« qui s'applique à tous les cas ») en lui
donnant sans doute un sens assez descriptif (aussi en 74b), tandis que
Socrate emploie cette formule plus rarement (88e), et semble lui
préférer l'expression *dià pántōn* (« qui relie toutes les vertus ») (74a,
et aussi : *Sophiste* 240a), mais surtout la formule *epì pâsi* (« qui se
retrouve dans tous ces cas ») (75a, et aussi : *Théétète* 185c, *Banquet*
210b, *Parménide* 131b, et 132c), ainsi que le verbe *katékhei*
(« comprend ») (74d, et aussi *Phédon* 104d) ; notons enfin l'emploi,
pour exprimer la même relation, de *en pâsin* (« en tous ces cas » ;
cf. *Lachès* 191e). Sur la nature de l'élément général et unique,
recherché par Socrate, voir *supra* notes 27, 29, et *Introduction* 57-58.

38. Nous lisons ici le texte édité par Thompson, Verdenius et
Bluck (*hoíou* au lieu de *hoîoi* (manuscrits B et T) : le pronom relatif

est au génitif singulier, au lieu du génitif duel), ce qui fait de l'esclave (et non pas à la fois de l'enfant et de l'esclave) l'antécédent de cette proposition, même si *despótēs* peut avoir le sens de « maître de maison », à la fois chef des esclaves et père de famille.

L'objection soulevée ici par Socrate remet radicalement en cause la définition proposée par Ménon. En effet, Ménon a implicitement reconnu à l'esclave une forme de vertu, sans doute faite de soumission et d'abnégation (72a), mais puisqu'il donne à présent une définition politique de la vertu (la capacité de commander) dont il est exclu que l'esclave y participe, il doit être conduit : 1. soit à récuser le fait qu'il y ait une vertu de l'esclave ; 2. soit à récuser la définition politique qu'il a fournie de la vertu, au profit d'une définition morale et plus universelle. Sans doute Ménon résoudrait-il le problème en admettant l'existence d'une forme positive et supérieure de la vertu qui seule échoit aux citoyens mâles (en ce sens, l'esclave serait un esclave vertueux, mais pas un homme vertueux) ; la question de la vertu de l'esclave a eu du reste une certaine postérité dans l'Antiquité, cf. Aristote, *Politique* I, 6, 1255a39-b15). Enfin, il faut remarquer que « être esclave » chez Platon désigne souvent le fait d'être esclave de ses désirs et de ses passions (cf. *Gorgias* 491c-d, *République* IX 577d, 579d-e). Notons ainsi que plus loin dans le *Ménon,* Socrate fera observer à Ménon que celui-ci est incapable de se maîtriser (86d), tandis que le jeune serviteur, interrogé par Socrate, dominera son ignorance et parviendra à découvrir la vérité (84b).

39. L'expression « excellent homme » est banale ; elle n'indique rien sur la qualité de la personne.

40. Quelle conception de la justice Ménon a-t-il ici en vue ? Une conception qu'exprimerait assez exactement la définition qu'il a donnée de la vertu en 71e, et donc assez proche de celle attribuée à Polémarque dans la *République* (la justice consiste à faire du bien à ses amis et du mal à ses ennemis, cf. *supra* note 22) ? Mais il n'y a aucune raison de penser que Ménon conçoive sa propre définition de la justice (une définition essentiellement politique, liée à l'exercice de l'autorité, et fondée sur une forte distinction entre ce qui est propre et ce qui est étranger) comme étant incompatible avec les vertus proprement morales.

41. On trouve une relation semblable formulée à propos de la beauté dans *Hippias Majeur* (287d : quelle est la différence entre « le beau » et « une chose belle »). Notons que c'est Socrate qui a le premier mentionné la justice comme une des caractéristiques essentielles de l'action vertueuse (73a) ; par ailleurs, si la question de Socrate est simplement destinée à faire comprendre à Ménon que sa réponse est fautive d'un point de vue logique, cette question ne permet guère de dire si Socrate défend ici la thèse de la pluralité des vertus ou celle de leur unité (contre Sharples 129 qui, attribuant ici à Socrate la thèse de l'unité des vertus, s'étonne de cette question). Ce qui n'empêche pas que la justice ait un statut particulier parmi les vertus et puisse être considérée à la fois comme une vertu et comme la vertu (cf. *République* IV 432b-435c).

42. La pluralité proposée ici par Ménon n'est plus faite des différents cas particuliers de vertus, mais plutôt des différentes qualités qui font qualifier les actions qu'elles inspirent de « vertueuses ». Reprenant la mention de la justice et de la tempérance que Socrate avait déjà faite, Ménon y ajoute le courage, le savoir et la magnificence. On retrouve dans cette liste les quatre vertus cardinales (justice, tempérance, savoir, courage) dont la combinaison fournissait une définition courante de la vertu (qu'on songe à la facilité avec laquelle Glaucon acquiesce à la proposition de Socrate de voir en ces vertus les conditions d'une bonne cité : *République* IV 427e ; cf. aussi Xénophon, *Cyropédie* VIII, 1, 23-34, qui évoque les vertus de justice (26), tempérance (30) et savoir (34) pour décrire une éducation perse influencée par une conception grecque de la vertu). On retrouve ces vertus également associées dans l'*Euthydème* 279b-c, le *Phédon* 69c (où la « raison » (*phrónēsis*) remplace le « savoir ») et les *Lois* I 631c-d.

Il est intéressant de remarquer qu'à cette liste de quatre vertus, Ménon ajoute la magnificence (*megaloprépeia*), vertu plus politique et sociale que morale (cf. *supra* note 10). Socrate l'a déjà mentionnée en 70b pour qualifier l'arrogance que Gorgias a inculquée aux citoyens de Larisse, et il la mentionnera encore deux fois un peu plus loin dans le *Ménon* : en 88a, au nombre des qualités neutres de l'âme ; et en 94b, pour qualifier le savoir de Périclès (cf. *infra* note 271, et Brague 134-135). Cependant, la *megaloprépeia* figure également dans la *République* (VI 486a) au nombre des qualités (pour ainsi dire naturelles) requises des philosophes et, dans un tel contexte, prend plutôt le sens de « grandeur d'âme, hauteur de vues » (pour différentes conceptions de la *megaloprépeia*, voir Hérodote VI, 122, Xénophon, *Economique* 2, 5, Aristote, *Rhétorique* I, 6, 1362b13, 9,1366b2, et *Ethique à Nicomaque* IV, 4-5, 1122a16-1123a18).

Par ailleurs, la vertu de piété n'est pas mentionnée par Ménon, alors qu'elle est très souvent associée aux quatre vertus précédentes et que Socrate la mentionnera explicitement plus loin comme liée à la justice dans la définition de l'action vertueuse (78d) ; notons à ce propos que la piété est parfois une partie de la justice (selon *Euthyphron* 11c-12e), et parfois une vertu distincte de la justice (selon *Protagoras* 330b, 349b-c et *Gorgias* 507b). Faut-il voir en cette omission de Ménon une indication de son caractère sans scrupules (cf. Hoerber 99 n. 1) ?

43. Deux remarques sur la traduction : 1. nous explicitons *en toîs állois* (neutre pluriel) par « dans les autres exemples (que tu as cités : abeille, taille, force, santé et, éventuellement, figure) » ; 2. nous faisons de l'incise *hōs sù zēteîs*, la formule par laquelle Ménon exprime le peu de familiarité qu'il a avec la requête socratique (« d'après la façon dont tu la cherches »). Dans la réplique suivante, nous gardons le texte de la plupart des manuscrits : *prosbibásai* (« s'avancer vers, s'approcher de ») ; cf. Bluck 236-237).

44. Dans l'expression *allà mḗ moi houtōs*, les verbes *légei* (« parler ») ou *mélei* (« il convient ») peuvent être sous-entendus, d'où les traductions : « mais ne me parle pas ainsi », ou « garde-toi de me

répondre de cette façon-là » (Robin) ou encore « mais cela ne me convient pas » . A partir de cette remarque de Socrate, l'exemple des couleurs est laissé de côté, et il ne sera plus question que de figures. Pourtant, Socrate fera de nouveau intervenir la couleur lorsqu'il voudra définir la figure (75b), avant d'en donner une définition à la manière de Gorgias (76c-d).

45. Jusqu'ici il n'était question que de la rondeur (*stroggulótēs*) (sans doute à la fois figures plane et non plane), mais Socrate introduit à présent les adjectifs substantivés *tò stroggúlon* (« ce qui est rond, de figure ronde, à bords ronds ») et *tò euthú* (« ce qui est droit, de figure droite, à bords droits »). Etant entendu que « ce qui est droit » ne peut désigner ici la ligne droite (car si la ligne est bien, au sens large, une figure, il reste qu'aucune des deux définitions socratiques de la figure (75b et 76a) ne s'y applique), nous préférons éviter de traduire *euthú* par « le droit » et adoptons une traduction plus explicite « la figure droite ».

Il y a deux façons de comprendre l'opposition ici en cause. 1. Soit il s'agit de l'opposition entre la figure circulaire et la figure à angles droits (rectangulaire), lesquelles peuvent être planes et non planes. Le problème que pose cette interprétation est que la relation de contrariété, alors existante, entre « ce qui est de figure ronde » et « ce qui est de figure droite » est non exhaustive. En effet, l'ovale est, par exemple, tout autant que la figure à angles droits, le contraire du cercle ; comme, de son côté, le parallélogramme est le contraire de la figure à angles droits. Il ne s'agirait alors plus de la relation de contrariété telle que la définit techniquement Aristote (cf. *Catégories* 11, 14a6-25 et *Métaphysique* Δ, 10, 1018a25-38, *I*, 4, 1055a15-33). 2. Soit il est possible de comprendre l'opposition entre « de figure ronde » et « de figure droite » comme étant exhaustive et distinguant, d'une part, toutes les surfaces de courbes fermées à bords ronds, qu'elles soient ou non circulaires, d'autre part, toutes les surfaces polygonales, interprétation qui permettrait d'épuiser, à l'aide des figures « rondes » et « droites » (mais dans ce cas, il faudrait dire simplement « à bords droits »), l'étendue du concept de figure et rendrait plus frappant le fait, mis en évidence par Socrate en 74e, que deux types d'êtres distincts mais complémentaires reçoivent la même appellation ; certes, il ne s'agit pas davantage de « contraires » au sens aristotélicien du terme, mais, justement, un sens aussi précis ne se retrouve pas systématiquement dans l'usage platonicien du terme (cf. *République* V 479a-b). Nous préférons donc adopter la seconde interprétation, plus conforme au sens général du passage, quoique les termes *stroggúlon* et *euthú* puissent, dans l'usage courant, désigner une figure circulaire ou rectangulaire.

Sur le fait que des réalités contraires ou ayant des qualités contraires, puissent appartenir à une même classe et recevoir la même dénomination commune (ici, celle de « figures »), voir *Protagoras* 330e-332a (sur la complémentarité et l'opposition des vertus), *Philèbe* 12e (« génériquement, le tout que forment les figures est un, mais les parties de ce tout n'en sont pas moins soit absolument contraires, soit comportant une infinité de diffé-

rences »), et *Phédon* 102b-103a, 104a-b. Toutefois, si dans les deux
derniers textes cités, le problème évoqué est celui du maintien de la
différence des parties constitutives dans un tout génériquement un
(il doit y avoir des plaisirs bons et des plaisirs mauvais dans le genre
plaisir), et donc celui de savoir comment l'unicité réelle de la forme
est conservée dans la multiplicité des êtres particuliers, en revanche,
le problème posé dans ce passage du *Ménon* semble être surtout de
mettre en évidence la nature de l'élément commun à des termes
particuliers, élément dont la présence est d'autant plus nécessaire
que ces termes peuvent être contraires. Mais l'argumentation et les
exemples (figure et couleur), utilisés par Socrate à l'égard de Ménon
(73c) et à l'égard de Protarque (*Philèbe* 12d), se ressemblent
beaucoup.

46. Cette question de Socrate dont l'absurdité doit contraindre
Ménon à admettre l'existence d'un élément commun entre ce qui est
rond et ce qui est droit est fondée sur le raisonnement suivant. Si a et
b sont des figures, je peux dire que, en tant que figure (« être F »), a
est autant F que b. Cet énoncé n'a de sens que si on fait de « être une
figure » une propriété générale, qui ne définit aucun être particulier.
En revanche, l'énoncé est absurde si on donne à cette propriété
(« être F ») une existence particulière comparable à celle de a et b.
Or, on remarquera qu'ici, dans la question adressée à Ménon,
Socrate n'explicite pas l'alternative suivante : soit « être une figure »
est une propriété générale à laquelle on ne peut identifier ni a ni b ;
soit « être une figure » est une entité particulière, à laquelle a et b
s'identifieraient. Socrate se contente de présenter à Ménon cette
seconde possibilité comme une absurdité. Sur l'arbitraire des
définitions de « rond » et de « droit », cf. *Lettre* VII 343b, et
Parménide 145 a-b ; les modèles de définition proposés par Socrate
sont pourtant le plus souvent empruntés aux mathématiques, dont la
terminologie stable avait quelque chose d'exemplaire.

Par ailleurs, dire que la rondeur est ronde est sans doute un
truisme si « ronde » désigne la qualité d'une rondeur concrète, mais
c'est une absurdité si « la rondeur » désigne la Forme de la Rondeur ;
en tout cas ce peut être un énoncé qui amène à considérer le
problème général de la « self-predication » des Formes (c'est à dire
la possibilité pour une Forme de se voir prédiquer sa propre qualité).
Sur ce point G. Vlastos, « Self-Predication and Self-Participation in
Plato's Later Period », in *Platonic Studies*, Princeton University
Press, 2nd ed., 335-341, et J. Brunschwig « Le problème de la " self-
participation " chez Platon », *Mélanges de Gandillac*, Paris, PUF,
1985, 121-126.

47. Nous traduisons par « pour les cas en question », au sens de :
« pour ce genre de cas particuliers », l'expression *epì toútois*, qui ne
semble pas avoir ici le sens précis de « présent dans ces cas
particuliers » qu'elle a dans son précédent usage, et qu'elle retrouvera dans deux emplois ultérieurs, au cours de la même réplique ; on
peut aussi comprendre l'expression de façon plus indéterminée :
« ceci étant », « en se basant sur cela » (Thompson 89).

48. « Essayons... » : notons l'emploi du pluriel ; est-ce une façon

négligée de s'exprimer (Bluck 242) ? ou une façon d'impliquer Ménon dans une recherche dont il est censé tirer profit (Verdenius 1957, 291) ?

La définition de la figure que propose Socrate ne précise pas quel type de conditionnalité, exprimée par le verbe « s'accompagne toujours de (*tugkhánei aeì epómenon*), s'attache toujours » existe entre la figure et la couleur. En effet, la définition socratique peut recevoir deux interprétations différentes : 1. Toute tache de couleur a une figure (ce qui suggère qu'il pourrait y avoir des figures sans couleur). 2. Tout ce qui a une figure doit avoir une couleur (interprétation qui amènerait à interpréter le verbe utilisé dans la formule non pas comme un moyen, mais comme un passif « qui est accompagné de ». D'où notre traduction « qui s'accompagne de », laquelle peut être comprise dans les deux sens, même si nous adoptons la seconde interprétation. Si dans ce cas la définition de la figure est plus satisfaisante, elle reste pourtant problématique, car si elle vaut pour les figures perceptibles, elle ne paraît pas s'appliquer aux figures abstraites ; en effet, tandis que la connaissance de la couleur dépend d'une expérience perceptive, la connaissance des figures n'en dépend point (Thomas 100) ; une telle définition n'aurait, en particulier, aucun sens pour un aveugle-né.

Les deux interprétations possibles de la définition de Socrate semblent donner une marque distinctive de la figure (nous permettant de dire ce qui est ou non figure) au lieu d'une définition. Mais Socrate se limite peut-être à donner un exemple minimal de définition : cf. aussitôt après, « si tu me disais juste comme cela (*kàn hoútōs*) ce qu'est la vertu », c'est-à-dire, en proposant simplement une marque distinctive comme, par exemple, « la vertu s'accompagne toujours de connaissance » ; voir aussi *Introduction* 61.

49. Ménon reproche à Socrate d'avoir fait l'erreur de définir *ignotum per ignotius*, une chose inconnue par une autre qui l'est encore plus (sur la naïveté que Ménon attribue à Socrate, cf. C. Gaudin, « *Euetheia*. La théorie platonicienne de l'innocence », *Revue Philosophique de la France et de l'Etranger*, n° 171, 1981, 145-168). Certes, un peu plus loin, en 76d, Socrate se servira de la figure pour définir la couleur, mais précisément parce que la définition de la figure est désormais connue. De plus, en 79d, Socrate tirera la leçon de l'imperfection de la définition donnée ici. Cependant, il faut souligner que Socrate trouverait peut-être qu'une telle définition de la figure par la couleur est vraie et supérieure à la définition de la couleur qu'il proposera plus tard (75d) ; sans doute parce qu'elle donne une caractérisation réelle et synthétique.

Il faut aussi remarquer que Ménon substitue au terme dont s'est servi Socrate (*tò khrôma*, la couleur), le terme *khróa* (quelque chose comme « figure colorée »), terme pythagoricien qui semble désigner à la fois la couleur et la figure. En effet, les Pythagoriciens identifiaient entre elles figure et couleur et les opposaient à la surface (*epipháneia*) (d'après le témoignage d'Aristote, *De sensu* 3, 439a30-31). Ainsi, l'emploi par Ménon de ce terme (qui évoque à la fois la figure et la couleur) permettrait de montrer plus nettement à Socrate

que sa définition de la figure présuppose ce qu'elle veut définir.
Notons à ce sujet que certains manuscrits du dialogue attribuent à
Socrate la réplique faite d'un seul mot « Soit », lequel soulignerait
ainsi la substitution de termes à laquelle Ménon vient de procéder.
Mais le « Soit » est à placer plutôt dans le discours de Ménon, et sert
à introduire une objection censée être dirimante.

50. Nous traduisons ainsi les termes *eristikoí* (ceux qui font de
l'échange d'arguments un combat où ils cherchent par tous les
moyens à être victorieux) et *agonistikoí* (ceux qui considèrent toute
discussion comme un affrontement). Dans le *Sophiste* (231d-c),
Platon identifie les deux termes de *eristikḗ* et *agōnistikḗ* (*perì lógous*),
qu'il semble distinguer ici. Socrate ne vise sans doute pas des
individus (ou un groupe d'individus) particuliers, il fait plutôt
allusion à tous ceux qui pratiquent la discussion comme un jeu de
compétition où il faut gagner à tout prix, au lieu de rechercher la
vérité (cf. *République* V 454a, VI 499a, *Phédon* 91a, *Gorgias* 457c-d,
et Aristote, *Réfutations sophistiques* 11, 171b22-35); sur l'*élegkhos* (ou
réfutation : « elenchus ») socratique, parfois très proche dans sa
façon apparente de procéder de la réfutation sophistique, voir
Réfutations sophistiques 34 183b36, et *Introduction* 59-60.

Il reste que la visée de cette réplique de Socrate n'est pas évidente.
On peut comprendre que Socrate fasse ainsi entendre à Ménon que
l'objection de ce dernier à la « définition » socratique de la figure par
la couleur est éristique ; en effet, si la couleur est une notion
familière, connue de soi dès qu'on en a la moindre expérience
perceptive, pourquoi Ménon en demande-t-il définition, sinon pour
mettre dans l'embarras son interlocuteur ? Il est possible que cette
objection de Ménon lui soit inspirée par la bonne connaissance qu'il
aurait de la géométrie (laquelle exige que tout nouveau terme soit
défini par des notions plus générales et mieux connues), Ménon la
proposerait donc « par habitude » sans que ce fait indique qu'il
considère que la définition socratique est réellement déficiente
(Klein 62). Mais le plus probable est que Socrate se réfère à la
manière éristique de discuter (où les « définitions » ne reçoivent
aucune justification) pour montrer à l'inverse que, dans l'entretien
dialectique, toute définition, surtout si on la croit vraie, doit encore
passer le test dialectique, c'est-à-dire être non seulement admise par
l'interlocuteur, mais surtout comprise de lui. Or comme, apparemment, Ménon refuse de se servir de ce qu'il sait de la couleur pour
comprendre ce que Socrate lui dit, Socrate devra proposer une
nouvelle définition en s'assurant par avance que tous les termes en
sont connus de Ménon. Voilà qui doit permettre d'éviter que,
Ménon se montrant critique, Socrate se doive être dogmatique. Cela
donnera lieu en effet à une seconde définition, de type analytique
cette fois, de la figure, qui se bornera à établir certaines relations
spécifiques entre des termes redéfinis par Socrate.

51. Ces expressions décrivent les positions respectives des interlocuteurs dans une dispute ou un débat d'arguments : l'un des deux
participants assume l'argument (*lambánein lógon*, ou la discussion,
ou la critique de la thèse), « demande les raisons de la thèse » et

cherche à la réfuter en menant l'interrogation, tandis que l'autre participant, le répondant, défend la thèse en la justifiant, en « donnant ses raisons » (*doûnai lógon* : rendre raison ; à comparer avec *dikến lambánein*, « punir », et *dikến doûnai*, « être puni »), en fournissant des réponses aux questions posées (cf. pour l'usage de cette expression et d'autres similaires : *République* I 337e, VII 531e — *déxasthai lógon*, comme *Protagoras* 336c —, *Sophiste* 246c ; voir surtout l'introduction de J. Brunschwig aux *Topiques* d'Aristote, Paris éd. Belles Lettres, collection Budé, 1967, XXIX-XXXIV). Cette définition formelle de la réfutation est peut-être reprise de la pratique d'une reddition de compte (cf. *Lois* VI 774b). Il est douteux que l'expression *lambánein lógon* puisse signifier ici quelque chose comme « saisir la raison » (cf. Thompson 90, d'après *République* II 402a, *Théétète* 148d, *Phédon* 76b).

52. Nous traduisons ainsi, en l'explicitant, le mot *dialektikốteron*. L'entretien dialectique a pour fin la recherche de la vérité (à la différence de la dispute éristique qui ne se soucie que de la victoire) et sa règle fondamentale est de ne considérer comme vrai que ce qui est compris et admis par l'interlocuteur (que celui-ci interroge ou réponde) en fonction des raisons données pour justifier chaque énoncé (par opposition aux tours de passe-passe et aux coups de force sophistiques). La douceur « dialectique » mentionnée par Socrate est la conséquence du détachement à l'égard de la victoire, du manque d'agressivité dans la discussion et d'une certaine bienveillance mutuelle puisque l'accord des participants n'est jamais forcé ; pour quelques définitions de la dialectique, voir *République* VII 531e, 534b, *Cratyle* 390c, *Phèdre* 266b-c ; aussi Xénophon, *Mémorables* IV, 6, 15.

53. Deux problèmes de texte se posent ici. En premier lieu, faut-il lire *erōtốmenos*, « l'homme qui est interrogé », leçon de manuscrits reprise par Croiset et Robin ; ou bien *erōtôn* « l'homme qui interroge », en accord avec Thompson, Bluck et Sharples ? Bien qu'il soit souvent préférable de garder le texte des manuscrits, cette dernière possibilité donne un sens meilleur. En effet, dans l'échange actuel entre Ménon et Socrate, c'est Ménon qui interroge et Socrate qui répond. Socrate indique qu'il pourrait laisser Ménon tenter de réfuter sa première définition (donnée en réponse à la question de Ménon : « qu'est-ce qu'une figure ? »), mais précise que ce serait là une façon de faire éristique et non pas dialectique. Par opposition, Socrate souligne le fait que la déontologie dialectique impose de répondre à l'aide de notions que l'interlocuteur connaît parfaitement. Cette interprétation est confirmée par ce qui suit immédiatement, puisqu'on voit Socrate s'assurer que Ménon connaît bien le sens des termes qui serviront pour la seconde définition socratique ; enfin, la règle dialectique évoquée ici, laquelle exige, dans notre interprétation, que le répondant n'utilise que des notions connues de son partenaire, sera de nouveau mentionnée en 79d (cf. Bluck, 246-248) ; on peut voir aussi dans la brève citation de Pindare en 76d (cf. *infra* note 65), une allusion à cette règle.

Le second problème textuel concerne le verbe principal de la

phrase : faut-il lire *prosomologêi* « il reconnaît en plus savoir »
(texte des manuscrits que traduisent Croiset et Sharples 133),
ou *proomologêi* « il reconnaît déjà savoir », correction de Gedike,
reprise par Thompson et Bluck ? Là encore, la correction nous paraît
plus satisfaisante pour le sens (« en plus » ne se rapporterait à rien ;
par ailleurs, on ne dispose pas d'exemple attesté du sens « reconnaître en plus »), puisque Socrate va immédiatement s'assurer que les
termes géométriques dont il souhaite se servir sont déjà bien connus
de Ménon (comme il le répétera en 79d). En faveur de l'autre
interprétation, on peut considérer que Socrate fait ici allusion à une
description standard de l'échange dialectique (où le maître ne se
contente pas de professer et de démontrer une vérité, mais l'établit à
partir de prémisses qu'il reconnaît admettre " en plus ", sans se
contenter de les recevoir de son maître) et ne cherche pas à l'adapter
à la situation particulière. Même si cette interprétation nous paraît
moins bien convenir à la présente situation dialectique, il faut
toutefois souligner que, tout au long de cet entretien, les rôles de
questionneur et de répondant s'échangent à plusieurs reprises entre
Ménon et Socrate.

54. Une réponse affirmative à une question de ce genre suppose
non seulement la reconnaissance du nom signifié, mais aussi celle de
la chose qui correspond à ce nom (en d'autres termes : « dis-tu qu'il
y a quelque chose comme une fin, et emploies-tu le terme *fin* pour la
désigner ? »), cf. *Phèdre* 237c-d. Cette forme de question est reprise
plus loin, en 76a et 88a ; voir aussi *Phédon* 103c, *Cratyle* 399d,
Protagoras 358d.

55. Prodicos de Céos vécut au Ve siècle avant J.-C. Il fut envoyé
par ses compatriotes en ambassade à Athènes, il s'y établit comme
sophiste et gagna beaucoup d'argent par son enseignement (*Hippias
Majeur* 282c). On trouve de nombreuses allusions à lui dans les
dialogues platoniciens : *Cratyle* 384b, *Charmide* 163d, *Lachès* 197d,
Protagoras 314c, 337a, 340a-b, 358a, *Euthydème* 277e (cf. notre
Platon, Euthydème, GF Flammarion, 1989, 192 n. 67). Prodicos
semble s'être fait une spécialité de la distinction entre des termes
ordinairement considérés comme synonymes (ce dont le sophiste
Protagoras était, peut-être aussi, spécialiste, d'après ce que suggè-
rent *Phèdre* 267c et *Cratyle* 291c). Sur l'enseignement rhétorique de
Prodicos, voir *Phèdre* 267b ; sur ses conceptions éthiques et reli-
gieuses, cf. le choix d'Héraclès, rappelé par Xénophon, *Mémorables*
II, 1, 21-34. Socrate reconnaît plus loin (96d) sa dette à l'égard de
Prodicos ; voir *infra* note 295.

En suggérant que Prodicos n'aurait sans doute pas été d'accord,
mais que cela lui est égal, Socrate veut peut-être souligner qu'il
identifie délibérément (cf. la valeur du *pou* que nous traduisons par
« sans doute ») trois termes que les experts en terminologie pouvaient considérer comme distincts.

56. Dans l'expression grecque *allà kalô* (littéralement : « mais
j'appelle »), le *allà* « mais » est elliptique et a valeur d'assentiment
(cf. Denniston 16 ; on pourrait gloser ainsi : « non, je ne fais pas de
distinction, ce qui nous empêcherait de poursuivre, au

contraire... ») ; nous avons donc traduit par « Mais oui, je me sers de ces mots », pour suggérer aussi l'impatience de Ménon quand il se voit donner une leçon de vocabulaire géométrique.

57. Comment comprendre cette définition et, en particulier, réduit-elle la figure à n'être que plane comme la plupart des commentateurs semblent l'admettre (par exemple, Hoerber 96, Thomas 101) ? En fait, rien n'empêche ici de concevoir les solides à la fois comme des solides courbes et des solides à bords droits ; dans le premier cas, la figure peut se comprendre comme la figure courbe du solide (il s'agit alors d'une figure non plane, composée de sections planes), tandis que dans le second cas, elle peut être définie comme le côté ou la base (par exemple, d'un cube ou d'un cylindre ; cette figure est alors plane). Cette interprétation est cohérente avec l'usage antérieur de *stroggulôtēs* (cf. *supra* note 45). S'il est vrai que la limite (*péras*) d'un solide est habituellement la surface (*epipédon*) obtenue lors de la coupe par un plan (la figure, section du solide et face d'un polyèdre, est alors plane), cette limite peut représenter aussi toute la surface extérieure d'un corps rond (dans ce cas, elle est non plane, et s'applique aux solides sensibles autant qu'aux solides géométriques, contre l'objection de Klein 65). Quoi qu'il en soit, c'est bien l'existence du solide qui est présupposée par cette définition des figures planes et non planes (et non pas l'existence des figures non planes qui serait présupposée par ce qui ne serait ici que la définition des figures planes, comme le pense Hoerber 96). Sur ces questions terminologiques, on peut consulter Ch. Mugler, *Dictionnaire historique de la terminologie géométrique des Grecs*, Paris, Klincksieck, 1958-1959.

La qualité de cette deuxième définition socratique tient au fait qu'elle présente une construction de la figure à partir du solide, dont la figure est ontologiquement plus proche qu'elle ne l'est de la couleur. A la mention de ce lien analytique entre solide et figure, il faut ajouter que les solides permettent de rendre compte des surfaces en termes de causes finales, puisque les figures peuvent être considérées comme faites pour achever les solides.

L'origine de cette définition est-elle pythagoricienne, comme le pense Bluck (249), à cause du témoignage d'Aristote qui se réfère de façon critique à des définitions de ce genre, dans deux passages de la *Métaphysique* (N, 3, 1090b5 — où est critiquée la définition de la surface comme limite « réelle » du solide — et Z, 2, 1028b15 — on y trouve une critique de la surface définie comme limite et réalité —), définitions dont on s'accorde à reconnaître l'origine pythagoricienne ? En fait, il semble que, selon les Pythagoriciens, la surface ait été, logiquement et cosmologiquement, antérieure au solide (cf. Sextus Empiricus, *Adversus Mathematicos* X, 281 = KRS 322), ce qui expliquerait qu'Aristote les critique lorsqu'il veut montrer que définir l'antérieur par le postérieur est une erreur (cf. *Topiques* VI, 4, 141b2). S'il est vrai qu'un siècle plus tard, Euclide donnera la définition suivante de la surface : « La surface est la limite du solide » (*stereoû péras epipháneia* : XI, déf. 2), il faut bien préciser que la définition d'Euclide vaut pour la surface (*epipháneia*) et non pas seulement pour la figure (*skêma*). Or il est probable que la définition platonicienne de la figure ne donne ici qu'un cas particulier de la définition plus générale d'Euclide, car elle vaut surtout pour la surface-limite qu'est, par exemple, une face du solide, (un carré pour le cube, un triangle équilatéral pour le tétraèdc) sans nécessairement englober toute la périphérie du solide (les six faces du cube ou les 20 triangles équilatéraux de l'isocaèdre), ce qui en serait la surface à proprement parler, et que vise sans doute la définition d'Euclide, peut-être pas comme surface non plane, mais comme addition de surfaces planes.

58. Quel est le sens du reproche que Socrate adresse ici à Ménon ? d'être impatient d'écouter et de vouloir apprendre sans effort (Bluck 125 n. 2) ? de différer le moment où lui-même devra répondre sur la vertu (Klein 67) ? de ne manifester aucune réciprocité dans l'effort de mémoire ? Le terme *hubristês*, qui désigne un tempérament insolent ou excessif, peut décrire la façon dont Ménon remet en cause les règles de l'entretien dialectique rappelées plus haut par Socrate (cf. *supra* note 52). Dès que Socrate a donné sa réponse sur la figure, Ménon exige de lui une nouvelle définition ayant précisément trait à ce par quoi la précédente définition de Socrate était en défaut. On pourrait presque traduire par « Tu abuses » ou « Tu exagères ».

59. Un jeune homme cesse d'être un *eroúmenos*, « un aimé » pour devenir un amoureux (*erastês*) dès le moment où sa barbe se met à pousser (cf. K. J. Dover, *Greek Homosexuality*, Londres, 1978, 84-87, tr. fr. par S. Saïd, *L'Homosexualité grecque*, Grenoble, La Pensée Sauvage, 1982, 103-116). La remarque de Socrate semble suggérer que Ménon vient juste de subir cette transformation d'aimé à amoureux et que seule sa beauté lui vaut encore d'être l'*eroúmenos* d'amoureux qui, en raison de son âge, auraient dû s'être éloignés de lui (cf. 70b : « ton amant Aristippe »). C'est dire que Ménon, *dramatis personae* du dialogue de Platon, ne saurait avoir plus de dix-huit ou vingt ans, ce qui peut valoir comme indice pour définir la date dramatique du dialogue (cf. *Introduction* 36-37). A l'exception de cette remarque de Socrate, on ne trouve guère de témoignage contemporain sur les amoureux « attardés » de Ménon. Au contraire, Xénophon (*Anabase* II, 6, 28) se montre quelque peu scandalisé par le fait que Ménon, encore imberbe (et devant donc rester dans le statut d' « aimé ») soit devenu l'amoureux (entreprenant) de Tharypas, dont la barbe avait déjà poussé. Est-ce la précocité amoureuse de Ménon que Socrate, de façon antiphrastique, raillerait ici ? Choisissant le parti contraire, et optant pour une compréhension littérale de la remarque socratique, Brague compare ce passage avec le début du *Protagoras* (309a : où Socrate est montré amoureux d'Alcibiade déjà barbu), en suggérant une analogie entre l'amour passif de Ménon et son désir de recevoir la vérité plutôt que de la rechercher (126-130).

60. Sur la tyrannie des jeunes gens aimés, cf. *Gorgias* 481e, *Phèdre* 234b.

61. L'expression utilisée par Socrate, *héttôn tôn kalôn*, évoque l'idée d'une bataille perdue d'avance. C'est d'ailleurs une formule de

même type que Platon emploie pour exprimer le fait que l'homme
faible est dominé par ses passions (cf. *Gorgias* 491d-e). On peut
comprendre *tôn kalôn* de façon plus neutre que nous ne l'avons fait,
en traduisant par « la beauté ». Mais ici Socrate s'adresse à Ménon,
dont il vient de vanter explicitement la beauté, et joue à se compter
au nombre des amoureux du jeune homme. On trouve dans les
dialogues platoniciens de nombreuses allusions à ce goût de Socrate
(cf. *Charmide* 154b-c, 155d, *Lysis* 204b, *Banquet* 216d, *Phèdre* 227c).
De plus, à croire le témoignage de Xénophon (*Banquet* VIII 2 et
Mémorables II, 6, 28), c'était là un trait de caractère du Socrate
historique.

62. Que signifie cette précision *katà Gorgían* ? 1. que Socrate
rapporte les propos de Gorgias ? 2. ou bien qu'il se sert du style
emphatique propre à Gorgias ? 3. ou encore que la définition de la
couleur qu'il va donner n'est « à la manière de Gorgias » que parce
qu'elle emprunte ses notions principales à Empédocle, compatriote
de Gorgias et peut-être son maître (cf. *infra* note 63) ? 4. ou cette
mention n'a-t-elle aucune valeur précise et n'est-elle qu'une façon de
bien disposer Ménon, supposé être un élève de Gorgias, à la
compréhension de la définition que Socrate va énoncer ?

Le manque de sources textuelles et historiques nous amène à
écarter 1., et à reconnaître une probabilité raisonnable à 4. ; les
raisons 2. et 3. sont, par ailleurs, tout à fait vraisemblables, surtout si
l'on rappelle qu'Empédocle, Sicilien comme Gorgias, est dit par
Aristote être l'inventeur de la rhétorique (Diogène Laërce VIII 57).

63. Empédocle (495 ?-435 ?), originaire de la ville d'Agrigente en
Sicile, philosophe dont quelques témoignages, sans doute sujets à
caution, rapportent les allures excentriques et orgueilleuses et dont la
légende veut qu'il se soit donné la mort en se jetant dans l'Etna. Il
aurait joué un rôle important dans sa cité, en s'opposant aux
tentatives de tyrannie, avant d'être exilé. De ses deux ouvrages
principaux (*Katharmoí* « Purifications », *Perì Phúseos* « Sur la
Nature »), 400 vers environ nous sont parvenus. Empédocle aurait
fait de l'Amour et de la Haine, les principes de cohésion et de
division du monde. Récemment, deux ouvrages importants ont été
consacrés à cet auteur : D. O'Brien, *Empedocles' Cosmic Cycle*,
Cambridge, 1969, M. R. Wright, *Empedocles : the Extant Fragments*,
New Haven, 1981 ; voir aussi J. Bollack, *Empédocle*, Paris, Editions
de Minuit, 4 volumes 1965-1969.

A qui s'adresse Socrate lorsqu'il déclare : « Vous dites bien,
suivant Empédocle... » ? Ce pluriel inclut sans doute Ménon,
Gorgias et peut-être les disciples de Gorgias (sans doute les disciples
thessaliens, dont Aristippe). Est-ce une façon de rappeler les liens
entre Empédocle et Gorgias, voire le fait que Gorgias aurait été le
disciple d'Empédocle (cf. Diogène Laërce VIII, 58, qui cite Satyros
— lequel ajoute même que Gorgias aurait fréquenté Empédocle au
temps où celui-ci faisait de la magie : DK 31 A1 —, Olympiodore, *In
Gorgiam* proem. 9, p. 8.2-3 Westerink ; *Souda s.v. Gorgías* (n° 338,
t. 1, p. 535, 24-5, Adler ; Quintilien III, 1, 8) ? Il semble en revanche
plus assuré que Gorgias et Empédocle aient été plus ou moins

contemporains (même si l'affirmation de Diogène Laërce, suivant sans doute Apollodore, selon laquelle ils auraient eu leur *akmé* à la 84ᵉ Olympiade, vers 444 av. J.-C., paraît sujette à caution ; cf. KRS 281), et du reste rien n'empêche que, sans avoir été son disciple, Gorgias ait été influencé par les théories d'Empédocle dont le style l'avait séduit — avec le fait qu'il s'agit d'un compatriote.

64. Empédocle était également « médecin » (DK 31 A1, 13), et la physiologie de la perception que Platon lui attribue ici est confirmée par le témoignage de Théophraste (*De sensu* 7 = DK 31 A86 : « Empédocle parle de la même façon à propos de tous (les sens) et dit que nous percevons par le moyen d'une chose qui s'adapte (*enharmót-tein* : un mot de même racine que celui que Platon utilise) aux pores de chaque (sens). C'est pourquoi un sens ne peut juger des objets (d'un autre sens) ; car les pores de certains (sens) sont trop larges et ceux d'autres (sens) trop étroits relativement à la chose perçue, de telle sorte que certaines de ces choses passent à travers sans rien toucher, tandis que d'autres ne peuvent pas entrer du tout »). Théophraste reprend ensuite des passages du *De sensu* d'Aristote (surtout 2, 437b32) qu'il interprète, non pas comme donnant l'explication de la vision, mais comme exposant la structure de l'œil.

Il faut noter que les fragments d'Empédocle dont nous disposons ne mentionnent pas les « pores », mais contiennent une référence aux « effluves » *aporrhoaí* (« sachant qu'il y a des effluves de chaque chose venant à l'existence » : DK 31 B89, et aussi DK 31 B101 ; cf. également Aristote, *De la Génération et de la Corruption* 324b26, Pseudo-Plutarque, *De Placitis Philosophorum* IV, 9). Ces effluves viennent donc à tous les sens et rien n'indique qu'ils soient semblables à ce dont ils viennent ; ainsi, l'*aporrhoè* pour la vue serait la lumière (Philippon, DK 31 A57) ou peut-être la couleur (*De sensu* 7 et 9). Sur le rapport avec les *deíkela* (représentations, images) de Démocrite, la description du mécanisme physique de la perception et les critiques qu'on peut lui adresser, cf. J. Barnes, *The Presocratics Philosophers*, Londres, Routledge and Kegan, 1979, 1982 (2ᵉ éd.), 480-484. Voir aussi D. O'Brien, « The Effect of a Simile : Empedocles' Theories of Seeing and Breathing », *Journal of Hellenic Studies*, 90, 1970, 140-80, et W. J. Verdenius, « Empedocles' Doctrine of Sight », *Studia Carolo Gugliemo Vollgraf Oblata*, Amsterdam, 1948.

65. Poète grec (518 ?-438 ?), originaire de Thèbes. Cette expression de Pindare (fg. 82 Bergk = 94 Bowra) se trouve au début d'un hyporchème, chant lyrique accompagné de danse, adressé à Hiéron, tyran de Syracuse, et par lequel Pindare demande à Hiéron d'attribuer un chariot à un certain Straton. Ces mots sont également cités dans le *Phèdre* 236d, et par Aristophane dans les *Oiseaux* 945 (où un mendiant s'en sert pour faire comprendre qu'il veut un manteau en plus de l'aumône qui lui a été donnée ; Klein, 68 n. 40, va jusqu'à affirmer que c'est à ce vers d'Aristophane, et non pas au fragment de Pindare, que se réfère ici Platon). Rien ne semble justifier cette citation, sinon le fait qu'elle s'accorde au ton un peu grandiloquent du passage et contribue à reformuler l'exigence selon

laquelle celui qui interroge doit parfaitement comprendre les éléments de la réponse qui lui est donnée.

66. Empédocle semble avoir eu en effet une conception de la vue très proche de celle sur laquelle s'appuie ici Socrate pour donner sa définition de la couleur (DK 31 B89, Théophraste, *De sensu* 7, DK 31 A86 ; et Barnes, *op. cit.* note 64, 482 : pour que la vision se produise, il faut qu'un effluve entre dans un pore de l'œil en s'y adaptant ; il doit être de la même taille et de la même forme que le pore, mais il doit être aussi homogène à la matière du pore : DK 31 A86, B109 ; sur la critique de cette dernière exigence de similitude, Théophraste, *De sensu* 15). Il faut noter aussi que les explications que Platon donne de la vue dans *Théétète* 153d, 156d-e, *Timée* 45e (cf. Barnes 639 n. 13) et *Phèdre* 251b, quoique reprenant le type général d'explication attribué ici à Empédocle, ne peuvent y être assimilées.

Mais si la conception empédocléenne de la *vision* semble être supposée par la définition que Socrate donne de la couleur, il n'est cependant pas absolument assuré que la définition de la *couleur* que Socrate propose ici soit d'Empédocle. Il est vrai que certains commentateurs la lui attribuent (Cf. J. Burnet, *Early Greek Philosophy* 248-9, tr. fr. *L'Aurore de la philosophie grecque*, Paris, Payot, 1970, 281-285), mais Socrate dit seulement parler « comme Gorgias », et non pas citer Gorgias répétant Empédocle. En revanche, la définition platonicienne de la couleur donnée dans le *Timée* 67c est voisine de celle proposée ici (cf. « la couleur est une flamme qui est comme un effluve issu de chacun des corps avec des particules proportionnées à la vue qui produisent la sensation »), même si elle en diffère en ceci que, dans le *Ménon*, Platon parle d'effluves composés de figures (*skhēmáta*) et non pas de particules corporelles : est-ce pour se tenir à la règle de n'utiliser dans une nouvelle définition que des termes déjà connus qu'il emploie ainsi le terme *skhêma* qui vient d'être défini ? est-ce pour exprimer plus rigoureusement que ne l'a fait Empédocle, la nécessité que les effluves s'adaptent exactement aux pores ?

Par ailleurs, Empédocle semble avoir expliqué, comme le précisera Socrate dans la réplique suivante, de nombreux autres phénomènes (« la voix, l'odorat, et beaucoup d'autres choses du même genre ») selon le même principe : les effluves venus des objets s'adaptent aux différents pores qui caractérisent chaque sens. Dans la théorie d'Empédocle, les effluves et les pores sont des principes généraux de physique, non pas des principes spéciaux de psychologie. Certes, ils permettent une description psychologique et donnent les conditions matérielles de la perception des couleurs, mais sans expliquer ce qu'est la perception ; sur le caractère de cette définition, cf. *Introduction* 61-62.

67. *Tragikḗ*, dit le grec, ce qui se réfère sans doute à la tragédie, mais avec quelle intention ? Les commentateurs interprètent cela de quatre façons. 1. Soit en y voyant une référence au style dans lequel a été donnée la définition de la couleur (il faut alors traduire par « grandiose » ou « grandiloquent », voire « inspiré » ; cf. *République* VIII 545e). 2. Soit en y retrouvant la suggestion d'un caractère

mythique qui appartiendrait à toute tentative de définir une qualité sensible comme la couleur à l'aide d'une physiologie mécaniste (E. Grimal, d'après *Phédon* 99d ; pour la critique de cette vue, cf. Bluck, 1961, 289-293, surtout 291-293, qui souligne que : a) la couleur n'est pas traitée ici de façon si différente de la figure pour ne recevoir qu'une explication mythique, alors que la figure est définie mathématiquement ; b) la qualification *tragikē* explique l'appréciation de Ménon, et non pas les raisons que Socrate a de juger négativement sa propre explication de la couleur). 3. Soit encore en y voyant une référence directe aux pratiques de la tragédie ; il faudrait donc traduire par « théâtral » pour indiquer que Socrate parle ici en tenant le masque de Gorgias (F. A. Wright 31). 4. Soit enfin en retenant du terme *tragikē* (qui vient de *trágos*, le bouc) l'alliance de deux natures différentes (homme et bête), qui lui aurait laissé un sens de « à double entente », « énigmatique » (T. Rosenmeyer 226-7, d'après *Cratyle* 408c ; et critique dans Bluck 1961, 293-294).

Nous retiendrons essentiellement l'interprétation 1. qui s'appuie sur un des sens attestés de *tragikós* chez Platon (*Cratyle* 414c, 418d, *République* II 413b) et ailleurs (Aristophane *La Paix* 136, Aristote *Rhétorique* III, 3, 1406b8 qui donne comme exemple de *tragikós* l'effet produit par une métaphore de Gorgias) ; cet adjectif se réfère sans doute au style de Gorgias (souvent critiqué par Platon : *Banquet* 198c, sans doute *Gorgias* 467b ; et aussi Xénophon, *Banquet* 2, 26) mais surtout au style et à la pensée d'Empédocle dont la manière poétique est reconnue par Aristote (*Poétique* 1, 1447b16) et dont Diogène Laërce rappelle le *tragikós tûphos*, « enflure tragique » (VIII, 70, imité sans doute d'Anaximandre ; n'oublions pas qu'Empédocle et Gorgias sont tous deux siciliens). L'idée implicite, que n'exclut aucunement l'interprétation 1., serait que le style et la pensée d'Empédocle, auxquels Gorgias a sans doute beaucoup emprunté, correspondent assez bien au style de la tragédie ; un exemple de cela pourrait être le fait que si le mot *aporrhoē* se trouve dans les fragments qui nous restent d'Empédocle (cf. DK 31 B 89 et Bollack, t. IV, p. 496), par ailleurs, sa seule occurrence attestée antérieure au *Ménon* se rencontre dans l'*Hélène* d'Euripide (1587).

Enfin, l'expression de Socrate « ma réponse a quelque chose de tragique » commente les deux raisons que Ménon a d'être content de cette dernière réponse socratique (d'une part, cette définition est conforme à ses habitudes ; d'autre part, elle s'applique à beaucoup d'autres choses comme la voix et l'odorat). Il se peut donc que par cette qualification de « tragique » Socrate qualifie aussi l'insuffisance de sa propre définition à la fois trop dépendante d'une théorie particulière de la perception (qui, si elle était réfutée, rendrait caduque la définition de la couleur) et trop générale parce qu'elle vaut pour beaucoup d'autres phénomènes. Cela dit, et indépendamment de l'hypothèse qu'est la théorie non prouvée d'Empédocle, cette définition de la couleur est une définition physique.

68. Sur Alexidème, le père de Ménon, nous ne savons presque rien ; cf. *Introduction* 18-19. La forme de cette adresse est en tout cas

solennelle (dans le style « tragique » dont Socrate vient de souligner la présence) et destinée à impressionner.

69. A quoi Socrate se réfère-t-il exactement ? A la première définition qu'il a donnée de la figure ou bien à la seconde ? La qualité essentielle de la première définition était de nous faire intuitivement saisir ce qu'est une figure et, par la couleur, d'expliquer comment nous percevons la forme. Tandis que la seconde définition aurait l'avantage de refléter un ordre de dépendance ontologique entre les solides et les figures (planes et non planes) et fournirait ainsi une définition fonctionnelle et finale de la figure. Il est certain que la présente définition de la couleur donne les conditions physiologiques de la perception de la couleur, mais non pas sa raison d'être (ce que fait, au contraire, le *lógos*, mentionné en *Phédon* 97e). La plupart des commentateurs estime que la préférence de Socrate va à la seconde définition de la figure (Bluck 254, Sharples 137) dont on retrouvera une formulation voisine chez Euclide (XI, 2).

70. Ménon a déjà indiqué qu'il rentrerait bientôt chez lui, en Thessalie (cf. 71c), ce qu'il projette de faire sans doute après avoir quitté l'expédition de Cyrus, où il devait en fait trouver la mort. A quels Mystères Socrate fait-il ici allusion ? A des Mystères religieux, comme ceux d'Eleusis ? ou bien aux Mystères plus philosophiques de la composition des définitions ? Ou encore, à l'initiation philosophique qui passerait en partie par l'initiation mathématique ? Sur la comparaison entre les Mystères et l'initiation philosophique chez Platon, voir *Banquet* 209e, *Gorgias* 497c, *Euthydème* 277e, *République* VIII 560e, *Phédon* 69c, 81a, et *Phèdre* 249c, 250b-c. Bien que cette allusion soit pour Socrate un moyen de se référer à la réalité d'une initiation philosophique, rien n'empêche que son sens manifeste ne soit historiquement exact, les Mystères étant assez largement fréquentés, et fournisse une indication sur la date dramatique du dialogue (les Petits Mystères avaient lieu en février, et ils permettaient d'accéder aux Grands, qui avaient lieu en septembre ; cf. *Introduction* 37.)

71. *Katà hólou*, dit ici Socrate. On trouve rarement cette expression chez Platon (cf. *Timée* 40a, 55e, et *République* II 392e). Ce passage est sans doute un précédent à l'usage aristotélicien de la même formule qui deviendra, écrite en un seul mot, *kathólou*, un des termes techniques les plus utilisés par Aristote pour désigner l'universel.

72. On croit trouver une référence à quelque chose de similaire en *République* IV 422e (qui ferait, semble-t-il, aussi allusion à un jeu, dont le but était de constituer une combinaison invulnérable de pions, toujours menacée d'être défaite).

73. S'il était possible d'identifier et de reconstituer le vers cité par Ménon (« se réjouir des belles choses et être puissant »), la définition que le jeune homme donne de la vertu s'en trouverait éclairée. En particulier le sens des « belles choses » (*kalá*), dont la beauté n'est sans doute ni esthétique ni morale mais dépend d'une valorisation sociale et culturelle. Par ailleurs, l'expression « se réjouir des belles choses » suppose-t-elle la possession des « belles choses », ou

désigne-t-elle seulement le désir de ces choses même si celles-ci restent hors d'atteinte (cf. Brague 132) ? Enfin, avec l'expression « être puissant » (*dúnasthai*) le poète pense sans doute au pouvoir politique (dans ce cas *dúnasthai* est employé sans complément ; cf. *Gorgias* 466b, *Hippias Majeur* 295e-296c). Il est probable que Ménon donne une interprétation personnelle, quoique probablement commune, des vers qu'il cite, lorsqu'il glose « être puissant » par l'expression « pouvoir de se procurer (des belles choses) » (cf. 78c ; et sur le rapport entre le pouvoir et la capacité de se procurer des biens, cf. *Gorgias* 492a-b).

A quel poète Ménon se réfère-t-il ? Puisqu'il n'éprouve pas le besoin de l'identifier, on serait induit à penser que le poète ou la formule citée sont très connus. Le contenu de la pensée exprimée ici ne suggère en fait aucune attribution (on trouve des formules proches chez Pindare, *Olympiques* I, 103-5, *Pythiques* 11, 50-1, et Theognis I 695-6). Dans la mesure où Ménon le cite, peut-être s'agit-il d'un poète apprécié en Thessalie, dont Ménon est originaire. Thompson (100) a suggéré le nom de Simonide, poète lyrique grec (556?-467?), qui avait séjourné en Thessalie et entretenait, semble t il, de bonnes relations avec les Thessaliens (les quelques vers de Simonide commentés dans le *Protagoras* (339a-b) sont adressés à un prince de Thessalie).

Citer la définition d'un poète pour appuyer leurs propos est une attitude assez fréquente chez les interlocuteurs de Socrate (par exemple : *Gorgias* 484b-c, où Calliclès cite Pindare, assez inexactement du reste, pour illustrer sa conception du droit du plus fort). Cette façon de faire est critiquée par Socrate (*Protagoras* 347c-e, *Hippias Mineur* 365c-d), qui en montre la vanité en proposant souvent à son tour une interprétation très libre des vers que ses interlocuteurs proposent en guise de réponse (cf. *Protagoras* 342a, *Lachès* 191b, *Lysis* 212e), pour montrer ainsi que ces vers peuvent aussi bien dire le contraire de ce qu'on leur fait dire. Mais que Ménon recoure ici à une citation poétique n'a rien d'étonnant. C'est un des traits de sa personnalité dramatique que d'avoir besoin de se référer souvent à une autorité, celle de son maître Gorgias ou celle d'un poète (cf. Klein 71-73). Mais il se peut aussi que les méthodes d'enseignement de Gorgias dont Ménon a été l'élève aient en partie consisté à faire apprendre par cœur des formules (cf. Aristote, *Réfutations sophistiques*, 34 183b37-a38, C. Natali, « Aristote et les méthodes d'enseignement de Gorgias », *Positions de la sophistique*, éd. B. Cassin, Paris, Vrin, 1986, 105-116). Aussi la réponse que Platon prête à Ménon rappellerait-elle cette caractéristique historique de l'enseignement de Gorgias.

74. C'est la première substitution à laquelle procède Socrate (« les bonnes choses », *agathá*, au lieu des « belles choses », *kalá*), substitution qui efface toute connotation poétique du terme *kalá* (cf. *Protagoras* 351c, *Alcibiade* 115a-116a). Cette substitution prépare l'argument socratique, selon lequel le désir ne peut avoir un autre objet que le bien ; « les bonnes choses » seront ainsi comprises comme « les choses avantageuses », tandis que le mal sera rendu

équivalent à ce qui fait du tort. Une telle substitution de termes se retrouve dans les dialogues platoniciens : parfois beau et utile sont présentés comme synonymes (cf. *Protagoras* 358b, *Gorgias* 468c, 477a) et distingués de l'agréable (*Gorgias* 474e) ; mais d'autres passages soulignent un rapport de dépendance entre l'utile et le bien (*Protagoras* 333d-e, *Euthydème* 280b, *Gorgias* 499d, *République* II 379b, X 608e, *Hippias Majeur* 296e, 303e). Cette mise en rapport étroite de l'utile et du bien semble remonter au Socrate historique : Xénophon, *Mémorables* IV, 6, 8.

75. Deux remarques au sujet de cette réplique. 1. A partir d'ici, nous substituons « le bien » aux « bonnes choses », et traduisons *tà kaká* par « le mal ». 2. L'affirmation selon laquelle tous les hommes désirent les bonnes choses est présentée parfois comme une évidence (cf. *Euthydème* 278e, *Banquet* 205a).

76. Nous adoptons la correction de Buttmann et de Bluck (258 : le pronom réfléchi *hautôi* au lieu de *autôi*), qu'on peut traduire par « lui arrive à lui (celui qui le désire) » ou « lui appartienne » ; cette lecture annonce la mention du fait, à première vue paradoxal, que c'est au sujet qui désire le mal que le mal arrive (sur ce point, cf. *infra* note 77). Il est fréquent de voir le désir défini, dans les textes platoniciens, comme désir que l'objet du désir arrive au sujet ou l'affecte (cf. *Banquet* 204d-e, et *République* IV 437c).

77. Le critère de l'utilité (« être bénéfique ») est souvent employé par Platon pour spécifier le bien. La signification morale abstraite du bien (*agathón*) et du mal (*kakón*) sera éclipsée par les équivalents plus concrets « ce qui est un bienfait », « ce qui fait du tort ». La démonstration socratique acquiert de ce fait un certain caractère d'évidence : les personnes qui désirent le mal ne peuvent désirer qu'un tel mal leur porte réellement tort, ce n'est donc pas le mal qu'elles désirent, mais un mal qu'elles prennent à tort pour un bien. En bref, le mal ne peut être désiré dès l'instant qu'on sait qu'il nuit.

Mais si « désirer le mal » est équivalent, dans ce passage du *Ménon*, à « désirer le mal pour soi », cette expression signifie, dans l'acception ordinaire, tout le contraire, à savoir : « désirer pour autrui un mal qui sera avantageux pour soi ». En fait, Socrate ne précise pas ici si ce désir du mal fait tort au sujet qui le désire ou à sa « victime ». Il semble donc que l'argument puisse s'interpréter de deux façons différentes. 1. Soit on comprend que désirer le mal, c'est désirer qu'un mal arrive à autrui (c'est l'interprétation la plus immédiate de la formule), et que telle est la raison pour laquelle on ne peut pas désirer le mal (cette conclusion est assez improbable et peu persuasive) ; 2. soit on admet que désirer le mal, c'est désirer qu'un mal arrive à soi-même qui le désire (interprétation paradoxale et beaucoup moins évidente que la précédente), ce qui est la raison pour laquelle personne ne désire le mal (si on admet la prémisse de cette seconde interprétation, la conclusion sera, en revanche, facilement acceptée). Dans l'interprétation 1. la prémisse est triviale et la conclusion paradoxale ; dans l'interprétation 2. si on admet que, quoique paradoxale, la prémisse n'en est pas moins vraie, la conclusion va de soi. Or, à la question : « désirer le mal, est-ce désirer qu'un mal arrive ? », Ménon répond aussitôt « Oui », car il adopte l'interprétation 1. selon laquelle le mal en question nuit à la victime mais est avantageux au sujet qui désire qu'un tel mal arrive. Mais Socrate semble étendre cet acquiescement de Ménon à la prémisse qui figure dans l'interprétation 2. et obliger ainsi Ménon à conclure qu'il est impossible de désirer le mal.

Notons que dans les deux interprétations proposées, le prédicat « mal » est relationnel (rapporté soit au sujet du désir, soit à sa victime), tandis que la conclusion que Platon veut établir vaudrait pour un point de vue, disons, objectiviste, extérieur au sujet comme à sa victime et qui se rapporterait à une perspective proprement morale.

78. Ils désirent un mal en le prenant pour un bien : en d'autres termes, ils reconnaissent l'objet de leur désir comme étant un bien (apparent), même s'il s'agit en réalité d'un mal et non pas d'un bien. Cette opposition entre bien apparent et bien réel se retrouve souvent chez Platon (*Protagoras* 353c, et surtout *Gorgias* 467a-468e, où Socrate montre que l'objet du vouloir étant le bien réel, et celui du désir étant le bien apparent, le tyran — qui ignore que, dans la nature des choses, bien apparent et bien réel ne coïncident pas — ne peut pas *vouloir* ce qu'il *désire ;* sur ce passage, cf. G. Vlastos, « Docs Socrates cheat ? », *Socrates,* cité *supra* note 22, 1991. Il serait tentant de proposer une reformulation logique de ce genre de difficultés. Soit l'énoncé : « je veux A » ; du fait de la présence du verbe « vouloir », cet énoncé est qualifié de « contexte opaque ou intentionnel » ; par ailleurs, A est doté d'un contenu représentationnel. Tout objet B (avec un contenu représentationnel apparemment équivalent à celui de A) peut donc se substituer à A et donner lieu à une expression bien formée, mais si « vouloir » signifie à proprement parler « vouloir A » (A étant un objet spécifique et unique qui seul donne son sens au fait de vouloir), toute substitution d'un objet quelconque à cet objet spécifique donne lieu à de nombreux paradoxes.

79. Le terme *kakodaímōn* utilisé ici peut vouloir dire « tourmenté par un mauvais génie », « damné », mais signifie plus probablement ici « infortuné, malheureux » (puisque c'est l'opposé de *eudaímōn,* « heureux »), même si rien n'exclut que Socrate donne à ce terme son sens le plus fort pour rendre effroyable la conséquence qui résulte de cette substitution de termes ; par ailleurs, le terme *athlios* (« misérable »), également employé ici, sert souvent à désigner la misère de l'homme vicieux (cf. *Gorgias* 469a, 507c).

80. « Etre comme cela » (*toioûtos*), c'est-à-dire misérable et malheureux. Socrate établit donc ici, en conclusion de son raisonnement, une équivalence entre « désirer le mal » et « vouloir être misérable et malheureux ». Or si Ménon admet l'impossibilité de ce dernier vouloir, il doit reconnaître l'absurdité du désir du mal. Le lien entre la prémisse (désirer le mal) et la conclusion (vouloir être misérable) est construit de façon régressive : toutes les conditions dont dépend la prémisse étant explicitées l'une après l'autre (« désirer le mal, c'est désirer A », or « désirer A, c'est vouloir B », etc.). Une telle procédure est souvent utilisée dans les dialogues platoni-

ciens, cf. *Gorgias* 474c-479e, *Euthydème* 281b-c, *Hippias Mineur* 365d-e.

En s'appuyant sur *Gorgias* 466b-468e (texte cité *supra* note précédente), Croiset (246) remarque que dans ces dernières répliques *boúlesthai* (vouloir) est substitué à *epithumeîn* (désirer) parce que si on peut *désirer* le bien ou le mal, en revanche on ne peut que *vouloir* le bien. Mais il semble que, dans le *Ménon*, Platon identifie désirer et vouloir en ne leur reconnaissant qu'un seul objet possible : le bien, que ce bien soit apparent ou réel. Peut-être faudrait-il introduire la distinction *de re/de dicto*, pour comprendre comment l'un et l'autre verbes peuvent être employés avec un objet qu'ils ne peuvent réellement avoir (par exemple, l'objet « mal » pour le « vouloir ») : car si le désir (ou le vouloir) du mal est impossible *de dicto* (dans la mesure où le vouloir peut se représenter au sujet seulement comme se rapportant au bien), il est en revanche, possible *de re* (le tyran peut désirer le mal) ; le rapprochement avec le texte du *Gorgias*, qui traite de la distinction entre désirer la fin et désirer les moyens d'obtenir cette fin, paraît donc inapproprié.

81. La conclusion de Socrate à laquelle Ménon acquiesce ici est traditionnellement désignée comme la conception socratique selon laquelle nul ne fait le mal volontairement, c'est-à-dire en sachant que c'est le mal et alors qu'il peut éviter de le faire. Cette conception implique donc l'identification de la vertu et de la connaissance, vue qui semble avoir été exposée par le Socrate historique (cf. Xénophon, *Mémorables* III, 9, 4, IV, 6, 6), et qui se retrouve dans les dialogues de Platon (*cf. Apologie de Socrate* 26a, *Protagoras* 345d-e, 357c-e, 358c-d, *Gorgias* 467a-468c, 509e, *République* II 358c-366c-d, IX 589c, *Sophiste* 230a, *Timée* 86d-e). Une telle conception a également suscité les critiques d'Aristote : *Métaphysique*, Δ, 29, 1025a9, et *Ethique à Nicomaque* VII, 3, 1145b24-32, VII, 5, 1147b15 ; cf. *Introduction* 43-44.

Sur la question des paradoxes socratiques, voir la bibliographie donnée dans *Platon, Gorgias* (cité *supra* note 11) 115-116, à laquelle il faut ajouter T. Irwin, *Plato's Moral Theory*, Oxford, Oxford University Press, 1977, 116-126.

Enfin, remarquons que Platon omet de considérer deux cas : a) celui de l'individu qui désire que le mal lui arrive à lui-même, dans l'idée par exemple qu'un plus grand bien en résultera pour autrui ou pour l'ensemble de l'humanité, celle-ci étant abstraitement définie ; il se peut du reste que ce point de vue altruiste ou utilitariste abstrait soit improbable dans l'Antiquité grecque ; b) celui de l'individu qui désire le mal pour le mal, en toute connaissance de cause et quelles qu'en soient les conséquences désavantageuses pour lui-même, mais ce dernier cas représente peut-être une impossibilité psychologique ; Platon l'exclut de façon analytique en faisant du bien l'objet propre du vouloir.

82. L'expression ici utilisée, « si dans ta formule, dans la définition que tu donnes » (*toútou lekhthéntos*), se trouve dans presque tous les manuscrits et peut se rendre avec des valeurs diverses (« avec ce qu'on a dit » ou « bien qu'il ait été dit »);

cependant, certains éditeurs du dialogue (Ast, Burnet, Croiset) ont choisi de lire *toû lekhthéntos*. Rien n'impose cette correction, nous avons donc gardé le texte des manuscrits.

83. Socrate a beaucoup épuré la définition donnée par Ménon en 77b, puisque la formulation « le désir des belles choses avec le pouvoir de se les procurer », une fois éliminée la clause superflue (« désirer les belles choses » ou « désirer le bien »), est simplement devenue « la puissance de se procurer les biens », ce qui confirme l'exclusion du sens politique qu'avait sans doute, dans la citation poétique de Ménon, le terme *dúnasthai*, « pouvoir » (cf. *supra* note 73).

84. La santé est citée ici comme le représentant des biens corporels et la richesse comme celui des biens externes ; ce sont les deux réalités le plus fréquemment citées dans toute énumération des biens chez Platon (par exemple : *Gorgias* 452a-c).

85. Pour Ménon, les biens externes ne se limitent pas à la richesse (sans doute la richesse foncière, dans la question de Socrate), mais comprennent aussi la richesse monétaire, les honneurs et les charges politiques (cf. *République* IX 583a, *Phédon* 68c, 82c, *Apologie de Socrate* 29d-e). On remarquera que Ménon ne semble pas admettre d'autres biens que les biens corporels et externes.

86. Le Grand Roi, c'est-à-dire le roi de Perse (cf. *Apologie de Socrate* 40d, *Euthydème* 274a, *Gorgias* 470e). En désignant Ménon comme hôte héréditaire du Grand Roi « par son père », Socrate indiquerait que les ancêtres paternels de Ménon ont conclu un pacte d'amitié, peut-être avec Xerxès (le roi de Perse qui fut à l'origine de la seconde guerre médique) après que celui-ci a envahi la Grèce, rejoignant ainsi la politique pro-perse de l'ensemble de la Thessalie, en dépit de leur possible opposition initiale à cette politique. Ce lien d'amitié, conclu sans doute entre le grand-père de Ménon, Ménon de Pharsale, et le royaume de Perse n'engageait sans doute pas notre Ménon au point qu'il se considérât lui-même comme un traître en aidant Cyrus contre le roi de Perse (même si Xénophon souligne que Ménon était davantage l'ami d'Ariée que celui de Cyrus). Pour les détails de la politique pro- ou antiperse de la Thessalie, voir *Introduction* 19-20 et *Annexe* II.

87. Socrate emploie ici le terme *póros* (que nous avons traduit par « moyen de se procurer ») qui signifie en général « moyen, expédient, issue » et appartient à la même famille que le verbe *porízesthai* (« se procurer ») et que le terme *aporía* (ou « pauvreté, absence de moyen, manque de moyen à se procurer », mais aussi : embarras, impossibilité de répondre, cette gêne intellectuelle par laquelle s'achèvent de nombreux entretiens dialectiques et que Ménon dit éprouver plusieurs fois dans le *Ménon* pour exprimer son incapacité à répondre aux questions de Socrate : voir Bluck 263). Notons aussi que c'est le même terme *póros* qui servait à Socrate, dans l'emprunt fait plus haut à la théorie d'Empédocle, pour désigner les pores des corps par lesquels passent les effluves. A la fin de la réplique, nous acceptons la correction *autó* (cet acte) au lieu du *autá* (ces biens) des manuscrits.

88. Pour la troisième fois (73a, 73d) Socrate aura donc rappelé à

Ménon les exigences de la moralité dans la définition de la vertu. Notons ici la mention explicite de la piété (traitée cette fois-ci comme une vertu différente de la justice, cf. *supra* note 42). Sur la tempérance, voir *supra* note 34.

89. On est donc passé du verbe *porízesthai* (dans la définition de Ménon) au mot concret *póros* (« moyen de se procurer »), puis à *aporía* (« manque de moyen à se procurer ») ; mais si la vertu n'est due qu'à un manque de moyens, l'argument tombe à plat ; il faut donc traduire : « ce renoncement à user des moyens de se le procurer ». Développant la définition de la vertu proposée par Ménon, Socrate souligne que si la vertu était le moyen de se procurer (*póros*) des biens, alors ce « moyen » ne serait pas plus vertueux que « le renoncement à user de ces moyens » (*aporía*) pour s'en procurer, quand moyen et renoncement aux moyens ne sont pas accompagnés de vertu. Il est clair que la parenté sémantique entre ces différents termes soutient la stratégie de l'argument.

90. Certains éditeurs du dialogue (dont Burnet, Croiset et Robin) attribuent ces mots à Socrate, comme une question rhétorique où celui-ci s'interrogerait sur le sens de ce qu'il vient de dire. Comme on ne peut se fier aux manuscrits pour la distribution des répliques, nous préférons suivre Schleiermacher, Thompson et Bluck qui donnent ces mots à Ménon. En effet, l'interruption de Ménon se comprend comme la première manifestation d'une impatience grandissante qui s'exprimera clairement en 79e. Par ailleurs, Socrate ne s'interrompt et ne s'interroge lui-même que lorsqu'il vient de dire quelque chose qui est apparemment sans aucun rapport avec ce qui précède (cf. 97e).

91. Il est clair que c'est ici le fait que Ménon définisse (mal) la vertu à l'aide de la vertu qui devrait lui imposer de reprendre son investigation depuis le début.

92. Nous traduisons ainsi l'expression grecque *prìn kaì*, en suivant Bluck (267) et Verdenius 1957, 293.

93. La réaction de Ménon peut s'expliquer par le fait qu'humilié par sa propre incapacité à répondre, il veuille reprendre l'initiative de l'entretien en s'adressant à Socrate (pour une attitude comparable chez les interlocuteurs de Socrate : *Théétète* 148e, *Gorgias* 522b, *Euthyphron* 11b).

94. *To eîdos*, dit Ménon, en employant ce terme dans son sens courant (cf. *supra* note 29) de « forme extérieure », ce qui se réfère sans doute au visage de Socrate. L'adjectif *platús*, utilisé ici, qui signifie « plat », semble surtout décrire le nez de Socrate, et correspond sans doute à la *simotês* (aspect d'un nez camus, c'est-à-dire épaté et sans doute aussi retroussé) qui est attribuée à ce même nez dans le *Théétète* (143e). Sur les comparaisons que suscite la physionomie de Socrate, cf. la description d'Alcibiade qui compare Socrate à Silène ou au satyre Marsyas, cf. *Banquet* 215a-b ; sur le physique de Socrate, cf. Xénophon, *Banquet* IV, 19.

95. Ce poisson (*raia torpedo* ou *torpedo marmorata*) est de l'espèce des sélaciens (ou poissons cartilagineux dont font également partie les requins) ; il ressemble aux raies par son corps relativement plat

dont la forme est celle d'un large losange ; sa queue est courte et il possède à la base de la tête des organes capables de produire une décharge électrique. C'est à la décharge de cet animal (produite par deux « batteries » placées sous chaque nageoire pectorale et contrôlées par des nerfs) que se réfère Ménon. Le choc électrique causé par le poisson (qui peut s'enterrer dans le sable en eau peu profonde) est un moyen de défense efficace puisqu'il peut paralyser, semble-t-il, un homme adulte qui marcherait dessus par mégarde.

Cette « raie torpille », ou « torpille », est décrite par Aristote, *Histoire des Animaux* IX, 37, 620b19-20, Pline, *Histoire naturelle* XXXII, 2, et mentionnée par Aristophane, *Guêpes* 713 ; elle se trouve également représentée sur de nombreux vases grecs. C'était un poisson dont on consommait couramment la chair (cf. Athénée, VII, 314b-d). Galien rappelle aussi l'usage médical de ce poisson puisqu'il servait à administrer une forme rudimentaire d' « électrochocs » supposés guérir principalement le mal de tête et la goutte (Cf. *Simpl. Med.* 11,48 vol. 12 p. 365 Kuhn). Il est possible que Platon, ayant connaissance d'un tel usage, compare implicitement la discussion dialectique à laquelle Socrate tente de soumettre Ménon au traitement (dialectique également) du mal de tête que Socrate propose à Charmide dans le *Charmide* 155b-157c).

Pour évoquer dans la traduction de la parenté sémantique entre *nárkē* (« la raie torpille ») et *narkân*, nous avons traduit ce dernier terme principalement par « mettre dans un état de torpeur », ou encore « être engourdi ».

96. Trois fois consécutives, les réponses de Ménon ont été réfutées par Socrate ; or les règles implicites du combat dialectique font la victoire acquise après trois assauts victorieux (cf. *Euthydème* 277d, et *Platon, Euthydème* — citée *supra* note 55 — p. 191 note 60). L'aporie (l'embarras ou gêne) à laquelle Ménon est réduit contraste avec son assurance initiale et représente peut-être le préalable à l'acquisition d'une connaissance plus réelle. Semblables aveux d'embarras sont faits aussi par Euthyphron (*Euthyphron* 11b) et par Théétète (*Théétète* 148e, après quoi Socrate se compare à une sage-femme capable d'éveiller ou d'apaiser les douleurs et les gênes d'un futur enfantement). Mais dans le *Ménon*, c'est Ménon, et non pas Socrate, qui se sert d'une comparaison pour expliquer le trouble produit par Socrate sur ses interlocuteurs. Sur la faculté qu'a Socrate de mettre autrui dans un état de gêne intellectuelle, cf. *Théétète* 149a. Remarquons que Ménon associe ici l'âme et la bouche, suggérant que capacité intellectuelle et capacité rhétorique sont à mettre sur le même plan (Brague 154).

97. On peut se demander dans quelles circonstances Ménon a pu prononcer de tels discours sur la vertu. Sans doute lors de ces réunions publiques et privées où son maître Gorgias paraît avoir eu lui aussi l'occasion de parler du juste et de l'injuste (cf. *Gorgias* 452e, 454b). La précision « beaucoup de gens » veut simplement dire qu'il y avait beaucoup de gens en tout, mais pas nécessairement à la fois (il n'est donc probablement pas question ici de « foules », comme traduit Croiset). Notons en tout cas que Ménon n'indique pas qu'il a

été capable de dire ce qu'était la vertu, mais signale seulement qu'il a su parler d'elle (Moline 155). Peut-être Ménon prend-il ici conscience de la nécessité qu'il y a à définir la vertu avant de répondre à la question de savoir si elle peut s'enseigner.

98. Comment comprendre *tò parápan* (« au total, en somme, absolument »)? Cette précision qualifie-t-elle l'incapacité de Ménon (« je ne peux absolument pas dire ») ou l'objet de cette incapacité (« ce qu'est la vertu, prise de façon absolue »)? Pour des raisons analogues à celles évoquées *supra* note 13, nous adoptons la première possibilité ; pour une interprétation comparable de cette expression, cf. Nehamas 5, tr fr 1991

99. Sur le sédentarisme de Socrate qui n'a en effet jamais quitté Athènes, cf. *Criton* 52b-d, et la poignante raison que Socrate lui-même en donne dans *Apologie de Socrate* 37c-38b (si à Athènes, sa propre cité, on le supporte à peine, où qu'il aille, il serait chassé). Sédentarisme à nuancer avec le fait qu'au début de la *République*, Socrate dit qu'il descend au Pirée, et que dans *Phèdre* 230c-d, il se laisse conduire par Phèdre hors des murs d'Athènes.

Comme si la comparaison de Socrate à une « raie torpille » n'était pas assez moqueuse, Ménon dit à présent que Socrate pourrait être pris pour un « sorcier ». Le terme « sorcier » (*góēs*) sert souvent chez Platon pour désigner les sophistes (cf. *République* X 598d, *Sophiste* 235a, *Politique* 291c) qui sont, rappelons-le, des étrangers que leur vie itinérante conduit de cité en cité (on notera du reste dans tout ce passage l'abondance des références à la magie, cf. E. Belfiore, « *Elenchus, Epode* and Magic : Socrates as Silenus », *Phoenix* 34, 1980, 128-137). Le verbe utilisé ici par Ménon (« traduit en justice » : *apágein*), ainsi que la condamnation évidemment attachée à ce terme « sorcier », dont Platon se sert sans doute pour rappeler les griefs adressés à Socrate lors de son procès, évoquent la condamnation de Socrate. Peut-être cette remarque de Ménon a-t-elle la valeur d'une mise en garde, rappelant les menaces portées contre la façon de vivre de Socrate ; n'oublions pas en effet que Ménon est, à Athènes, l'hôte d'Anytos, principal instigateur du procès de Socrate. Notons que Socrate répond à Ménon sur le même ton un peu moqueur : « tu es un *panoûrgos* (un phénomène de malice)! », cf. *infra* note 129.

100. Ce jeu de comparaisons et de contre-comparaisons était, semble-t-il, un véritable divertissement pratiqué en société, très apprécié par les buveurs dans les banquets (*Banquet* 215a, et aussi Aristophane, *Guêpes* 1308 sqq., *Oiseaux* 804) et même une habitude rhétorique (*République* VI 487e). Cet échange donne ainsi lieu à une agressivité ritualisée et codifiée.

101. Ce qui n'est pas le cas : la raie-torpille ne semble pas être ainsi affectée, comme Socrate le savait peut-être, cf. Pline, *Histoire naturelle* IX, 42 ; et comme l'a suggéré Ménon (80a).

102. « Tu ressembles à » : telle est peut-être l'image de Ménon (par laquelle Ménon est comparé à un homme ignorant) que Socrate s'était pourtant refusé à donner en échange de celle que Ménon avait donnée de lui.

103. La portée exacte de ce *parápan* est là aussi difficile à apprécier : cet adverbe modifie-t-il le verbe « savoir » ou l'objet de ce savoir ? En conséquence, faut-il traduire par « ce dont tu ne sais absolument pas ce que c'est » ou « ce dont tu ne sais pas ce que c'est dans l'absolu » ; nous adoptons la première interprétation (cf. *supra* notes 13 et 98). En particulier, cette précision nous paraît donner une indication précieuse sur le type de non-savoir auquel Platon ferait ainsi allusion. Le fait de ne savoir absolument pas ce qu'est une chose est d'autant plus vraisemblable que cette chose n'est l'objet d'aucune connaissance. Ce serait donc le savoir détaché de l'expérience qui serait ici en cause. Non pas que Ménon estime que la vertu soit un objet non empirique, mais il est forcé de prendre en compte le résultat des précédentes réfutations de Socrate, lequel a refusé de reconnaître la vertu dans les différents cas particuliers que Ménon a proposés comme étant des cas de vertu (en d'autres termes, Ménon dirait ainsi à Socrate : « puisque tu sembles penser que la vertu n'est pas une chose empirique, alors, dis-moi, comment vas-tu faire pour la chercher ? »). Cette petite précision *parápan* a fait l'objet de nombreux commentaires, portant aussi bien sur le sens que lui donne ici Ménon que sur le fait que lorsque Socrate reformule l'argument de Ménon (80e), il n'en fait absolument pas usage (en 80e, deux fois) pour qualifier le non-savoir qu'on a d'une chose (cf. Moravcsik 57, tr. fr. 1991, Nehamas 6-7, tr. fr. 1991, et *Introduction* 68-71).

104. C'est le premier aspect de la difficulté que soulève Ménon, traditionnellement désignée comme « paradoxe de Ménon », qui conteste la possibilité de la recherche. Cet argument (*lógos*) est prononcé sous forme, non pas d'alternative ou de dilemme (comme on le dit souvent et à tort : c'est Socrate qui, dans la reformulation qu'il donne de l'argument à la réplique suivante, le mettra sous forme de dilemme), mais sous la forme d'un *argument réitératif*.

Le premier aspect de ce paradoxe a donc trait à la question de savoir soit quelle chose (c'est le plus vraisemblable) soit quel aspect de la chose (ou quelle qualité, ou quelle catégorie d'objets à laquelle cette chose appartient) qu'on ne connaît pas sera pris comme objectif de la recherche (nous traduisons ainsi le participe *prothémenos* qui doit, selon nous, garder son sens technique de « visée, objectif » d'une recherche).

Cette question posée par Ménon est peut-être un sarcasme et une référence ironique à la leçon de logique que Socrate a donnée au début du dialogue (71b), quand il affirmait impossible de dire quoi que ce soit d'une chose qu'on ne connaît pas (Ménon répliquerait donc en disant : « si tu ne peux rien en dire tant que tu ne la connais pas, comment vas-tu faire pour la chercher ou que vas-tu dire que tu cherches d'elle ? » ; cf. *Introduction* 72-73).

Le sens obvie de l'argument (l'expression d'un certain scepticisme à l'égard de la possibilité de la recherche comme de celle de la connaissance) induit à émettre quelques hypothèses sur son origine. En effet, Gorgias, le maître de Ménon, semble avoir adopté lui-même un tel scepticisme dans le *Traité du non-être* (cf. Kerferd

93-100), et comme il est possible que le « si même » (*ei kai*), qui introduit le second aspect de l'argument, soit emprunté à la suite de paradoxes développée dans ce traité (cf. Th. Ebert, *Meinung und Wissen in der Philosophie Platons*, Berlin, 1974, 91), il n'est pas non plus exclu que l'argument de Ménon vienne de Gorgias, que celui-ci l'ait inventé ou adapté (voir aussi Xénophane DK 11 B34). Il se peut aussi que cet argument ait été emprunté à l'arsenal d'arguments difficiles qui alimentaient les débats sophistiques, qu'on retrouvera chez les Mégariques et chez Euboulide de Milet, inventeur d'un grand nombre d'arguments de ce genre (Diogène Laërce II, 108).

105. Le terme *málista* (« surtout, le plus, au mieux ») est difficile à traduire. La meilleure façon de l'interpréter est peut-être d'en faire l'indice explicite de la présence d'un argument réitératif : « en mettant les choses au mieux », « aussi parfaitement que » (cf. *Euthyphron* 4d, pour un emploi de *hó ti málista* qui sert la logique d'un argument *a fortiori*). Mais on peut aussi donner à *ti málista* le sens de « quoi précisément ».

106. Tel est le second aspect de la difficulté proposée par Ménon : si même on parvient à l'objet cherché et encore inconnu, comment saura-t-on que c'est l'objet cherché ? Cf. *Introduction* 67, 70-71.

Sur le point de vue d'Aristote à propos du paradoxe de Ménon, voir *Seconds Analytiques* I, 1, 71a30-b9 (et J. Barnes, *Aristotle's Posterior Analytics*, Oxford, 1975, 95) ; la critique d'Aristote de la solution apportée par Socrate à ce paradoxe se trouve dans les *Premiers Analytiques* II, 21, 67a22-b12.

Enfin, rappelons que certains commentateurs ont suggéré que l'argument de Ménon n'était pas d'un grand intérêt. Moline (155) soutient par exemple que Ménon, sûr que Socrate sait parfaitement que penser de la vertu, cherche à le prendre en flagrant délit de mauvaise foi en lui proposant un paradoxe sur la possibilité de la connaissance. Sharples mentionne également le fait que ce qui est paradoxal ici n'est pas tant l'argument de Ménon que la détermination avec laquelle Socrate veut continuer à chercher, tout en disant qu'il ne sait rien.

107. L'expression qu'emploie Socrate (*lógon katágeis*) est-elle une métaphore, empruntée au travail du fil (cf. *Sophiste* 226b, d'après Liddell-Scott-Jones, *s.v. katágō* 5) ? Ou bien fait-elle allusion à la magie (Gaiser, 1963, 442, d'après LSJ *ibidem* 2, et Sharples : « what a contentious argument you are conjuring up ») ? ou encore à la pêche (LSJ *ibidem* 4 : « this argument you are landing », pour Klein 91, d'après Homère, *Odyssée* XIX, 186), ce qui serait une façon de réactualiser la comparaison avec la raie torpille, l'argument de Ménon étant destiné, s'il reste sans réponse, à engourdir toute la recherche. Nous avons traduit l'expression en cherchant à restituer l'image du travail du fil. Il est possible que ce terme suggère aussi que Socrate a reconnu l'origine sophistique de l'argument de Ménon. Notons que Socrate précise aussitôt quelles sont les conséquences immédiates de l'argument sur la possibilité de chercher, cf. aussi D. Scott, *Rev. Phil.* 1991.

108. Il faut relever ici la modification que Socrate apporte à

l'argument de Ménon, lorsqu'il le reformule comme un *lógos eristikós*, plus précisément en un dilemme sophistique : « soit... soit... ». Aux questions de Ménon (1. quelle chose chercher parmi ce qu'on ne connaît pas ? 2. comment reconnaître qu'on a trouvé ce qu'on cherche si on ne le connaît pas ?), Socrate substitue les énoncés 1′ : on ne peut pas chercher ce qu'on connaît, 2′ : on ne peut pas chercher ce qu'on ne connaît pas. L'énoncé socratique 2′ reprend le premier aspect 1. de l'argument proposé par Ménon. Deux choses sont donc à noter dans cette reformulation socratique du paradoxe de Ménon (qui porte sur la possibilité et la méthode de la recherche) en un dilemme sur l'objet de la recherche (ce qu'on connaît ou ce qu'on ne connaît pas) :

— Socrate, mentionnant la thèse selon laquelle on ne peut pas chercher ce qu'on ne connaît pas, ne mentionne pas explicitement la difficulté qui consiste à savoir comment reconnaître ce qu'on cherche et qu'on ne connaît pas (le point 2. de l'argument de Ménon); pourtant, c'est surtout à ce point 2. que répondra la solution de la Réminiscence puisqu'elle permettra de montrer comment il est possible de reconnaître l'objet qu'on cherche même si on ne le connaît pas. Mais on peut expliquer que Socrate ne tienne pas vraiment compte (dans sa reformulation du paradoxe) de la deuxième difficulté soulevée par Ménon. En effet, si l'argument de Ménon est réitératif, cette deuxième difficulté est redondante par rapport au point 1. du même argument : car, si l'on ne peut pas identifier l'objet en tant qu'objet de recherche, on ne peut pas non plus le reconnaître au cas où on l'aurait trouvé.

— Socrate ajoute à l'argument de Ménon un membre supplémentaire : « il n'est pas possible à un homme de chercher ce qu'il connaît, parce qu'il le connaît ». Or l'hypothèse de la Réminiscence que Socrate avancera ensuite montrera qu'une telle chose est possible dans un certain sens (d'où la valeur de la précision : « parce qu'il le connaît », dans la mesure où c'est précisément une telle connaissance qui permettra remémoration et connaissance réelle). La Réminiscence conteste ainsi l'exhaustivité du dilemme.

On trouve dans l'*Euthydème* (275d-277e) un sophisme dont la conclusion dit qu'on ne peut apprendre ni ce qu'on connaît ni ce qu'on ne connaît pas, et que Socrate résout en distinguant, dans le seul verbe *manthánein*, les deux sens d' « apprendre » et de « comprendre » (cf. Aristote, *Réfutations Sophistiques* 4, 165b33-35, et notre *Platon, Euthydème* — cité *supra* note 55 —, 188 n. 47). Mais si le sophisme de l'*Euthydème* peut porter sur tous les types de connaissance pourvu qu'ils résultent d'un acte d'apprendre, l'argument du *Ménon* porte surtout sur la possibilité de chercher et d'acquérir une connaissance non empirique.

On peut aussi rapprocher cette difficulté soulevée par Ménon de « l'inextricable question » du *Théétète* (165b) (« est-il possible à qui sait de ne pas savoir ce qu'il sait ? », à propos de $7 + 5 = 12$: là encore vérité *a priori*) à laquelle répond en partie la définition des rapports entre connaissance et ignorance menée dans le *Théétète* (195e-201c) grâce à l'introduction d'un élément intermédiaire — la *dóxa* : croyance, opinion — entre connaissance et ignorance. Mais la solution du *Ménon*, au contraire, consiste à montrer qu'il existe, non pas des degrés de connaissance, mais une connaissance latente, qui n'est pas consciente, connaissance latente restituée, toujours ou dans certains cas, sous forme de *dóxa*. Sur ces questions, voir *Introduction* 86-91.

109. Nous choisissons de lire, comme Bluck, *oúkoun*, à la place du *oukoûn* traduit par Croiset et Sharples (sur la valeur de l'expression, cf. Denniston 432, et le commentaire de Bluck 274).

110. On peut imaginer ici que Socrate s'arrête un instant pour attirer l'attention de Ménon puisqu'il se met à parler avec lenteur et majesté (pour un comportement comparable, voir *Sophiste* 265c, *Politique* 277e, *Philèbe* 57d, *Lois* IX 861a). Le rythme de la phrase de Socrate ainsi que la paranomasie dont se sert Ménon dans sa réponse (*tína lógon legóntōn* : « Que disaient-ils ? quel était leur langage ? ») contribuent aussi à accroître la tension et le mystère de ce passage.

111. Qui sont « les prêtres et prêtresses » dont parle ici Socrate ? Notons que Socrate ne consent à donner quelques précisions sur eux que pour répondre à la question de Ménon. Il faut aussi souligner que les termes *iereús* et *iéreia* peuvent avoir un sens très large, désignant ceux qui accomplissent toutes formes d'actes religieux (cf. *Banquet* 206e). Cela laisserait penser que Socrate ne se réfère sans doute pas à une classe définie de prêtres et de prêtresses (d'autant plus que Pindare et les poètes divins leur sont ensuite associés), mais à tous ceux qui sont à même de penser et d'expliquer les rites qu'ils accomplissent, qui peuvent donc allier l'affinité avec un ordre de choses supérieur et la capacité d'en parler rationnellement. En outre, une forme de doctrine est attribuée à ces « prêtres et prêtresses » : la doctrine de l'immortalité et de l'indestructibilité de l'âme et celle de la palingénésie (le retour périodique de l'âme à la vie); la question est controversée de savoir si la théorie de la Réminiscence exposée plus loin, en 81c-d, est également partagée par ces prêtres et prêtresses, cf. *infra* note 122.

Il est difficile d'identifier plus précisément les hommes et femmes auxquels Socrate se réfère. En effet, les éléments dont nous disposons sur les origines de la thèse de la transmigration des âmes et du thème du souvenir de la vie antérieure, ainsi qu'une interprétation d'ensemble des passages eschatologiques chez Platon, ne suffisent pas pour reconnaître dans ceux que Socrate mentionne des Orphiques ou des Pythagoriciens, sans parler des différentes tendances orphico-pythagoriciennes ou encore des autres mouvements religieux qui n'étaient liés à aucune de ces tendances.

Le culte orphique, importé de Thrace, semble s'être diffusé en Grèce, associé au culte de Bacchus, dès le VIe siècle (sur l'orphisme, voir d'abord les *Hieroí Lógoi*, Discours sacrés, en 24 rhapsodies — mais il faut savoir que ces poèmes, dans leur forme et avec leur titre, sont une composition très tardive par rapport au moment de l'émergence de l'orphisme —; et sur l'histoire de l'orphisme : E. Rohde, *Psuche, Le culte de l'âme chez les Grecs et leur croyance à l'immortalité*, 1925 (10e ed.), tr. fr. Payot, 1952, 348-425 ; W.K.C.

Guthrie, *Orpheus and Greek Religion. A Study of the Orphic Move-ment*, Londres, 1935, 2nd ed. 1952, tr. fr. *Orphée et la religion grecque. Etude sur la pensée orphique*, Paris, 1951, 156 (pour Guthrie, tous les passages eschatologiques, dont celui-ci, qu'on trouve chez Platon viennent de l'orphisme) ; et surtout I. M. Linforth, *The Arts of Orpheus*, Berkeley and Los Angeles, 1941, réimp. New York, 1973 ; H. W. Thomas, *Epekeina*, Würzburg, 1938 (Linforth et Thomas pensent en effet que ce passage du *Ménon* n'est pas d'inspiration orphique) ; enfin : E. R. Dodds, *Les Grecs et l'irration-nel*, 1959, 148-149, tr. fr., Paris, Aubier-Montaigne, 1965, 155 ; W. Burkert, *Griechische Religion der archaischen und klassischen Epoche*, Stuttgart, 1977 (tr. angl. *Greek Religion*, Oxford, 1985, 290-301), et *Ancient Mystery Cults*, Cambridge-Londres, 1987 ; D. Sabatucci, *Essai sur le mysticisme grec*, 1965, tr. fr., Paris, Flamma-rion, 1982. Certains passages des dialogues platoniciens sont sans doute inspirés par l'orphisme pour autant qu'on y retrouve des thèmes chers à la pensée orphique, surtout : a) le fait que le corps soit la prison de l'âme (cf. *Cratyle* 400c) ; b) le fait que les conséquences misérables des fautes commises dans ce monde comme dans l'autre monde puissent être évitées au moyen de rituels (cf. *République* II 364e-365a) ; c) et l'idée de la transmigration des âmes (l'eschatologie du *Phédon* serait inspirée de l'orphisme). Il est vrai que ces thèmes ne sont qu'implicites dans notre passage et ne suffiraient pas à légitimer une attribution ; de plus, il ne semble pas qu'il y ait eu des prêtresses dans les cultes orphiques. Mais il ne faut pas oublier que l'orphisme est trop mal connu pour qu'on puisse avancer un argument précis en faveur d'une telle identification ou à son encontre.

Une seconde hypothèse ferait de ces prêtres et prêtresses des représentants du groupe pythagoricien. Trois éléments viendraient appuyer cette identification. 1. Socrate choisira un exemple mathé-matique pour illustrer la doctrine qu'il attribue à ces prêtres ; or on connaît le goût des Pythagoriciens pour les mathématiques (avec les réserves de W. Burkert, 1962, tr. angl., *Lore and Science in Ancient Pythagorism*, Cambridge, Harvard University Press, 1972, 401-482. 2. Socrate dit de ces hommes et de ces femmes qu'ils sont « ceux qui savent (*sophoí*) les choses divines », or c'est comme *sophoí* que Platon désigne habituellement les Pythagoriciens (cf. *Gorgias* 507e, et aussi Dodds, *Plato, Gorgias* — cité *supra* note 11 — 297), même si une telle appellation n'a rien de systématique (dans *Banquet* 185c, elle désigne des rhéteurs comme Gorgias). 3. Nous savons qu'il y avait des femmes pythagoriciennes (H. W. Thomas 66 n. 35). Pour la défense d'une inspiration pythagoricienne de ce passage, voir A. Cameron, *The Pythagorean Background of the Theory of Recollec-tion*, Wisconsin, 1938, 69-70. Sur tout ceci W. Burkert : « Craft versus Sect. The Problem of Orphics and Pythagoreans », in *Jewish and Christian Self-Definition*, ed. B. F. Meyer et E. P. Sanders. London, 1982, 1-22, 183-188.

112. Pindare serait le premier poète grec à avoir mentionné l'espoir d'une vie future, sans qu'on puisse savoir avec certitude à

qui il aurait pu emprunter cette idée (peut-être aux cultes orphiques qui semblent avoir été bien développés à Thèbes, sa ville natale). Les principaux passages de Pindare, qui font allusion à l'immortalité de l'âme, se retrouvent dans les fragments des *Threnoi* ou *Chants funèbres* (VI, cf. H. W. Thomas 128-130).

113. Le poète divin est le poète, doué ou remarquable, inspiré par le dieu, possédé par les Muses, connaisseur des « choses divines » (*theîa prágmata*) et auteur de *theología* et de *theogonía* ou récits sur les dieux (Cf. Pindare, *Olympiques* III, 6, 12, 17 ; VI, 105 ; VII, 7 ; IX, 5, *Pythiques* I, 2, et Homère *Odyssée* VIII, 43, *Iliade* IV, 192 ; mais le sens de l'expression est controversé · J.-P. Vernant, *Mythe et Religion en Grèce ancienne*, Paris, Seuil, 1990, 23-29, et L. Bruit-Zaidman, P. Schmitt-Pantel, *La Religion grecque*, Paris, Armand Colin, 1989, 104-126). Peut-être Platon incluait-il aussi, au nombre de ces poètes divins, Empédocle, un peu plus jeune que Pindare, et peut-être membre d'une secte pythagoricienne ; ses *Katharmoí* appartiennent en effet au genre de ces *Ieroí Lógoi* (« Discours sacrés ») auxquels Socrate semble faire ici allusion. Mais cette affiliation est sujette à caution.

114. Notons d'abord l'emploi de *teleutân* (« arriver à un terme »), qui se réfère peut-être à la définition du mot *teleutế*, donnée plus haut dans le dialogue à l'occasion de la seconde définition de la figure (75e). Le moment qu'on désigne comme étant celui de la mort n'est pas celui de la destruction de l'âme, mais il ne coïncide pas nécessairement non plus — c'est là un point essentiel — avec le moment de la renaissance (cf. *Phédon* 70c-d), les renaissances de l'âme humaine étant entrecoupées de périodes d'existence sans incarnation (cf. Pindare, *Olympiques* II, 69, Euripide, cité dans *Gorgias* 492e — cf. notre *Platon, Gorgias*, cité *supra* note 11, 337 n. 133 —, et Sophocle, *Antigone* 560).

Quel est le sens exact de « tantôt elle naît à nouveau » ? S'agit-il de l'expression de la doctrine de la métempsycose (où l'âme passe d'une espèce d'âme à une autre) ? d'une simple palingénésie, ou retour à la vie ? Etant donné le sens général du poème de Pindare (cf. *infra* notes 116 et 117), il doit s'agir, à l'intérieur du cycle des réincarnations, du retour à la vie de l'âme humaine soit dans le corps de la dernière vie avant la sortie du cycle des réincarnations, soit dans le corps d'une vie antérieure, soit dans un autre corps humain, voire celui d'une autre espèce.

115. Cette dernière phrase semble bien être une remarque « incidente ». Mais elle fait cependant le lien avec la question de la vertu et annonce déjà les conclusions du dialogue (cf. 100a, si la vertu est opinion vraie et « faveur divine », *theía moîra*, cette faveur qui advient à l'âme pourrait dépendre directement de la précédente existence mortelle que l'âme a eue). Par ailleurs, le terme que nous traduisons par « pieux » est *hosiós*, dont la valeur se définit par opposition à *hierós* (comme les prêtres auxquels se référait Socrate plus haut). En effet, le *hierós* est celui qui entretient une dette à l'égard des dieux (parce qu'il est un criminel qui doit expier une

faute ou parce qu'il est dépendant du dieu comme un prêtre,
serviteur du dieu), tandis que le *hosiós* (« pieux ») est celui qui a
rempli tous ses devoirs à l'égard du dieu et peut donc jouir de sa
liberté et de sa vertu (cf. Burkert, *Greek Religion* 269-271, et surtout
M.H.A.L.H. van der Valk, *Hieros and Hosios*, *Mnemosyne* III,10,
1942, 113-140). La question des conséquences morales de l'immortalité de l'âme est souvent abordée chez Platon (cf. *Gorgias* 522e,
Phédon 114d, *République* X 621c-d). Cette question est ici implicitement rattachée à celle de la possibilité de connaître, puisque la
capacité de l'âme à se ressouvenir pourrait dépendre de l'entraînement moral que cette âme a suivi durant sa vie incarnée.

116. Ce fragment poétique (à la métrique — mètre dactylo-
épitrite — et au style caractéristiques) vient sans doute d'un des
Threnoi (ou « Chants funèbres ») de Pindare (fr. 133 Snell, fragment
410 pour KRS, qui rattache ce passage à Empédocle et à l'eschatologie pythagoricienne). Platon aurait modifié les premiers mots du
premier vers ; pour la scansion, voir Bluck 277. Cet extrait a été
examiné en détail dans H. J. Rose, « A Study of Pindar 133 (Bergk)
127 (Bowra) », (*Greek Poetry and Life*, *Essays presented to Gilbert
Murray*, 1936, 81) et nous suivrons ici en partie les résultats de cette
étude.

Le terme grec *péntheos* (que nous traduisons par « mal ») utilisé ici
serait une forme ancienne de *páthos* (l'affect, l'affection, le malheur,
cf. I. Hausherr, *Penthos*, Rome, Pontifica Studia Orientalia, 1944).
A quoi se réfère l' « ancien mal » dont parle le poète ? Et à qui se
rapporte-t-il ? au mal que ressent Perséphone (si on lui donne un sens
subjectif) ? ou (avec un sens objectif) au mal qui appartient à
quelqu'un d'autre, en particulier à l'homme ?

Dans le cas d'un sens objectif, ce mal désigne-t-il une forme de
« chute », survenue au début ou dans le cours de l'existence de
l'âme, par laquelle cette âme se trouverait entraînée dans la condition
corporelle (cf. Thompson 121) et connaîtrait une existence de
malheur ? Certes, une idée semblable n'est pas inconnue dans la
pensée grecque et se retrouve aussi chez Platon (cf. Clément
d'Alexandrie, *Stromates* III, 3, et *République* X 613a). De plus, une
telle évocation de la chute de l'âme donnerait une plus grande
pertinence à la recommandation morale de Socrate qui précède
immédiatement cette citation de Pindare. En effet, à la fatalité divine
qui plongerait l'homme dans cette condition malheureuse, s'opposeraient les résultats de l'initiative humaine et les bonnes ou mauvaises
actions commises durant la vie, actions dont il semble que les Grecs
aient assez tôt considéré qu'elles se payaient après la mort. Le destin
de l'âme serait donc l'enjeu d'un double combat mené durant le cycle
entier des incarnations. D'une part, le combat de l'âme avec la
matière, combat d'où l'âme devrait ressortir totalement purifiée.
D'autre part, la lutte pour adopter une existence vertueuse durant
tout le cours de l'existence terrestre. Cette interprétation objectiviste
du terme *péntheos*, exposée en détails par Thompson 121 et *Excursus*
VI, 286-297, a trouvé en fait peu de défenseurs récents.

L'interprétation subjective du terme *péntheos* est en revanche beaucoup plus souvent soutenue (par Rose, Rhode — cité *supra* note 111 — 434 note 2, et Bluck 278-279). *Péntheos* (« le mal ») renverrait donc au malheur de Perséphone, reine du monde souterrain, malheur consécutif à la mort de son fils Zagreus (Dionysos) qui fut *tué* et *dépecé* par les Titans. Ce mythe est probablement antérieur à Pindare et d'origine orphique (comme l'attestent les témoignages archéologiques en Grande Grèce : W. Burkert, « Le laminette auree : da Orfeo a Lampone », in *XIV Convegno di Studi sulla Magna Grecia* (Tarente, 1974) : « Orphismo nella Magna Grecia » (publ. Naples, 1975), 81-104). Mais la question de savoir si, dans la version que connaît Pindare, les Titans, après avoir dépecé Diony-sos, l'ont *avalé*, est controversée. Pour punir les Titans, Zeus les aurait anéantis d'un coup de tonnerre, faisant ainsi jaillir la race humaine des cendres des Titans. Mais, bien qu'elle soit liée à la divinité de Dyonisos, la race des hommes garde en elle la nature des Titans, elle est donc marquée par un péché originel dont elle doit sans cesse rétribution à Perséphone. Sur ces questions, voir l'ouvrage fondamental de G. Zuntz, *Persephone*, Oxford, 1971.

Rose argumente en faveur d'une existence antérieure du mythe de l'incorporation de Dionysos, d'autant plus vraisemblable, selon lui, que la légende de Zagreus dévoré par les Titans semble avoir été connue au temps de Pindare (cf. Dodds, 155-156, et les témoignages analysés par Linforth, *The Arts of Orpheus*, 307-364) et que Xénocrate aurait associé l'idée du corps-prison (avec lequel la race humaine est créée) à celle de la punition que subissent les Titans pour le meurtre de Dionysos : cf. le commentaire d'Olympiodore *à Phédon* 62b — mais il faut rester prudent à l'égard de ce récit puisque Olympiodore, notre source essentielle sur ce point, a vécu au VIe siècle après J.-C., c'est-à-dire une douzaine de siècles après Pindare. Ajoutons aussi que Platon paraît connaître le mythe de l'origine de la race humaine à partir d'une étincelle des Titans, foudroyés par Zeus pour avoir consommé Dionysos (Zagreus), cf. *Lois* II 701c (et Xénocrate frag. 20 Heinze, d'après Olympiodore). Mais rien ne permet d'assurer avec certitude que Pindare, Platon ou Xénocrate aient vraiment eu connaissance de la version du mythe où Dionysos est consommé, car elle n'est pas attestée avant Plutarque, *Sur la consommation de la chair*, 996b-c (I-IIe ap. J.-C.).

En revanche, M. L. West (*The Orphic Poems*, Oxford, 1983, 96 et 164-6) a soutenu que le mythe selon lequel les Titans ne s'étaient pas contentés de faire mourir Dionysos, mais l'avaient aussi avalé, n'est sans doute pas plus ancien que ce fragment de Pindare. La leçon de ce mythe serait que la nature humaine (fondamentalement mauvaise, puisque venue des Titans) devait contenir également en elle-même une portion de divinité, due à l'incorporation de Dionysos. Ce qui expliquerait que les Titans emprisonnés en l'homme dussent rétribu-tion à Perséphone pour le meurtre de Dionysos (sur cette interpréta-tion, M. Detienne, *Dionysos mis à mort*, Paris, Gallimard, 1977, 164-204), sur tout ceci : J. Pépin : « Plotin et le miroir de Dionysos (*Ennéades* IV, 3 [27], 12.1-2). » *Revue Internationale de Philosophie* 24, 1970, 304-320.

Le terme *poiná* (« compensation ») a ici un sens très général de « récompense » pour un bien ou « expiation » pour un mal.

117. L'expression grecque *eis tòn húperthen hálion*, littéralement « vers le soleil d'en haut », peut recevoir deux interprétations différentes. 1. Il pourrait s'agir d'une sorte de soleil de l'Hadès (lieu où vit Perséphone), opposé au soleil de notre monde (Thompson 123), mais aucun témoignage indépendant ne vient appuyer cette interprétation. 2. Pindare peut faire allusion au soleil du monde des vivants dont jouissent, dans l'Hadès, les meilleurs des hommes (d'après Rohde — *op. cit. supra* note 111) ; cf. Aristophane, *Grenouilles* 454, Pindare, *Olympiques* II, 62 (fragment 284 dans KRS qui y reconnaissent une origine pythagoricienne), ainsi que les textes discutés par M. L. West, *The Orphic Poems* 12-13. Ainsi, cette expression pourrait évoquer la région supérieure de l'Hadès (cf. *Phèdre* 248e, 249a), éclairée par la lumière du soleil (région où vivent sans doute les meilleurs des hommes, Pindare, *Threnoi*, frg. 114 Bowra), tandis que le reste de l'Hadès est plongé dans l'obscurité. Les âmes des hommes qui ont payé rétribution à Perséphone gagnent-elles alors cette partie supérieure qu'éclaire le soleil des vivants ? Cette montée vers le soleil d'en haut ne signifie pas nécessairement une renaissance sur la terre, elle peut aussi indiquer un séjour de l'âme en ce lieu ou faire allusion à la sortie de l'âme hors du cycle des incarnations, comme c'est le plus probable, du moins dans l'usage que Platon fait de ce fragment de Pindare ; cf. note suivante).

Peut-être Pindare fait-il aussi ici allusion au voyage souterrain, d'ouest en est, du soleil, avant que celui-ci ne se lève de nouveau à l'est pour éclairer le monde des vivants. Brague suggère que ce soleil serait celui évoqué par Platon dans *République* VI, image du soleil que Pindare a peut-être inspirée. En tout état de cause, il ne faut pas oublier qu'il est possible que Platon ait délibérément interprété Pindare sur ce point d'une autre façon que l'entendait le poète (cf. *supra* note 73).

118. Que signifie cette précision « à la neuvième année » et à partir de quand le temps est-il compté ? Il faut d'abord souligner que le nombre 9 a un caractère sacré (par exemple : c'est tous les neuf ans que Minos vient auprès de Zeus chercher des instructions, *Lois* I 624b). Interprétée littéralement, cette expression signifierait que, neuf ans après leur mort, les âmes sont renvoyées soit dans la partie supérieure de l'Hadès, soit dans l'existence terrestre soit, enfin, hors du cycle de l'incarnation.

En adoptant cette dernière interprétation, et en admettant que Platon ait choisi de citer ici le texte de Pindare parce qu'il était compatible avec sa propre conception de l'existence de l'âme, on peut établir un ensemble de rapprochements avec les textes eschatologiques de la *République* et du *Phèdre*.

Ainsi, d'après *Phèdre* 249a-b, 1 000 ans s'écoulent entre une naissance et une re-naissance (1 000 ans qui comprennent donc la durée de la vie terrestre, plus le temps de la purgation qui doit durer à peu près 900 ans, si on veut lever ainsi l'ambiguïté de 249b : « dans la millième année »). Tandis que d'après *République* X 615a-b, les 1 000 ans semblent être comptés à partir de la fin de la vie terrestre et correspondre au temps de la purgation (cf. aussi Virgile, *Enéide* VI 748). Mais puisque, dans le *Phèdre* (248e), il est dit aussi que le cycle entier des 10 vies prend 10 000 ans, l'indication donnée par le *Phèdre* est compatible avec celle de la *République*, à condition que la dernière vie du cycle ne soit pas suivie de purgation.

Quoi qu'il en soit, en supposant que c'est pour se référer à une purgation de ce type que Platon cite ici le texte de Pindare, comment expliquer que ces 900 ans de purgation, sur lesquels s'accordent à peu près tous les textes platoniciens, se soient ainsi réduits à neuf années ? La question est d'autant plus difficile qu'on ne sait pas clairement si, dans le texte de Pindare, les neuf années de purgation sont celles qui séparent une mort d'une renaissance, ou celles qui achèvent un cycle entier des réincarnations. Or, dans la pensée platonicienne, le cycle d'années au terme duquel l'âme est ramenée à sa condition première — non incarnée — est fixé à 9 000 ans selon le *Phèdre*. Ce cycle inclut un certain nombre de vies et un aussi grand nombre de « morts », au cours desquelles l'âme paie rétribution de ce qu'elle a fait pendant la vie et attend une nouvelle incarnation. Mais la nature de cette rétribution n'est pas exactement fixée, puisque tantôt il semble que la durée de la « mort » doive être mise à profit pour rétribuer les actions commises pendant la vie et gagner une nouvelle vie meilleure, tantôt que seule la bonne conduite pendant la vie permette de s'assurer une (autre ?) vie heureuse dans le cycle des réincarnations ou même d'échapper à ce cycle. Dans la mesure où Platon dit en *Phèdre* 249a (voir aussi Pindare, *Olympiques* II, 68 : KRS 284) que personne n'échappe au cycle des réincarnations à moins d'avoir vécu trois vies philosophiques successives, on peut penser que la fin de la neuvième vie (après purgation ?) est particulièrement décisive. En effet, soit l'âme est envoyée vivre une dernière vie de récompense sur la terre, avant d'être libérée de l'incarnation, soit elle est condamnée au moins à un autre cycle complet de réincarnations.

Qu'il s'agisse d'une purgation dont le terme est une dernière incarnation ou de la sortie de l'âme hors du cycle des réincarnations, on peut donc penser que neuf années valent ici, selon le cas, pour 900 ou pour 9 000 ans. Dans la première hypothèse, « neuvième année » pourrait également avoir la valeur de « neuvième vie » (Sharples 147), ce qui donnerait peut-être un sens plus satisfaisant à ce passage, d'autant plus que la dernière vie à laquelle l'âme est renvoyée n'est pas à proprement parler incluse dans le cycle des réincarnations chargée d'amener rétribution (soit cette vie achève ce cycle, soit elle est située en dehors de lui, cf. *Lois* IX 870d-e).

Mais il n'est pas exclu de rechercher une raison positive pour laquelle une durée de neuf ans est mentionnée ici. D'après Bluck 1958 (162), il faut rappeler que Platon récuse l'idée d'une chute, qui serait suivie d'un temps de punition (accompli au cours de réincarnations successives) au terme duquel l'âme jouirait d'une vie éternelle. Certes Platon suit certainement Empédocle, quand il fait allusion à un cycle de 10 000 ans (DK 31 B115), mais il ne dit rien de la dernière vie censée récompenser (après 9 000 ans ?) le cycle des purgations et réincarnations ; en revanche, Platon insiste sur la récompense que semble être la libération du cycle des incarnations. De fait, le contexte où est cité ce fragment de Pindare semble suggérer que Perséphone ne consent ni toujours ni systématiquement à la libération de l'âme hors de l'Hadès, libération qui dépend de la nature de la rétribution au terme de ces « neuf années ». Sans qu'on puisse savoir si telle était réellement l'idée de Pindare, on comprendrait ainsi pourquoi Platon cite ce passage qui corroborerait son point de vue, puisque dans la « compensation » acceptée par Perséphone, il faut sans doute compter non seulement la période passée en Hadès, mais aussi tout le cycle des incarnations, cf. *Phèdre* 248e. Il est possible aussi que les variations de Platon sur la durée du cycle des incarnations soient liées aux hésitations concernant la façon d'estimer la Grande Année astronomique (cf. Ch. Mugler, *Deux thèmes de cosmologie grecque : devenir cyclique et pluralité des mondes*, Paris, Klincksieck, 1953, 85-143).

Rohde (XII n. 40 : 436 n. 3) et Rose (89) défendent une interprétation plus littérale et associent ce terme de neuf ans avec la durée traditionnelle du bannissement (cf. Hésiode, *Théogonie* 793-800 : le bannissement de neuf ans d'un dieu parjure), la durée des Travaux d'Hercule, et les autres exemples rappelés par Bluck 280-281. Aussi, après la durée de la vie, qui est déjà en elle-même une sorte de punition, l'âme est punie pendant un certain temps encore dans l'Hadès. Après quoi, la faute est tout à fait réparée.

119. Ce passage de Pindare évoque trois classes de héros : 1. les rois, 2. les guerriers et les athlètes, 3. les sages et les poètes. L'idée d'une dernière vie privilégiée qui doit précéder l'acquisition d'un statut divin se trouve mentionnée ailleurs : peut-être pas par Pythagore, mais par certains de ses successeurs et par Empédocle (d'après Clément d'Alexandrie, *Stromates* IV 23, DK 31 B146 = KRS 409). Il semble donc que les êtres, dont Perséphone a accepté la rétribution, et avant la délivrance finale de l'incarnation, aient droit, en guise de récompense, à vivre une dernière vie privilégiée. Pindare et sans doute Empédocle la décrivent comme une vie « royale » (cf. Pindare, *Pythiques* IV, 58). Rappelons que la vie la plus heureuse qui puisse être vécue est, pour Platon, une forme de bonheur moins terrestre puisqu'il s'agit de la vie philosophique.

120. Le terme « héros » s'applique à des êtres à demi-légendaires, appartenant à un lointain passé, mais considérés comme supérieurs et objets, à l'instar des dieux, d'un culte spécial. Mais ce terme fut aussi employé au sujet d'hommes qui s'étaient rendus remarquables, et parfois même à propos d'hommes encore vivants. L'appellation « héros » est d'ailleurs utilisée ici comme un synonyme de *daimónes*, intermédiaires entre les hommes et les dieux (cf. *République* II 392a, *Cratyle* 397e, tandis que les passages de *Lois* IV 717b, V 738d, semblent introduire une distinction entre héros et démons, qui tiendrait au fait que tous les héros sont mortels, mais non pas tous les démons). Le terme *hagnoí* « sans tache » rappelle la description qu'Hésiode donne de l'âge d'or (*Les Travaux et les jours* 121 ; voir aussi la description de la race des héros, *ibid.*).

121. Nous gardons (à la différence de Croiset) le texte des manuscrits, lequel comporte un *kaì*, qu'on peut prendre comme une particule explicative « c'est-à-dire » (la somme des choses qui sont en l'Hadès et des choses qui sont ici, somme qui se trouvera explicitée en « toutes choses »). Pour l'interprétation générale du passage, voir note suivante.

122. Le style de ce passage laisse penser que Socrate expose une conception qui lui est propre, même si elle est inspirée par les dires des prêtres et des prêtresses (sur les précédents de la Réminiscence, voir *Introduction* 76-79).

Notons d'abord que Socrate emploie le verbe « apprendre » au parfait (*memáthēken*), pour indiquer l'achèvement du processus d'apprentissage (le verbe est de nouveau employé à ce temps quelques lignes plus bas en 81d). Remarquons ensuite que lorsque Socrate dit que l'âme « a vu toutes les réalités », il donne au verbe « voir » un sens intellectuel. L'assimilation de la connaissance à la vision contribue à définir la connaissance comme l'appréhension d'unités idéelles, séparées les unes des autres et semblables à celles que décrivent la *République* (VI 508c, VII 518c, 519d, 533d), le *Phédon* et les *Lois* (XII 961d) ; étant donné le contexte de cette expression, il se peut aussi que la description de la vision philosophique soit reprise de la vision des Mystères.

Enfin, quelles sont ces choses que l'âme a vues (« les choses d'ici et celles de l'Hadès ») et qu'elle a de ce fait apprises ? Ce passage du *Ménon* est plus ambigu que le texte du *Phédon* (72a-77a) où cette même conception semble être exposée, puisque, dans ce dernier cas, il est manifeste que Platon veut désigner les Formes (qui sont au-delà des cieux : *Phèdre* 247c), c'est-à-dire des réalités avec lesquelles l'âme est en contact sans intervention des sens et en dehors de la vie terrestre (Allen 531, Bluck 9-10, et Gulley 10). Ce n'est sans doute pas ce qui est en cause ici, d'autant plus que le sens précis du terme Hadès est difficile à définir. En effet, de manière générale, Platon fait de l'Hadès l'autre monde, le monde invisible (*Gorgias* 493b, *Phédon* 80d) ; l'Hadès est le lieu propre de l'âme, tandis que la punition des âmes se fait à l'intérieur de la terre (*Phédon* 111e). Mais l'Hadès peut aussi désigner le monde des morts. On peut donc interpréter ce texte de deux façons différentes : 1. soit « dans l'Hadès » désigne le monde invisible, donc intelligible, et Platon, ici, ajoute réellement aux choses de ce monde les réalités du monde intelligible, somme qu'il explicite en « toutes choses » (*kaì* veut dire « c'est-à-dire » : la connaissance antérieure acquise par l'âme est totale et regroupe l'ensemble des choses sensibles et non empiriques ; le terme « voir » est toutefois ici d'un emploi assez inattendu puisqu'il s'applique au monde invisible) ; 2. soit Hadès désigne littéralement l'Hadès, le monde des morts, et *kaì* signifie alors « et » ; la somme des choses du monde d'ici-bas et de celles de l'Hadès ne suffisant pas à épuiser l'ensemble des choses existantes auquel il faut explicitement rajouter « et toutes choses », en insistant ainsi sur la totalité de l'expérience de l'âme, puisqu'il semble que l'âme passe la plupart de son temps dans le monde des morts entre deux renaissances. Dans ce cas, la mention faite ici de l'Hadès serait motivée par la précédente citation de Pindare et elle serait destinée à faciliter la compréhension de Ménon (Sharples 149).

123. La conception de l'apprentissage comme fait de mémoire (sans doute familière à Ménon, puisque d'origine sophistique), conception liée à la théorie de la continuité de l'existence de l'âme, capable d'apprendre à tout moment, amène l'identification de l'apprentissage à la remémoration d'une connaissance antérieurement acquise. Au titre des précédents qu'on peut trouver à une telle théorie, rappelons que Pythagore avait le pouvoir de se rappeler ses précédentes incarnations (Diogène Laërce VIII, 4-5) et que les exercices de mémoires pratiqués par ses successeurs visaient à susciter une telle remémoration (Jamblique, *Vie de Pythagore* 164-6 = DK 58d1). Sur les antécédents de cette théorie, voir *Introduction* 77-78.

124. Platon se réfère ici à une théorie de la parenté entre toutes les parties de la nature, qui n'était pas tout à fait originale, même si elle n'était sans doute pas non plus très courante ; cette théorie serait peut-être d'origine pythagoricienne, et se trouverait supposée par la doctrine de la transmigration des âmes (cf. Thompson 126). En effet, l'âme ne peut transmigrer d'une créature à une autre que si l'ensemble des créatures sont parentes (Porphyre, *Vie de Pythagore* 19, DK 14, 8a = KRS 285). L'idée selon laquelle toutes les parties de la nature, parentes entre elles, peuvent provenir d'une même substance pourrait également être impliquée ici (en ce sens elle renverrait à l'*aeï pán* de Xénophane ; cf. *Sophiste* 242d), mais il est plus vraisemblable que la *phúsis* soit considérée dans ce texte comme un terme collectif qui désigne tout ce qui existe. Il reste que dans cette conception, l'action exercée sur l'une des parties de la nature pourrait avoir des répercussions sur la nature entière, la connaissance étant une action parmi d'autres. Il semble donc qu'ici Platon adapte la doctrine pythagoricienne à ses propres fins, pour en dégager ensuite quelques traits caractéristiques du processus de la réminiscence, cf. *infra* notre suivante et *Introduction* 80).

125. Cette doctrine dite de la Réminiscence (*anámnēsis*) est exposée de nouveau dans le *Phédon* 72e-73a ; Platon s'y réfère sans doute implicitement en *Phèdre* 249b ; sur le processus de la réminiscence, voir aussi *Philèbe* 34b-c, *Lois* V 732b (voir aussi C. E. Huber, *Anamnesis bei Plato*, Pullacher philosophische Forschungen Munich, 1964). Plusieurs questions se posent quant au contenu exact de cette théorie. D'abord, à quelle sorte d'objets s'applique la théorie de la Réminiscence, exposée dans le *Ménon* ? ensuite, suppose-t-elle la théorie des Formes ? Dans le *Phédon*, la connaissance pré-natale de l'âme semble être limitée aux Formes, ce qui n'est pas le cas dans le *Ménon* dans la mesure où, quelle que soit l'interprétation adoptée en 81c (qu'on comprenne que l'âme connaît « les choses d'ici et celles de l'Hadès — monde invisible —, c'est-à-dire toutes choses », ou « les choses d'ici et celles de l'Hadès — monde des morts — et aussi toutes choses », cf. *supra* note 122), il reste que Socrate mentionne explicitement les choses sensibles comme objets de réminiscence.

Par ailleurs, la réminiscence a-t-elle pour objets des contenus de connaissance isolés ou des ensembles d'objets liés entre eux par des liens inférentiels ? Ensuite, la réminiscence est-elle une forme d'intuition ou tient-elle davantage du processus discursif ? Pour une ébauche de réponse à l'ensemble de ces questions, voir *Introduction* 80-86. Cf. M. Dixsaut, *Platon*, *Phédon*, GF Flammarion, 1991.

Il est possible que l'insistance mise à rappeler la communauté de nature de tous les objets connus de l'âme suggère le fait que tous les objets de la réminiscence seront de la même sorte ou seront remémorés de la même façon (Tigner 2-3, et cf. Aristote, *De memoria* 2, 452a3-4 : les démonstrations géométriques se prêtent à ce genre de réminiscence parce qu'elles suivent un ordre séquentiel).

126. Ici, Socrate oppose l'un à l'autre deux *lógoi* différents. D'une part, l' « argument éristique » proposé par Ménon ; d'autre part, le dire, langage, l'argument *(hóde dè)*, inspiré des prêtres et prêtresses, qui expose la conception selon laquelle l'âme a tout appris et peut tout se rappeler. Socrate ne semble pas demander à Ménon de dire si l'un des arguments est vrai et l'autre faux, mais plutôt d'apprécier par quel argument il est préférable de se laisser convaincre (cf. « j'accorde foi à ce langage et crois qu'il est vrai ») en considérant les conséquences de l'un et l'autre. Or ces conséquences sont radicalement opposées entre elles, puisqu'un argument conduit à l'inaction, tandis que l'autre ramène à l'action et à la recherche (cf. sur le zèle philosophique, *Phédon* 85c-d et Cicéron, *Du destin* 28). On remarquera qu'à l'argument de Ménon qui mettait en cause la possibilité de la recherche, Socrate a répondu de façon apparemment pertinente, puisque la théorie qu'il propose donne une raison suffisante de se montrer « ardents à chercher » *(zètètikoí)*.

127. Notons que Socrate réitère, à peu près dans les mêmes termes, l'invitation à chercher qu'il avait adressée à Ménon en 81d.

128. Un tel acquiescement est surprenant, de la part de Ménon. Peut-on l'expliquer par le fait que Ménon reconnaîtrait dans cette théorie les conceptions d'Empédocle (dont il a probablement connaissance par l'intermédiaire de son maître Gorgias) ? ou bien par la familiarité que Ménon devait avoir avec la conception sophistique de l'apprentissage comme capitalisation de connaissances, ensuite remémorées ? A moins que Ménon, par son apparente docilité, ne prépare ici la « question piège » qu'il pose aussitôt après à Socrate, quand il lui demande d'enseigner la théorie de la Réminiscence, alors que Socrate vient d'affirmer qu'apprendre c'est se remémorer.

129. C'est la deuxième fois que Socrate qualifie Ménon de *panoûrgos* (80b, et *supra* note 99 ; cf. *hubristés* : 76a), ici sans doute pour désigner le talent avec lequel le jeune homme se saisit de toute opportunité favorable dans la discussion (comme le Ménon historique le faisait dans la vie, semble-t-il, cf. *Introduction* 23). Panurge, le héros du *Pantagruel* de François Rabelais, qui tire son nom du même terme grec (dont le sens général est « rusé, apte à tout faire »), se caractérise par une ingéniosité sans scrupules et un goût de la mystification. En fait, il est vraisemblable que Ménon s'intéresse davantage à la manière dont Socrate peut enseigner (et donc d'une

certaine façon démontrer) sa conception de la Réminiscence qu'à l'enquête sur la nature de la vertu. Peut-être cherche-t-il à apprécier la différence entre la réminiscence selon Socrate et les exercices de mnémotechnie qu'enseignaient les sophistes (cf. *supra* note 73) ? Dans le *Phédon* (73b), après que la thèse de l'identité entre l'apprentissage et la réminiscence a été formulée, Simmias demande, pour être convaincu de la vérité d'une telle thèse, à être mis dans le même état dont parle l'argument, c'est-à-dire qu'on le fasse se ressouvenir. Autrement dit, la thèse qui fait de l'apprentissage une remémoration, ne se connaît que si elle est (en tant que connaissance *a priori*, et non pas comme fait empirique) elle-même l'objet d'une remémoration. Il y a donc tout lieu de penser que si Ménon accepte les explications de Socrate, c'est dans la mesure où il aura été lui-même le sujet d'une telle remémoration ; sur ce point, et sur l'identité apparemment établie ici entre *didakhế, anámnēsis, máthēsis*, cf. *Introduction* 79-82, 105-106.

130. L'expression *hypò toû éthous* (littéralement : « par habitude ») est ambiguë puisqu'elle peut avoir un sens subjectif (désignant l'habitude qu'a Ménon de poser des questions ou ce genre de questions) ou un sens objectif (faisant de cette habitude une sorte de convention ; cf. Robin : « c'est plutôt l'usage que j'ai suivi »). Nous adoptons la première interprétation plus satisfaisante pour le sens dans la mesure où une telle « habitude » présente chez Ménon pourrait se référer soit à un entraînement à la controverse et à la discussion éristique — le paradoxe serait la manifestation la plus frappante d'une telle habitude, et de plus, dans notre passage en particulier, Socrate redoute d'être mis en contradiction avec lui-même —, soit à l'habitude qu'a Ménon de solliciter ceux dont il pense qu'ils savent quelque chose pour qu'ils le lui apprennent. On remarquera aussi que Ménon est à présent moins exigeant (« si tu peux d'une façon ou d'une autre me montrer »), ce qui peut exprimer une plus grande bienveillance à l'égard de Socrate ou n'être qu'un moyen tactique de satisfaire sa curiosité.

131. Le verbe *prothumēthênai*, « employer tout son zèle », est souvent utilisé dans le *Ménon* à propos de la recherche, afin sans doute d'insister sur la nécessité d'une disposition positive à l'égard de toutes les formes de recherche, ce dont Socrate ne cesse de vouloir convaincre Ménon.

132. Il n'y a peut-être rien d'étonnant dans le fait que Ménon soit suivi par une suite aussi nombreuse ; il est un personnage riche et puissant, et se trouve en déplacement quasiment officiel à Athènes. Cette suite est vraisemblablement composée d'amis, d'obligés, de serviteurs. Il est probable aussi que l'importance de cette suite est mentionnée avec ironie : Ménon serait comme un riche prince, venu d'une lointaine contrée, peu raffinée, et en visite dans la plus cultivée des cités grecques (cf. *Introduction* 17-18). Il n'était en effet guère commun, à Athènes, de voir un jeune homme, aussi important fût-il, suivi d'une pareille escorte (cf. *Charmide* 155a-b, *Banquet* 217a, *Lois* VIII 845a).

Socrate s'apprête à faire une « démonstration » (*epideíxis*) sur le

jeune garçon ; pour diverses occurrences du terme — qui signifie
donner un échantillon, une exhibition d'une doctrine ou d'un savoir,
et qui renvoie à la pratique des sophistes soucieux de faire voir à leur
public ce qu'ils étaient capables d'enseigner —, voir notre *Platon,
Euthydème*, cité *supra* note 55, 185 n. 31, et Aristote, *Rhétorique*, I,3,
1358b8. Cette « démonstration en acte » a donc pour objet le fait
qu'apprendre consiste à se remémorer. Certains commentateurs ont
voulu montrer qu'il y avait ici deux, et peut-être trois, *epidéixeis*
emboîtées l'une dans l'autre : 1. l'entretien entre Socrate et le jeune
garçon destiné à montrer au garçon que l' « apprentissage » qu'il
subit n'est qu'une « remémoration » ; 2. la démonstration dont sont
aussi l'objet Ménon et sa suite, lesquels écoutent l'interrogation à
laquelle le jeune garçon est soumis pour se remémorer (et ainsi
« apprendre ») qu'apprendre, c'est se remémorer ; 3. l'expérience
des lecteurs qui suivent le processus de remémoration chez le jeune
garçon et chez Ménon (cf. Klein 99, ces deux dernières démonstrations ayant le statut d' « imitations d'actions » destinées à nous faire
remémorer ce que le public de l'entretien ou nous-mêmes savons de
la vertu humaine). Mais rien ne certifie l'existence de l'*epidéixis* au
sens 1 : on demande au jeune garçon de se souvenir et de donner une
réponse juste, non pas d'être convaincu qu'apprendre, c'est se
ressouvenir — toute allusion au fait de se remémorer semble même
soigneusement évitée au cours de l'entretien. En revanche l'*epidéixis*
2 est assurément présente en ce passage ; elle est tout à fait
comparable à « la démonstration » de l'efficacité du savoir (*dunámin
tês sophías*) que le Socrate de l'*Euthydème* demande aux sophistes
d'accomplir sur le jeune Clinias et qu'il est lui-même prêt à
poursuivre (275a-b, 278d).

Sur la pertinence des rapports que certains commentateurs
(M. Brown 208-215) ont suggéré d'établir entre la première conver-
sation entre Ménon et Socrate et l'entretien entre Socrate et le jeune
garçon, voir *Introduction* 101-102.

133. Ce qui signifie que ce jeune garçon n'a été ni capturé ni
acheté. Cela induirait à penser qu'il est plutôt une sorte de serf (peut-
être un des pénestes de Thessalie) qu'un esclave à proprement
parler ; par ailleurs, le fait qu'il appartienne à la suite de Ménon
montrerait qu'il est l'objet d'une certaine faveur de la part de son
maître. Il est vrai que ce garçon est appelé *paîs*, ce qui pouvait
désigner soit un jeune garçon libre, soit un esclave, jeune ou vieux
indifféremment. Mais il s'agit ici probablement d'un très jeune
homme ; en effet la démonstration de Socrate sera d'autant plus
probante que le garçon qui en est l'objet n'aura pu, entre autres
raisons, à cause de sa jeunesse, apprendre la géométrie. Il reste que
Socrate est apparemment tout à fait indifférent à l'individu choisi (cf.
82b), ce qui laisse penser que sa démonstration peut s'appliquer
aussi bien à n'importe quel être humain. On remarquera aussi qu'au
modèle traditionnel du savoir incarné par un homme vieux et de
condition libre, Socrate en oppose un autre illustré par un jeune
homme de condition servile, cf. *Introduction* 33.

Quel sens donner à la question où Socrate s'enquiert de la langue parlée par le jeune homme ? Certainement la valeur d'une condition sans laquelle l'expérience ne serait ni possible ni pertinente (à la fois la connaissance de la langue grecque, mais celle aussi de certaines définitions — le carré —, enfin une certaine familiarité culturelle avec la manière grecque de compter ou de mesurer les surfaces (cf. *infra* note 137 ; sur la fonction de la particule *mén*, voir Denniston 367, 380). D'aucuns ont voulu y voir l'indication selon laquelle l'accès à la vérité ne peut se faire qu'en grec, mais il est clair que le jeune garçon pourrait concevoir les mêmes vérités mathématiques si elles étaient exprimées dans une autre langue.

134. La construction du passage est délicate. L'opposition très nette formulée ici par Socrate entre « se remémorer » et « apprendre » permet de penser que le verbe « apprendre » a son sens trivial de transmission d'une information (autrement dit : « si je lui dis ce qu'est la réponse »), sens distinct de celui que Socrate a déjà donné à ce terme et lui donnera encore plus tard, en l'assimilant à une remémoration (Moravcsik 63, tr. fr. 1991). S'opposeraient ainsi deux sens d'apprendre : « apprendre par réminiscence » et « apprendre par transmission ».

135. Deux termes importants sont utilisés ici pour la première fois. Le terme *khōríon*, « espace », peut désigner soit l'espace limité par des lignes et doté d'une figure, soit la surface de cet espace (87a), soit, lorsqu'on ajoute le point de vue métrique, l'aire de cette surface. Nous l'avons traduit soit par « espace » soit par « surface », qui en français peut s'entendre aussi comme « espace doté d'une forme ». En fait, il s'agit là d'un terme plus descriptif que technique (dans le livre X des *Éléments* d'Euclide, consacré aux grandeurs incommensurables, surtout dans la définition 2, *khōríon* est utilisé sans être défini), quoique ce terme ait un sens plus précis dans « les problèmes d'application de surfaces ou d'aires » (Euclide, I 44, 45).

Le terme *tetrágōnon*, « carré », en revanche, est d'un usage plus technique (*Éléments*, I, déf. 22 : « Parmi les figures quadrilatères, le carré est celle qui a à la fois ses côtés égaux et ses angles droits... »). Littéralement, *tetrágōnon* se réfère à une figure fermée à quatre angles, mais le terme était ordinairement utilisé pour une figure équilatérale et quadriangulaire (cf. *République* VI 510d, allusion au « carré en soi »).

A partir de ce moment-là de l'entretien, Socrate dessine sans doute ses figures sur le sol, dans le sable ou dans la poussière (cf. 83b : l'emploi de *anagrapsōmetha* — « traçons » — qui semble l'attester). Mais le fait que Socrate facilite à coup sûr la compréhension du jeune garçon en se servant de figures sensibles ne signifie pas que, sans l'aide de telles figures, le jeune homme aurait été incapable de se remémorer les propriétés du carré et de donner une bonne réponse (cf. Gulley 194, qui estime qu'il n'y a, dans cette démonstration socratique, aucune interférence du sensible ; tandis que Ross considère que le sensible y joue un rôle décisif : *Plato's Theory of Ideas*, Oxford, 1951, 18). Le témoignage du *Phédon* 73a-b qui rappelle cet argument du *Ménon* et emploie le terme *diagrámmata* est lui-même d'interprétation délicate car la fonction exacte de la référence aux *diagrámmata* dans le rappel de la Réminiscence (réminiscence qui, dans le *Phédon,* semble être induite uniquement par un entretien dialectique bien conduit : « des hommes sont interrogés et, si on les interroge bien, ils peuvent dire par eux-mêmes tout ce qui est ») est difficile à définir. En effet, ce terme *diagrámmata* peut renvoyer aussi bien à des figures géométriques concrètes et sensibles — *Cratyle* 436d, Aristote, *Premiers Analytiques* 41b14, Xénophon, *Mémorables* IV, 7, 3 — qu'à des démonstrations géométriques générales et abstraites — *Théétète* 169a, Aristote, *Métaphysique* IX 1051a22. Ce dernier sens de *diagrámmata,* qui en ferait des « démonstrations géométriques » (incluses dans l'entretien dialectique au lieu d'en représenter la confirmation empirique ultérieure) est sans doute préférable et supprimerait la nécessité d'une allusion précise aux « figures sensibles ».

On trouve quelques mentions de cette scène d'interrogation socratique chez les auteurs antiques, cf. Cicéron, *Tusculanes* 1, 57, saint Augustin, *De Trinitate* XII, XV, 24.

136. La condition mentionnée ici par Socrate serait nécessaire, mais non pas suffisante pour définir un espace carré, puisque le losange a lui aussi ses quatre côtés égaux. Pour que cette condition soit nécessaire et suffisante, il faudrait que soit également mentionnée l'égalité des angles, ou la présence d'un angle droit ou encore l'égalité des diagonales (mais celles-ci n'interviendront qu'en 85b). Cependant, il n'y a ici aucun doute sur le fait que Socrate conçoive et dessine un carré au lieu d'un losange. En effet, les Grecs étaient si accoutumés à calculer les surfaces comme les produits de deux dimensions linéaires que, faute de précision supplémentaire, Socrate et le jeune garçon pensent aussitôt à une figure à angles droits, sans que cette dernière condition doive être explicitement formulée.

Cette réserve faite, une telle question de Socrate contribue-t-elle à établir la définition du carré ? Pose-t-elle l'existence de la chose qu'elle définit (cf. Thompson 130) comme c'est le cas, par exemple, en 75e, à propos de la limite (*teleutế*), et en 76d, pour la vue (*ópsis*) ? En fait, rien n'oblige à reconnaître dans la formule socratique une position d'existence ou une définition, le participe *ékhon* (« ayant ») ne servant qu'à décrire cette propriété du carré d'avoir ses quatre côtés égaux ; le carré est ici seulement tracé et reconnu comme tel.

137. Ces lignes « qui passent par le milieu » sont sans doute les transversales, parallèles aux côtés, qui joignent les milieux des côtés opposés du carré et divisent donc le carré en quatre carrés égaux. L'égalité de ces lignes ne serait pas non plus une condition suffisante pour que la figure en question soit un carré, puisqu'elles sont égales aussi dans le losange (à la différence des diagonales, qui sont égales dans le carré, mais non pas dans le losange). Mais la question est controversée. Pour une polémique récente, voir l'échange entre Boter 208-215 et Sharples 1989, 220-226.

Voici une tentative de représentation graphique de ce que Socrate montre au jeune garçon :

SCHÉMA I

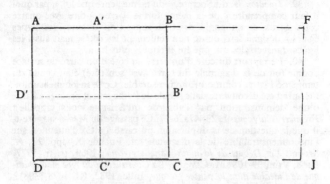

L'intérêt qu'il y a à tracer, dès le début de la démonstration, ces deux lignes transversales tient au fait qu'il sera ainsi plus facile : 1. de montrer au jeune garçon les rapports de grandeur entre des carrés de différentes tailles ; 2. de l'amener à apprécier le rapport entre les surfaces des rectangles (ABB'D', D'B'CD) et du carré (ABCD) ; quand, un peu plus loin, les côtés du carré initial auront reçu la longueur de 2 pieds, le plus petit côté des deux rectangles ainsi définis aura un pied de long ; ces rectangles pourront donc servir de bandes unitaires dont la surface (en pieds carrés) aura le même nombre que la longueur (en pieds) du plus grand côté ; 3. de montrer clairement au jeune garçon qu'un carré de 4 pieds carrés est composé de quatre carrés d'un pied carré, ce qui facilitera pour lui tous les calculs de surfaces ultérieurs.

138. Comme en témoigne tout ce passage, la même unité de mesure valait, dans la géométrie grecque, pour les lignes et les surfaces. Cette pratique s'explique si on songe au fait que, lorsqu'ils devaient mesurer des surfaces ou en toute autre occasion concrète, les Grecs pensaient en termes de carrés ou de rectangles unitaires (en ce cas, des sortes de « bandes ») dont la largeur était d'une unité (cf. note précédente). Pour le calcul des surfaces, l'introduction des lignes transversales définissant des bandes unitaires (comme l'a fait Socrate dans sa précédente réplique) se révélera très utile. En effet, la surface sera alors mesurée par le nombre de bandes unitaires de ce type, pour autant qu'il y ait un nombre entier de pareilles bandes dans la surface à mesurer. Cependant, pour la clarté de l'exposé, nous avons préféré rétablir « pied » et « pied carré », bien qu'il soit facile de juger, d'après le contexte, si Socrate parle de longueur ou de surface (cf. *Théétète* 147d-e).

Le fait que Socrate attribue une longueur de deux pieds au côté du carré (qu'il trace ou non sur le sol une longueur qui ait ou non exactement cette mesure), peut témoigner de l'importance qu'avait prise au début du IVe siècle le point de vue métrique en géométrie.

139. *Toioûton de*, dit Socrate, « du même genre que lui », par quoi il faut comprendre « de la même forme », c'est-à-dire avec quatre côtés égaux et un angle droit. L'expression « toutes ses lignes égales » désigne sans doute non seulement les côtés, mais aussi les lignes transversales qui ont été évoquées plus haut.

140. Le rapport du côté d'un carré au côté d'un carré de surface double (ou de la diagonale du carré avec son côté) était connu du temps de Platon comme incommensurable. Cette incommensurabilité aurait été découverte dans l'école de Pythagore et prouvée à l'aide d'une démonstration par l'absurde qu'Aristote nous rappelle : *Premiers Analytiques* I, 23, 41a26-27. Ce passage du *Ménon* suggère-t-il que la question de la duplication du carré a attiré l'attention sur l'incommensurabilité de la diagonale (cf. Euclide X, app. 27, A. Szabo : *Les Débuts de la mathématique grecque*, 1969, tr. fr. 1977, Paris, Vrin, 99-108, M. Caveing, *La Construction du type mathématique de l'idéalité dans la pensée grecque*, Lille, 1982, III, 1278-1308) ?

La question de Socrate demandant la longueur du côté de ce carré double ne peut donc pas recevoir de réponse numérique (exprimée en nombres entiers ou en rapports rationnels), puisque cette longueur est un nombre irrationnel. Mais il n'empêche que cette ligne a une longueur déterminée, bien que non exprimable par un nombre fini. La manière dont Socrate interroge le jeune garçon — en employant presque systématiquement, jusqu'en 84a, indéfinis et interrogatifs qualitatifs (*pêlikê* en 82d et 83e, *hopoía* et *poía* en 82e, 83c, 84a, 85b) au lieu des interrogatifs quantitatifs — devrait induire le garçon à dire de quel genre de ligne il s'agit plutôt qu'à mesurer la longueur de cette ligne. L'expression *apò poías grammês* (« à partir de quelle ligne »), en particulier, désigne la ligne déterminée sur laquelle construire le carré de surface double. La présence d'un premier contraste entre, d'une part, la première partie de la discussion (où le garçon cherche à mesurer la longueur du côté) et la seconde (à partir de 84a) qui consiste à construire le carré recherché, et, d'un second contraste, d'autre part, entre les expressions qualitatives de cette première partie, et le langage quantitatif de la deuxième partie, a été soulignée (M. Brown 203) — ce à quoi on peut objecter la valeur probablement quantitative de *pêlikê* au début de 82e, qui s'expliquerait sans doute par le fait que Socrate se contente de reformuler la question initiale. Mais il est aussi possible que ces lignes n'ayant d'autre propriété que leur longueur, l'indéfini qualitatif s'entende comme un quantitatif. De nombreux commentateurs se sont demandé pourquoi Socrate choisissait de poser au jeune homme un problème littéralement sans réponse, s'il l'induisait en erreur et s'il considérait la réponse géométrique comme un pis-aller (84a), cf. Brague 73 et M. Narcy, *Le Philosophe et son double, Essai sur l'Euthydème de Platon*, Paris, Belles Lettres / Vrin, 1984, 132-137, M. Brown 216. De plus, pourquoi, alors que ce type d'incommensurabilité est connu depuis longtemps, Socrate évite-t-il de faire rencontrer une telle difficulté au garçon ?

Mais ces problèmes n'apparaissent que si l'on suppose que Socrate attend du garçon une réponse numérique ; or il semble que le problème proposé soit un problème de construction géométrique et non pas de calcul. De manière générale, il faut rappeler que les Grecs considéraient les problèmes mettant en jeu des irrationnelles comme requérant des solutions géométriques et non pas arithmétiques (non pas définir la racine carrée mais construire le carré de surface double ; sur le tétragonisme ou transformation d'un rectangle en un carré de même surface, voir *infra* note 144). Les irrationnelles dont il est question dans le livre X des *Eléments* d'Euclide sont des lignes droites. La relation de leurs nombres ne peut être obtenue par un *lógos* exprimable comme une relation de nombre à nombre, mais par la relation que ces nombres ont, une fois portés au carré (sur cette commensurabilité en puissance, cf. Euclide X, déf. 2) (cf. aussi Proclus, *Commentaire aux Eléments d'Euclide*, I, 60, 12-16, *Théétète* 147d-148b, *Epinomis* 990d : « en effet, tous les nombres ne sont pas par nature comparables les uns aux autres, mais la possibilité de la comparaison devient manifeste quand on les traduit en surfaces » ; cf. Th. Heath, *A History of Greek Mathematics*, 1921, new ed. 1981, New York, Dover, 90-91, 154-157). Sur ces questions, sur le rapport de cet entretien avec les différentes recherches menées dans le *Ménon* (qu'est-ce que la vertu ? peut-on l'enseigner ?), sur la relation aussi avec l'usage de l'hypothèse un peu plus loin dans le dialogue, voir *Introduction* 101.

141. L'assurance avec laquelle répond le jeune homme peut être comparée à l'assurance de Ménon en 71e. Il est vrai que, dans la précédente question de Socrate, rien ne dissuadait le garçon d'imaginer que si les surfaces sont doubles, les côtés le sont aussi.

142. On peut comprendre aussi : « sur tout je pose des questions ». Plusieurs commentateurs ont remarqué que les questions posées par Socrate sont directives et ne laissent au jeune homme que peu de liberté pour répondre. Mais c'est après une fausse réponse du garçon que Socrate souligne qu'il ne fait que poser des questions. En effet, il est clair que dans ce cas il ne transmet pas de connaissance, mais cherche plutôt à faire comprendre l'erreur comprise dans cette fausse réponse.

Notons enfin que Socrate qui, dans toute cette interrogation, s'adresse plusieurs fois à Ménon, semble prendre pour acquis que Ménon connaît la bonne réponse et qu'il sait donc reconnaître aussitôt comme fausses les premières réponses du jeune homme.

143. Le terme *ephexês* peut signifier plusieurs choses : 1. que le processus de réminiscence va commencer — après cette première réponse immédiate, qui se révèle fausse, et donc indique la nécessité pour le jeune garçon de chercher au-delà des premières certitudes ; 2. « en ordre, une étape après l'autre », précision de Socrate, qui se réfère sans doute à la cohérence du processus de la réminiscence, et à l'ordre dans lequel les réalités doivent être remémorées. Mais cet ordre est-il l'ordre objectif des choses à se remémorer (ordre synthétique, évoqué sans doute en *République* VI 511b, *Phédon* 101d-e et *Banquet* 210c) ou l'ordre subjectif du processus de remémoration (ordre analytique : *Banquet* 215a) ? Il semble plus

vraisemblable qu'à ce moment-là de l'exposé, Platon envisage cet « ordre » comme quelque chose de plus général : la nécessité de se remémorer une chose à partir d'une autre parfaitement comprise, c'est-à-dire après avoir bien compris pourquoi la réponse proposée d'abord s'est révélée fausse.

144. Cette précision est très importante, car elle renvoie au problème général du tétragonisme, ou comment construire un carré de même surface qu'un rectangle donné (ici le rectangle AFJD qui a 4 pieds de long et 2 pieds de haut), c'est-à-dire comment trouver la moyenne proportionnelle entre deux segments quelconques. Le cas de la duplication du carré est un cas particulier de tétragonisme, puisque c'est de deux segments dont l'un est le double de l'autre qu'il faut trouver la moyenne proportionnelle (cf. Szabo, *op. cit. supra* note 140, 47-57, Caveing 1312-1332). Socrate rappelle aussi au garçon qu'il doit trouver une aire double et une figure semblable.

145. Voici comment on peut représenter la construction de ce nouveau carré :

SCHÉMA II

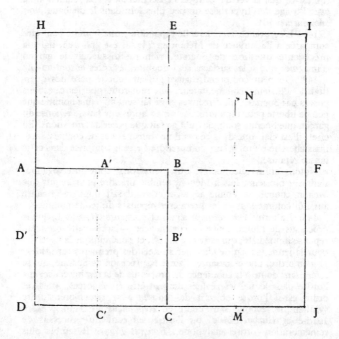

Précisons que, dans les répliques précédentes, *haútē* est DJ (« cette ligne-ci »), *taútē* est DC (« la première ») et *héteran tosaútēn* est CJ (« une autre aussi longue »). C'est donc par une construction que Socrate amène le jeune garçon à réaliser son erreur, avant de lui faire calculer le carré de 4, que le garçon semble d'ailleurs connaître parfaitement.

La fausse réponse du jeune garçon, qui amène à construire HIJD, le carré de 16 pieds carrés, se révélera utile dans la mesure où le problème posé consiste dès lors à doubler le carré de surface 4 ou à diviser le carré de surface 16, autrement dit à procéder à une intercalation de moyenne proportionnelle : il faut donner la moyenne géométrique entre la valeur du côté du premier carré et la valeur de son double. De plus, il faut remarquer que la construction de ce grand carré est nécessaire à la construction, avec la règle et le compas, du carré recherché ; si on considère le problème comme un problème de construction, la première fausse réponse du jeune garçon donnerait la condition de possibilité de la bonne réponse.

146. Socrate a tracé les lignes nécessaires pour montrer que le grand carré est divisé en quatre carrés égaux. Dans le schéma présenté plus haut (cf. note 144), il s'agit des carrés ABCD, BFJC, HEBA, EIFB. Les lignes transversales tracées dans le carré ABCD permettent de mieux comprendre quelle est la méthode d'addition de surfaces que semble suivre Socrate ; notez que dans le grand carré de 16 pieds, figurent également les transversales EC et AF.

147. En *Théétète* 147d, il est dit que Théodore a analysé les nombres en distinguant entre ceux qui sont directement commensurables et ceux qui ne sont commensurables que par leurs carrés, cela jusqu'au nombre 17, auquel il se serait arrêté. Il est possible que ce soit à l'aide d'un diagramme semblable à celui reproduit par Szabo que Théodore ait tenté d'illustrer ses calculs (Cf. Szabo, cité *supra* note 140, 35-79, surtout 59, pour une représentation graphique de la méthode employée qui explique que Théodore se soit arrêté à 17 ; Caveing 1370-1384).

148. Nous suivons Bluck qui restaure la leçon des manuscrits *tétarton* (un quart d'espace : ABCD) contre la correction de Cornarius, qui lit *tetrápoun* (un espace de quatre pieds), correction pourtant presque unanimement traduite. Dans la mesure où Socrate vient de parler d'une ligne deux fois plus courte ou plus longue de moitié, on peut penser qu'il aborde le problème sous l'angle de la théorie des proportions, en comparant lignes et surfaces (une ligne moitié moins longue donne une surface un quart plus petite), pour montrer que la proportion n'est pas directe.

149. L'usage de l'impératif présent (au lieu de l'impératif aoriste employé pour un ordre ponctuel) peut indiquer que l'exigence de répondre ainsi représente un processus ou bien que c'est une habitude à prendre, conforme aux règles dialectiques, cf. *Théétète* 154c-e, *République* I 337c, 350e, *Criton* 49d, *Protagoras* 331c, *Gorgias* 495a-c, 500b. Ce n'est que dans la mesure où les opinions sont sincères qu'elles formeront le matériau de la réfutation (*elenchus*) socratique qui permettra d'en vérifier ou d'en contester la validité

(cf. 85c). Cf. références dans G. Vlastos, « Socratic *Elenchus* », *Oxford Studies in Ancient Philosophy*, 1, 1984, 27-74. Par ailleurs, on notera aussitôt après (« cette ligne-ci n'était-elle pas... ») l'usage classique de l'imparfait pour indiquer un accord antérieur (« cette ligne est de deux pieds, comme nous en étions convenus ») ; de même, un peu plus bas, en 83e, l'usage d'un *oude pō*, « pas encore » (« nous n'avons pas non plus encore obtenu... »).

150. Certes, ce n'est pas parce que 4 est trop grand et 2 trop petit que 3 convient, mais au moins le jeune garçon répond-il après un début de raisonnement sur la relation d'inégalité, même s'il ne peut songer à une autre possibilité de réponse qu'un nombre entier, ce qui l'amène à proposer une moyenne arithmétique, et non pas géométrique.

151. On retourne sans doute ici au graphisme, ou du moins à des mouvements de mains indiquant des directions et des longueurs qu'on peut représenter ainsi sur le schéma II : « Cette première ligne » désigne DM ; quant à l'autre ligne dont il est question, c'est sans doute MN.

152. Le manuscrit grec que suit la traduction latine d'Aristippe (cf. *Remarques* 109) devait comporter sans doute « trois fois trois pieds », au sens de « trois bandes unitaires de trois pieds carrés ». Le texte de nos manuscrits se lit au contraire comme « trois fois trois en pieds ». La première formule a l'avantage de confirmer l'usage pédagogique que Socrate fait de ces surfaces unitaires évoquées dès le début de l'entretien (cf. *supra* note 137), même si les lignes qui serviraient ici n'ont pas encore été explicitement désignées.

153. Sur la définition de *arithmeīn* (« dire le nombre, donner un chiffre »), voir *Théétète* 198c. Sur le rapport entre solutions numériques et solutions géométriques, cf. *supra* note 138. Il n'y a aucune raison de penser (comme le font de nombreux commentateurs) que Socrate reconnaisse ici le fait que le jeune garçon ne peut donner la réponse numérique qui lui aurait été pourtant demandée. En fait, il y a deux façons de donner la grandeur de la ligne recherchée en donnant son nombre : 1. faire le calcul (*logisámenos*, employé seulement en 82d ; ce qui est évidemment impossible pour le nombre recherché puisqu'il est irrationnel) ; 2. donner le nombre (*arithmeīn*, 84a, ce qui n'est pas impossible dans les deux cas suivants : a) si on tente une approximation numérique et un encadrement de valeurs par le procédé de l'anthyphérèse (ou soustraction réciproque) donnant la méthode de recherche d'un nombre fractionnaire, procédé connu sans doute du temps de Platon (cf. Aristote, *Topiques* III, 3, 118 b16-19) et exposé dans Euclide (VII, 1, X, 2 ; cf. Heath, 327-329) ; b) si on considère que le nombre cherché est déterminable comme le double du carré 2 ; sur la distinction entre *logistikē* et *arithmētikē*, cf. *Gorgias* 450d, *République* VII 524d-526c, cf. D.A. Fowler, *The Mathematics of Plato's Academy. A New Reconstruction*, Oxford, Clarendon Press, 1987, 108-117).

Remarquons que Socrate lui-même ne déterminera pas la mesure de la ligne ($2\sqrt{2}$), mais se la fera seulement désigner.

154. Cet aveu du jeune garçon semble fort proche du diagnostic

que Socrate portait sur Ménon (79e-80d), quoique Ménon, contrairement à ce que dit Bluck (303), ne reconnaisse son absence de
connaissance que plus tard (86c, 96d), puisqu'en 80b, il se contente
de reconnaître qu'il ne peut rien dire de la vertu.

155. Encore une fois (cf. *supra* note 143) il y a là une apparente
allusion au processus ordonné de la réminiscence, mais cette
remarque peut avoir trait soit au fait d'aller vers la réminiscence soit
au fait de se trouver à un point crucial de son développement.

156. Cette description que fait Socrate de l'état d'ignorance
consciente de soi où se trouve le jeune garçon est à mettre en parallèle
avec la connaissance de sa propre ignorance que Socrate reconnaît
avoir dans l'*Apologie de Socrate* 21d (Brague 170). Le jeu des
particules est ici assez subtil : le premier *tò mèn prôton* (« au début »),
s'oppose à *nûn de* (« mais à présent »), tandis que le second *men*
(« certes ») s'oppose à *all'oûn* (« mais malgré tout ») (cf. Denniston
444).

157. Ici, Socrate développe avec insistance la problématique du
tort ou de l'avantage que peut produire le fait de prendre conscience
de son ignorance ; cf. 80a. Il faut sans doute y voir une allusion aux
nombreuses critiques, exprimées en partie par Ménon, que devait
susciter ce type d'interrogation socratique. Le message implicite est
ici que la torpeur dont Ménon se plaignait lui est de toute façon
profitable.

158. Socrate caricature ainsi le langage que Ménon tenait en 80b.
Simplement, l'ignorance en géométrie est plus facilement décelable
qu'en matière de vertu. La réfutation socratique défait l'apparence
de connaissance et, en créant une conscience d'ignorance, elle suscite
un désir de connaître. M. Brown (69 n. 20) estime que le jeune
garçon, en l'état d'ignorance où il reconnaît se trouver, est la
comparaison en retour que Socrate disait devoir à Ménon. Sur la
traduction de *kai* par « en fait » (« il pourrait en fait se mettre à
chercher avec plaisir »), voir Verdenius 1957, 266-7.

159. Cette insistance de Socrate sur le fait qu'il n'enseigne rien
désigne la condition sans laquelle la « démonstration » (*epideíxis*) que
fait ici Socrate — apprendre, c'est se remémorer — ne saurait être
pertinente. Le jeune garçon est censé découvrir par lui-même la
solution, en se guidant sur des notions qu'il pense avoir, en faisant
des inférences pour tenter de répondre à Socrate à l'aide du dessin
que celui-ci a tracé sur le sol. C'est évidemment un certain sens de
l'enseignement (comme transmission de connaissances extérieures)
qui se trouve écarté ici, mais non pas l'enseignement comme effort
de recherche et de compréhension.

160. Cette « surface de quatre pieds carrés » est le carré ABCD
dont il était question au début de l'entretien. Il semble que
l'interrogation socratique prenne ici un nouveau départ (Thompson
138 suggère qu'on efface les figures ; tandis que Bluck 307 pense
qu'on les laisse de côté pour en dessiner d'autres). Dans la mesure où
toutes les lignes dont il est question dans ce qui suit peuvent être de
nouveau tracées dans les carrés déjà dessinés, il est probable que
Socrate ne fait qu'attirer de nouveau l'attention sur le grand carré de

16 pieds carrés (formé de 4 carrés de 4 pieds carrés chacun) : ABCD, HEBA, EIFB, BFJC :

SCHÉMA III

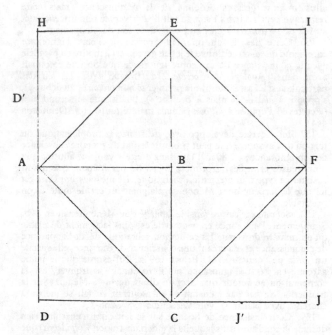

Remarquons que plusieurs fois de suite, dans les quelques répliques qui suivent, Socrate demandera au jeune garçon, *manthá-neis,* avec le sens attesté, mais moins fréquent qu' « apprendre », du verbe *manthánein* : « comprends-tu ? ». Enfin, les termes de mouvement utilisés lors de la construction géométrique sont, d'après *République* VII 527a-b, nécessaires mais inappropriés.

161. L'espace à combler dans le coin et qui permet d'obtenir le grand carré HIJD est représenté sur le SCHÉMA III comme le carré EIFB.

162. Le texte est ici difficile. De nombreux manuscrits donnent *tina* (« une certaine ligne ») qui n'a guère de sens ici ; la correction *teinoúsa* (« tendue, tracée ») a aussi été proposée. Mais la meilleure solution est sans doute de supprimer ce *tina* qui serait une anticipation inconsidérée du mot suivant *témnousa* « qui coupe ».

163. Il s'agit des espaces ABCD, BFJC, HEBA, EIFB, qui

seront, chacun, ultérieurement divisés en deux et en lesquels Socrate
indiquera les triangles rectangles AEB, EFB, BFC, ABC qui ont
chacun une surface de deux pieds carrés ; cf. (« combien de surfaces
de cette dimension ») (cf. SCHÉMA III).

On remarquera que le jeune garçon est amené à construire, de
façon géométrique, le carré de surface double avant de s'assurer que
sa surface est de huit pieds carrés. Le problème étant essentiellement
de construction, le raisonnement du garçon est ici complet, et il n'est
nul besoin d'ajouter aux répliques suivantes, comme le fait Schleiermacher, un échange expliquant comment le garçon comprend que le
carré obtenu a une surface de 8 pieds carrés (cf. Thompson 139,
Bluck 310). On remarquera que lorsque le jeune garçon s'emploie à
cette confirmation (de la grandeur de la surface du carré), ce sont des
indéfinis de quantité qu'il emploie.

164. La ligne en question est sans doute, des quatre diagonales
(AC, AE, EF, FC), la ligne AC du premier carré donné. On
remarquera que le terme technique utilisé pour désigner la ligne
recherchée (*diámetros*, littéralement : qui mesure à travers) n'est
donné qu'une fois que cette ligne aura été déterminée. Le terme
diámetros (au sens de « diagonale ») est utilisé par Platon dans
Politique 266a, *Sisyphe* * 388e (à propos de la non-commensurabilité
entre la diagonale et le côté du carré qu'elle divise), *République* VI
510d, *Timée* 54d-e (diagonale d'un quadrilatère). Mais ce terme
désigne aussi le diamètre d'un cercle (Aristote, *Du ciel* I, 4, 271a13),
l'axe d'une sphère (Aristote, *Du mouvement des animaux* 699a29). Le
terme *diagônios* est d'emploi plus tardif.

Par ailleurs, Socrate emploie-t-il le terme *sophistaí* avec son sens
originaire de « savants, expert », par opposition à « profanes » ou
avec son sens, courant à l'époque, de « sophistes » ? On trouve des
occurrences du sens de « expert » chez Platon, cf. *Cratyle* 403e (à
propos du dieu Hadès), *Minos* * 319c (à propos de Zeus), *République*
X 596d (pour désigner le démiurge). Deux arguments pourraient
permettre d'établir que le sens ici est « savant, expert » : 1. il n'y a
aucune raison de penser que les sophistes (au sens sociologique du
terme : professeurs de vertu) sont tous des mathématiciens, comme
l'était Hippias ; 2. d'autre part, l'emploi ultérieur du terme
« sophiste » (au sens habituel) dans le *Ménon* (91c) suscite des
sentiments assez négatifs chez Ménon, sentiments qui sans doute
auraient été exprimés ici si Socrate avait utilisé le terme *sophistaí* en
ce sens. En revanche, l'allusion faite ici aux « savants » s'explique
assez si on songe que Ménon semble amateur d'une certaine
technicité mathématique (cf. 75d-e, 76c). Par ailleurs, il est bien sûr
que la connaissance du terme technique « diagonale » ne donne pas
encore une vraie connaissance du problème posé.

165. L'expression *aletheîs dóxai* est mentionnée ici pour la première fois dans le *Ménon* ; les opinions vraies se rapportent à des
choses dont il est précisé qu'elles ne sont pas, à strictement parler,
connues (« au sujet de ces choses-là qu'en fait il ignore »). L'opinion
vraie est donc présentée comme formellement équivalente à un
jugement vrai sur un objet, mais qui ne donne pas la connaissance de

cet objet (c'est le cas, par exemple, du jugement du jeune garçon qui en 85b désigne la diagonale du carré comme la ligne sur laquelle se construit la surface double). La notion d'opinion vraie (et son rapport à la connaissance) fera l'objet d'une définition plus complète en 97a.

Les opinions vraies qui resurgissent à la conscience, au cours du processus de la réminiscence, proviennent de vérités antérieurement apprises. Sur le statut de ces vérités et des opinions qui semblent en être l'expression, sur le type de démonstration proposée ici de leur existence, voir *Introduction* 87-94.

Remarquons que : 1. jusqu'à présent Socrate ne s'est pas servi de l'expression « opinions fausses » pour désigner les mauvaises réponses du jeune garçon, dont il n'expose d'ailleurs pas la raison (à la différence du traitement donné de la fausseté dans *Théétète* 187d-197a et *Sophiste* 259d-264b) ; 2. qu'en 85b, il désigne ces réponses comme étant *hếntina dóxan* « une opinion », ne distinguant pas, en tant qu'opinion, opinion vraie et opinion fausse.

166. Nous ne voyons aucune raison impérative de reprendre la correction de Schanz, suivi par Croiset, qui supprime « que cet homme ignore », afin d'éviter le double emploi d'une clause à peu près identique. Si on veut éviter la répétition, il faut supprimer beaucoup plus (à partir de *perì toútōn* : « opinions qui portent sur ces choses... ») ; mais aucun besoin n'est ici de supprimer quoi que ce soit : ce qu'énonce Socrate est assez paradoxal pour qu'il soit tenté de le répéter une seconde fois ; davantage, en donnant une valeur un peu plus précise à *perì toútōn hỗn* (« sur les choses que cet homme en fait... »), on marque plus nettement la différence entre connaissance et opinion vraie.

167. Quel est le sens de cette précision ? Les opinions (vraies ?) apparaissent-elles en l'esprit du jeune homme comme apparaissent les images d'un rêve (on ne sait pas d'où elles viennent, elles n'ont pas de lien entre elles), ou bien est-ce leur mode d'être que Socrate veut ainsi qualifier (ce sont des images souvent floues, imprécises, instables, incapables de convaincre de leur vérité) ? Il est possible d'ailleurs que Socrate retienne ici les deux possibilités (indétermination de l'origine et caractère erratique intrinsèque), mais il est plus probable que, étant donné que ces opinions vraies ont été assez immédiatement reconnues comme vraies, ce ne soit pas à leur indétermination interne que se réfère ici Socrate, mais au fait qu'elles n'aient pas d'origine précise et ne soient pas précisément liées entre elles.

On rapproche habitue!lement ce texte de *République* V 476d et VII 534c, qui présentent la différence entre rêve et veille comme une métaphore de la différence entre la connaissance (réelle) des universaux (des Formes ?) et la connaissance (illusoire) du sensible. Ce type de rapprochement n'est pas très pertinent pour le *Ménon*, car il n'est pas dit, dans notre dialogue, que les opinions sont oniriques précisément parce qu'elles portent sur le sensible. Au contraire, le premier exemple d'opinion vraie qui nous est donné ici porte sur une vérité géométrique ; c'est de celle-ci que Socrate dit qu'elle apparaît

comme dans un rêve, et non pas des opinions en général qui
porteraient sur le sensible. Il semble donc qu'il y ait là deux
métaphores indépendantes : dans le *Ménon*, l'opinion vraie (même si
son objet est une vérité géométrique) s'oppose à la connaissance de la
géométrie comme le rêve s'oppose à la veille (par le type de liaison
que cette opinion a avec d'autres vérités et non pas par le mode d'être
de son objet, comme c'est le cas dans la *République* et en *Banquet*
175e). Ainsi, si les vérités apprises antérieurement sont en état de
latence, elles n'ont besoin que « d'être réveillées par une interrogation », sans que les objets sur lesquels elles portent doivent être
modifiés. Dans la *République*, au contraire, l'opinion porte sur le
sensible et s'oppose à la connaissance des Formes. En revanche, le
rapprochement est plus légitime avec *République* VII 533c : la
connaissance des géomètres ressemble à un rêve, aussi longtemps
qu'ils sont incapables de rendre raison de leurs hypothèses. Dans le
Ménon, c'est aussi parce que le jeune garçon ne peut expliquer
pourquoi sa réponse est juste que son opinion vraie est un rêve.

168. La traduction de l'ensemble de l'expression (*pollákis tà autà
taûta kaì pollakhêi*) est délicate. Certes la réitération de la même
interrogation, laquelle serait censée susciter à chaque fois la même
réponse, peut finir par donner à cette réponse un contenu plus
convaincant. Mais il serait absurde de traduire *tà autà taûta* par « les
mêmes questions ». Il vaut mieux donner un sens plus large à cette
expression : « sur les mêmes sujets » (par exemple : les problèmes de
géométrie qui exposent les propriétés du carré, et induisent différentes constructions ; ou encore les illustrations différentes du même
problème : en effet, la propriété de la diagonale du carré peut être
mise en évidence, quelle que soit la longueur du côté du carré ; ou
enfin les constructions différentes du même problème : avec les
lignes DD', DJ', côtés d'un carré de surface 8, cf. SCHÉMA III). On
interpréterait ainsi *pollakhêi* (« de plusieurs façons ») comme une
explication et un complément de *pollákis* (« à plusieurs reprises »), la
diversité du questionnement sur un même problème permettant au
répondant de mieux saisir la stabilité du problème en question (cf.
Burnyeat 181-186, tr. fr. 1991). On remarquera que l'interrogation
dialectique intervient aussi bien dans le temps de remémoration sous
formes d'opinions des vérités antérieurement acquises que lors de la
transformation des opinions vraies en connaissances (cette dernière
interrogation répétée et diversifiée est désignée comme *uitías logismós*
— 98a — et réminiscence à proprement parler) cf. *Introduction* 89-
90.

169. Quatre précisions sur la traduction de l'ensemble de ce
passage philosophiquement essentiel. 1. Socrate emploie de manière
récurrente le verbe *eneînai*, « être dans » pour désigner le mode de
présence des opinions dans le sujet. 2. Il ne s'agit pas tant de
connaître ou de juger quelque chose que d'avoir une connaissance ou
une opinion sur quelque chose (*perì tinos*). 3. L'expression « une
connaissance aussi exacte que personne » laisserait penser que le
critère de la précision est un de ceux qui assurent la réalité de la
connaissance. 4. Le sens de l'expression « il finira » (*teleutôn*) semble

indiquer qu'il s'agit d'un processus téléologique orienté vers l'acquisition de la connaissance.

170. Cf. *Phédon* 75e, où on trouve la même expression *analabòn tèn epistémèn* (« recouvrer la connaissance »). Quelle est la nature d'une telle connaissance ? Consiste-t-elle en contenus déterminés (acquis de façon synthétique) ? ou bien représente-t-elle surtout des principes tout à fait généraux d'inférence qui permettent la réactivation des opinions vraies (cf. Vlastos 156-7, et Gulley 14-15) ? Faut-il encore y voir une forme de connaissance latente, dont le contenu serait identique à celui de l'opinion vraie qui l'exprime, la connaissance acquise au terme de l'interrogation répétée étant différente ; sur ces problèmes, cf. *Introduction* 89-93.

171. Il est assez étonnant que Socrate attribue ici la connaissance (*epistémè*) au jeune homme quand il ne lui avait reconnu jusque-là que l'opinion vraie. Parle-t-il d'une connaissance latente chez le jeune garçon ou de la connaissance que celui-ci aura ultérieurement ? La précision *nûn* (littéralement : maintenant) pourrait simplement indiquer que Socrate se place au moment où l'opinion vraie, premier produit de la réminiscence, a été transformée en connaissance, grâce à l'interrogation (ce que semble suggérer l'emploi du verbe *erôtèsantos*, « parce qu'on l'a interrogé » en 85d, et les deux futurs). En tout cas, la suite du texte se référera désormais à ce savoir et non plus à l'opinion vraie qui avait été d'abord attribuée au garçon, Socrate se situant ainsi au moment où cette opinion vraie, une fois les interrogations achevées, aura été pleinement transformée.

172. On pourrait tout à fait traduire *epistémôn* par « dans l'état de quelqu'un qui sait » plutôt que par « savant ». En effet, cet état de connaissance semble se trouver à la fois dans la vie présente (mais de façon latente, et non pas sous cette forme d'actualisation, obtenue au terme de la transformation des opinions vraies en connaissance (*epistémè*), et que Socrate promet au jeune garçon) et dans la vie passée.

173. Pour comprendre l'alternative ici examinée par Socrate, il faut la comparer à la première version de l'alternative donnée à la réplique précédente.

Dans la précédente réplique, l'alternative, pour être rigoureuse, exige deux précisions : 1. « qu'il l'ait reçue à un moment donné » (c'est-à-dire, pendant la vie humaine ou avant cette dernière incarnation) ; 2. « qu'il la possédât depuis toujours » (c'est-à-dire : a) que son âme, incréée, ait toujours eu cette connaissance (*Phèdre* 245c-d), ou b) qu'elle ait été créée avec elle).

Dans la nouvelle version de l'alternative qu'on trouve ici, les précisions suivantes sont apportées : 2'. la possession de cette connaissance donne une caractéristique intrinsèque de l'âme (le jeune garçon ne pouvait donc être savant avant que son âme n'existe, et « toujours » veut dire « toujours pour lui »). 1'. acquérir la connaissance à un moment donné veut dire l'acquérir au cours de la vie terrestre (Socrate semble exclure, après l'avoir suggérée, la possibilité que l'âme l'acquière à un certain moment de sa vie antérieure ; une telle possibilité ne fait d'ailleurs pas l'objet d'un examen indépendant). La confirmation du fait que le jeune garçon sait depuis toujours (2') tient à sa redécouverte d'une vérité géométrique ; tandis que la possibilité qu'il l'ait apprise à un moment donné (1') est exclue par le témoignage de Ménon selon lequel personne n'a enseigné la géométrie au garçon. Socrate semble donc exclure la possibilité que l'âme ait été créée (en dépit de *Timée* 42d) ou qu'une telle connaissance puisse s'acquérir à un certain moment de la vie antérieure (sans doute pour éviter une régression à l'infini). Par ailleurs, Socrate n'envisage pas le cas où le jeune garçon aurait pu acquérir une connaissance sans qu'on la lui ait enseignée : au contraire, si le jeune homme l'a trouvée tout seul, c'est qu'elle était déjà en lui.

174. *Mathēmáta,* dit ici Socrate, c'est-à-dire tous les objets qu'on peut apprendre, ou encore tous les objets éventuels de la réminiscence, domaine entier du savoir (et des connaissances *a priori*) qu'une interrogation bien menée peut ramener à la conscience sous forme d'opinions vraies. Que la totalité du savoir soit ici en cause semble être confirmé par l'expression qu'utilise Socrate à la phrase suivante « Y a-t-il quelqu'un qui ait tout enseigné à ce garçon ? », question qu'il suffit de formuler pour en faire entendre toute l'absurdité. Au nombre de ces vérités, il faut sans doute inclure la vertu, elle aussi objet de réminiscence (cf. 86d).

175. Cette expression se réfère au temps où l'âme existait en dehors d'un corps terrestre (cf. *Phédon* 75d, 76c), puisque, à proprement parler, l'homme (*ánthrōpos*) n'existe (et la vie - *bíos* - ne commence) que lorsque l'âme rejoint son corps, incarnation de l'âme qui semble être aussi la condition de possibilité de l'enseignement/réminiscence. Notons que cette affirmation de Socrate fait, dans le *Phédon* 76c, l'objet d'une objection de la part de Simmias. Ce dernier suggère en effet que l'âme pourrait acquérir ce type de connaissances au moment de la naissance : à cette objection, Socrate réplique que ce moment serait celui-là même où on acquerrait et où on perdrait une telle connaissance des Formes.

176. Le temps du verbe est ici le futur de l'indicatif (*enésontai*), mais il faut en faire l'expression d'une possibilité (Bluck 315). Par ailleurs, Socrate semble dire qu'avant l'incarnation de l'âme dans un corps terrestre, la vérité que l'âme détient au sujet des êtres existe sous forme d'opinion plutôt que de connaissance. Mais cette expression n'est-elle pas simplement une façon de dire que c'est sous forme d'opinions vraies que ces vérités resurgiront, avant de se trouver progressivement transformées en connaissances, et cela bien qu'elles viennent de connaissances antérieures ? Sur cette controverse, discutée surtout par Vlastos 148, Irwin 143, L. Brown *Rev. Philo.*, 1991, et liée à l'interprétation de la Réminiscence, voir *Introduction* 84-86.

177. Sur la nature de cette interrogation et la transformation en connaissance, plutôt que sciences, cf. *supra* note 169. Bluck (315) propose de traduire « instances of knowledge », mais cette proposition se justifie mal dans la mesure où : 1. c'est le lien causal (cf. 98a) qui permettra d'assurer cette transformation des opinions en con-

naissances ; 2. Platon ne suggère jamais qu'il s'agit d'une transformation terme à terme, ni que c'est « une opinion » qui devient « une
connaissance ». Par ailleurs, sur la capacité qu'a l'interrogation
dialectique d'induire la science (*Phédon* 73a, *République* VII 532e) et
qui la distingue de la maïeutique (*Théétète* 149a-151c, cf. M.
Burnyeat, « Socrates' Midwefery. Platonic Inspiration », *Bulletin of
the Institute of Classical Studies*, 24, 1977, 7-15).

178. Nous suivons ici la conjecture de Stallbaum reprise par
Bluck (316), corrigeant *âr'oûn* en *âr'ou*.

179. On peut objecter à cette conclusion que le fait d'avoir depuis
toujours une connaissance (latente) n'empêche pas que cette connaissance ait été acquise à un moment donné : soit en même temps que
l'âme a été créée soit entre le moment de sa création et celui de son
incarnation (cf. *supra* note 173). En effet, jusque-là, il a été
seulement montré que l'âme a une connaissance antérieure, non pas
une connaissance éternelle, car dans ce cas il aurait fallu prouver (ce
qui est sans doute implicite) que l'âme n'existe que dotée d'une telle
connaissance (cf. *Phèdre* 248b-c ; en particulier « le temps où il n'est
pas un être humain » peut désigner le temps où son âme n'est pas
unie à un corps terrestre ou bien le temps où il n'existe pas : cf.
Gulley 21) ; « de tout temps » signifierait alors « de tout le temps que
l'âme existe » et, en supposant que l'âme existe depuis toujours, on
pourrait en déduire qu'elle connaît depuis toujours. Il se peut que la
syntaxe grecque, qui accorde au parfait la signification d'un état
présent, favorise un tel glissement de sens que deux précisions
pourraient permettre d'éviter : 1. comprendre « de tout temps »
comme « de tout temps pour lui », en adoptant le point de vue de
l'individu : « de tout temps, depuis qu'il est homme » ; 2. comprendre le *tòn aeì khrónon*, comme indiquant la durée d'existence de l'âme
(« pour tout le temps qu'elle a à vivre »), en supposant implicitement
que la connaissance ainsi acquise dure aussi longtemps que l'âme.
Mais en fait, pas plus qu'en 85d, rien ne permet de conclure que,
même si cette âme a une telle connaissance depuis toujours, elle la
gardera toujours et survivra toujours au corps (*supra* note 173).

Il est vrai que, dans le *Ménon*, le type d'existence « depuis
toujours » reconnu à l'âme n'est pas très précisément déterminé. En
revanche, dans le *Phédon* 77b-d, il est montré non pas que l'âme est
éternelle, mais que son existence, même lorsque l'âme n'est plus
incarnée, est nécessaire (pour permettre les générations ultérieures).

180. Deux problèmes majeurs d'interprétation sont ici posés, qui
concernent : 1. le sens de l'expression « la vérité des êtres est dans
notre âme (*hē alḗtheia hēmîn tôn óntōn*) » ; 2. la définition de
l'immortalité de l'âme.

1. Les êtres dont il est ici question sont assurément les objets de la
réminiscence. Mais Platon les conçoit-il déjà comme il concevra les
Formes (des objets radicalement séparés du sensible et susceptibles
d'être connus seulement par l'âme : *Phèdre* 247c, 249c et *Phédon*
73c) ? Que de tels êtres soient ultérieurement définis comme des
Formes, cela est incontestable, mais dans ce passage du *Ménon*, rien
ne permet d'affirmer que ce soit déjà le cas ; il s'agit d'abord de

réalités essentielles ; pour la discussion de ce point, voir *Introduction*
65 et *supra* notes 122 et 125.

2. En démontrant l'immortalité de l'âme à partir de la présence
dans l'âme de l'homme de la vérité des êtres, Socrate ajoute une
étape supplémentaire à l'argument (déjà sujet à caution, cf. *supra*
note 179), qui établissait que le jeune garçon dispose de cette
connaissance depuis toujours. Mais Socrate ne fait que prouver
l'antériorité de l'âme, non pas son immortalité. Certes, en rappelant
l'argument du *Phédon* (77c, en réponse à l'objection de Cébès), qui
montre que la mort est corrélative à la vie, on peut déduire que l'âme
existe pour toujours comme elle a existé depuis toujours. Or c'est
bien l'immortalité de l'âme après la mort (et non pas seulement son
antériorité par rapport à son incarnation dans un corps terrestre) qui
est ici essentielle, car elle seule peut garantir que l'âme du jeune
garçon gardera toujours ses vérités et sera ainsi capable de chercher,
ce que la seule possibilité de se rappeler les connaissances passées
(grâce à la certitude de l'existence antérieure de l'âme) ne suffit pas à
établir (cf. Verdenius 1957, 295).

De nombreux commentateurs ont souligné le caractère circulaire
de l'argument (l'immortalité de l'âme prouvant la connaissance
prénatale qui prouve à son tour l'immortalité de l'âme), avec
d'autant plus de raison que : a) Socrate émet plus loin (cf. *infra* note
182) quelques réserves sur son propre argument ; b) dans le *Phédon*,
un autre argument que la Réminiscence est requis en plus pour
montrer l'éternité de l'âme ; c) l'argument (sans doute définitif aux
yeux de Platon) donné en faveur de l'immortalité de l'âme (*Phèdre*
245c) n'est aucunement évoqué ici. Mais en fait Socrate ne semble
pas considérer dans notre passage que l'immortalité de l'âme soit prouvée ; au contraire, il demande à Ménon d'en considérer la vérité ;
quant à la réminiscence, elle est confirmée indépendamment lors de
l'entretien avec le jeune garçon (cf. L. Brown, *Rev. Philo.* 1991).

181. Sur cette forme d'acquiescement mitigé, assez caractéristique des interlocuteurs les plus récalcitrants de Socrate, cf. l'acquiescement de Calliclès en *Gorgias* 513c.

182. Socrate distingue ici deux choses : d'une part, « il y a des
points (*tà mén ge álla*) », sur lesquels il ne défendrait pas sa thèse avec
acharnement ; et, *hóti dé*, d'autre part, « le fait que (repris par *perì
toútou* en 86c) si nous jugeons nécessaire de chercher... », qu'il
soutiendrait avec force. Si on pense que ces deux mentions sont sur
le même plan, il faut comprendre les « points » d'abord évoqués,
comme étant non pas éthiques (il en sera question après) mais
épistémologiques (comment démontrer l'immortalité de l'âme, la
vérité des êtres). Sur la façon dont cette conclusion répond au
paradoxe proposé par Ménon en 80d et sur les conséquences éthiques
de la Réminiscence, voir *Introduction* 82 et *supra* notes 115 et 126.

Des réserves comparables (quant aux conséquences de cette thèse)
se trouvent dans *Phédon* 63c, 114d.

183. On remarquera que désormais Socrate inclut Ménon dans la
recherche. Les réticences de Ménon auront donc été vaincues.

184. Il y a deux façons différentes d'interpréter cette phrase, selon

le sens qu'on donne à l'expression au datif « comme à une chose qui s'enseigne » *(hōs didaktōi ónti)* et ce à quoi on la rapporte. L'expression « il faut s'appliquer à cela » *(hautōi deî epikhereîn)* est indissociable, mais faut-il comprendre : 1. « s'appliquer (aborder) à cela, c'est-à-dire, à la vertu », « comme à une chose qui s'enseigne, etc. » (on passerait ainsi de l'expression au datif à l'expression au génitif « la vertu venant aux hommes… » — *paragignoménes toîs anthrópois tês aretês* — pour éviter la confusion avec *tíni trópōi*, « d'une autre façon ») ; 2. « s'appliquer à cela, c'est-à-dire à l'enquête sur la vertu », ce qui est plus conforme aux usages antérieurs de *epikheireîn* (entreprendre une recherche, s'y appliquer). Dans l'interprétation 2, une propriété telle que la capacité de s'enseigner n'est qu'un point de vue sous lequel la vertu est considérée, tandis que dans l'interprétation 1, elle semble être partie intégrante de l'essence de la vertu (qu'elle appartienne ou non à son concept, cf. *supra* note 1). La deuxième interprétation nous paraît plus conforme au sens des questions précédemment posées par Ménon sur le même sujet. Dans sa réponse, Socrate montrera qu'il n'abandonne pas la question de l'essence, mais ne fait que la repousser.

Si Ménon est convaincu maintenant de la possibilité et de l'utilité de chercher, il semble en revanche oublier la priorité de la recherche de l'essence sur celle des propriétés. Il faut aussi remarquer que Ménon n'emploie plus le terme *mathētón* (« chose qui s'apprend »), comme dans sa première question en 70a, mais *didaktón* (« chose qui s'enseigne »).

185. Cette expression *hó tí estin… autó* (« ce qu'elle est ») se réfère à la vertu et non pas à la question « qu'est-ce que c'est que la vertu ? », comme le pense Thompson.

186. Pour Socrate, seul le fait de se commander à soi-même est la condition de la liberté personnelle ; il ne peut donc qu'avoir une piètre opinion de la conception de la liberté (non fondée sur la maîtrise de soi) qu'a Ménon, proche de la prétendue liberté (tyrannique) que confère le fait de commander aux autres (*Gorgias* 491d — la provocation de Calliclès —, et *République* IX 576a).

On remarquera que Socrate n'insiste pas pour donner une définition de la vertu, bien qu'il doive toujours considérer cette recherche comme prioritaire, sans doute parce que l'exposé de la Réminiscence a fourni l'assurance : 1. qu'on pourrait, en un premier temps, retrouver une opinion vraie de la vertu, et 2. que celle-ci, à défaut d'être enseignable (au sens commun), serait toujours remémorable (de la même façon que le jeune homme a fini par répondre de façon juste à Socrate).

187. Chercher la qualité *(poîon)* d'une chose dont on ignore ce qu'elle est *(tí)* est une mauvaise façon de procéder, maintes fois critiquée par Socrate au début du *Ménon* et ailleurs (cf. *supra* note 14). Or, Socrate semble y consentir ici. Mais si on examine de près l'expression qui suit : « si tu ne veux céder sur rien d'autre, relâche ton autorité au moins sur ce point », il n'est aucunement assuré que Socrate soit prêt à proposer un « pis-aller » (comme tous les commentateurs anglophones de ce passage le soulignent en français

dans le texte). En effet, la phrase grecque, que nous avons traduite par « si tu ne veux céder sur rien... », se compose d'une condition-nelle avec une protase elliptique (*ei mế ti oûn* : « si donc rien », littéralement) et une apodose commençant par *allá*. Denniston 12-13 explique cet usage (destiné à accroître le contraste entre apodose et protase) et donne par ailleurs une valeur exhortative à *allá*. Mais la valeur particulière de cette exhortation doit s'expliquer par le sens de l'expression « relâche ton autorité » *(khálason tês arkhês)*. L'image est celle de rênes qu'on lâche (cf. *Protagoras* 331e) et l'expression (si on y adjoint *smikrón de)* a le sens de « relâche les rênes » « pour un petit moment » ou « par rapport à cette petite chose » et non pas « un petit peu ». Ainsi, la proposition que fait Socrate (l'examen à partir d'une hypothèse) n'est pas un compromis obtenu en dépit de l'autorité de Ménon, mais le résultat d'un abandon d'autorité de la part de Ménon, sur un point où Socrate sera souverain.

188. Remarquons d'abord que l'expression « examen à partir d'une hypothèse » ne se retrouve nulle part ailleurs chez Platon non plus que dans les témoignages sur les mathématiques de l'époque qui nous sont parvenus. En revanche, le sens dominant du terme *hypothésis* chez les mathématiciens contemporains (à savoir : une proposition connue de soi) n'est pas celui que Platon utilise dans ce passage-ci.

Le mot *hypothésis* signifie plusieurs choses différentes dans les dialogues platoniciens :

— 1. une proposition dont on ne prouve pas la vérité et dont on s'attache à étudier les conséquences. C'est le sens dialectique du terme *hypothésis* présent surtout dans les premiers dialogues (cf. Xénophon, *Mémorables* IV, 6, 13, *Gorgias* 454c, *Cratyle* 436c, *Théétète* 183b — l'hypothèse du flux héraclitéen —, *République* IV 437a, *Sophiste* 244c) et aussi dans le *Parménide* où la méthode d'examen consiste à tirer systématiquement les conséquences de deux hypothèses opposées l'une à l'autre (128d, 135e, 160b, 161b) ;

— 2. une proposition destinée à être vérifiée et éventuellement prouvée ou dont on examine la cohérence interne (*Phédon* 92d, 94b — l'hypothèse de la Réminiscence et celle de l'âme-harmonie —, 100a-c).

— 3. une définition scientifique (*République* VI 510b-511d, VII 533c-e) qui n'est qu'une « hypothèse », et paraît arbitraire puis-qu'elle n'est pas fondée sur la référence à l'archétype qu'est l'*agathón* (le bien) ; de plus, ces hypothèses sont largement inspirées par le sensible.

— 4. la signification de point d'appui, utilisée de façon ironique dans *Euthyphron* 11c, *République* VI 511b.

Le sens du terme « hypothèse » en cause dans l'expression « examen à partir d'une hypothèse » est le sens 1, le sens proprement dialectique du terme. Le sens 2 ne se rencontre, en revanche, que dans les dialogues plus tardifs, même s'il se trouve en partie institué dans le *Ménon* (cf. 87 d). Mais dans la mesure où la procédure de l'examen par hypothèse semble être élaborée en partie par Platon, on peut s'attendre à ce que ce sens dialectique reçoive des détermina-tions supplémentaires. Pour un examen complet de la question, voir

Introduction 96-100 et F. Lasserre, *De Léodamas de Thasos à Philippe d'Oponte. Témoignages et Fragments*, éd., trad. et commentaire par F. Lasserre, Naples, Bibliopolis, 1987, 447-459.

189. L'expression embarrassée « la forme d'hypothèse suivante » (*hôsper tina hypóthesin*) se justifie si on admet que Platon, loin d'emprunter aux géomètres leur procédure d'examen par hypothèse, leur attribue au contraire une telle pratique. C'est un exemple d'analyse géométrique (couramment pratiquée par les géomètres de l'époque) que Socrate propose ici, exemple en lequel il reconnaît une forme d' « examen par hypothèse » proche de la procédure de l'*elenchus* (Robinson 99 remarque que ce qui est emprunté aux mathématiques, ce n'est pas le terme « hypothèse », mais la façon dont l'hypothèse est utilisée ; selon Bluck, cette expression est destinée à suggérer que la méthode géométrique appliquée à ce genre de questions est une nouveauté, et qu'hypothèse n'a pas ici son sens mathématique habituel : une proposition connue de soi). Ce qui n'empêche pas de considérer que Socrate veuille s'excuser auprès de Ménon d'introduire un terme technique (de Strycker 146, Gaiser (1964), 265).

190. Ce passage de Platon est sans doute un de ceux qui ont suscité les plus nombreux commentaires et les interprétations les plus diverses (avec le texte sur le nombre mentionné en *République* VIII 546c-d). L'historien des mathématiques Th. Heath (*History of Greek Mathematics*, cité *supra* note 140, I, 298) dit que Blass connaissait déjà trente interprétations différentes de ce texte en 1861. Nombreux sont les commentateurs qui estiment que ce passage n'est qu'une pièce rapportée montrant combien Platon était soucieux de parader avec ses connaissances mathématiques ou encore que le détail de cette démonstration géométrique importe peu (Sharples 158) ; Klein (206-208) suggère même que Platon se moque un peu.

Le problème ici posé est un problème d'application des figures (*parabolé tôn khôríôn*, expliqué par Euclide I, 44-45 « comment appliquer à une ligne droite donnée une surface égale à un triangle donné » et par Proclus (citant Eudème) : « car si vous avez une ligne droite, et que vous déposez une surface donnée juste sur la longueur de la ligne donnée, vous appliquez la surface en question ; si la longueur de cette surface est plus grande, elle est dite dépasser ; si elle est plus courte, elle est dite être en défaut (*elleipsis*) », *Commentaire aux Eléments d'Euclide* I, 419.15 — 420.12). Cf. SCHÉMA IV page 284. Le problème est alors de savoir si une telle figure peut s'inscrire sous forme de triangle (de même surface) à l'intérieur du cercle défini par la droite.

Mais pour savoir quel type d'application est en jeu dans ce texte, il faut résoudre plusieurs difficultés terminologiques.

1. Comment comprendre « surface » (*khôríon*) ? Il peut s'agir : a) soit du carré de 2 pieds de côté (ABCD), mentionné au cours de l'entretien avec le jeune garçon (cf. SCHÉMA I page 265) ; b) soit d'un rectangle ; c) soit de n'importe quelle figure rectilinéaire X qui devra d'abord être réduite à un rectangle de même surface (Euclide VI, 28).

2. Le terme *trígōnon* doit être interprété adverbialement : « inscrire comme, dans la forme d'un triangle », et non pas « inscrire un
triangle » (dans un cercle, ce qu'il est toujours possible de faire).

3. A quoi l'expression « sa ligne donnée » (*tèn dotheîsan autoû
grammén*) se réfère-t-elle ? Cette ligne peut être : a) le diamètre du
cercle (bien que chez Euclide *grammé* représente la circonférence
plutôt que le diamètre (I, 15) et que, le cercle étant donné, la
formulation du présent problème soit de ce fait un peu redondante) ;
b) une corde de ce cercle ; c) une ligne du parallélogramme auquel
aura été réduite la surface X (mais nous écartons cette possibilité,
dans la mesure où il ne s'agirait plus d'un problème d'application de
surfaces, or il y a tout lieu de penser qu'il s'agit bien d'un tel problème).

4. Le terme *parateínein* « appliquer (une surface) » n'a ce sens
technique que dans *République* VII 527a (où Socrate, justement,
critique tous les termes matériels dont se servent les géomètres, ce
qui a fait dire, un peu hâtivement, à Klein que Socrate ici dévalorise
son propre exemple). Le terme le plus technique pour désigner cette
opération d'application est *parabállein* (Euclide, *Éléments* I, 44, VI,
27, 28, 29, mais *parateínein* se trouve dans un scholie à Euclide I, 44).

5. Dans la formulation du problème, doit-on comprendre que la
surface laissée en défaut est semblable à la surface appliquée ou bien
qu'elle lui est égale (dans ce cas *posón* aurait dû être employé au lieu
de *poîon*, mais par ailleurs c'est le terme *hómoion* qu'Euclide emploie
pour désigner la similitude).

Le problème du *Ménon* se formulerait donc ainsi : « si la surface X
est telle que, une fois appliquée à la ligne donnée — soit le diamètre
(cf. SCHÉMA V page 284) soit une corde de cercle (cf. SCHÉMA VI)
—, elle est en défaut d'une surface égale ou semblable, on peut alors
inscrire dans le cercle un triangle de même surface X ». Il est clair
que le problème n'a de solution que si, une fois appliqué sur la ligne,
la figure en question laisse un reste.

La solution la plus plausible, présentée dans le SCHÉMA V, ne
donne qu'une condition nécessaire, mais non suffisante. Certes le
texte paraît exiger une solution portant sur les conditions de
possibilité et d'impossibilité (87a b) ; toutefois, la condition nécessaire et suffisante porte non pas sur l'*inscription* mais sur la
construction du triangle. En revanche, la condition « si elle est en
défaut d'une surface semblable » est bien une condition nécessaire de
l'inscription. En effet, si l'application de cette surface n'est pas en
défaut d'un tel reste, le triangle ne sera pas intérieur au cercle. De
plus, ce qui conduirait à écarter l'interprétation selon laquelle Platon
formule ici une condition nécessaire et suffisante du problème est
que : 1. il ne mentionne pas la seule condition pertinente — à savoir,
que la surface X soit inférieure ou égale à la surface du triangle
équilatéral, qui est le plus grand triangle qu'on peut inscrire dans un
cercle donné ; 2. les solutions qu'on peut apporter au problème ainsi
posé exigeraient des mathématiques trop élaborées qui étaient encore
sans doute inconnues à l'époque de Platon (sous sa forme générale, le
problème admet pour solutions les racines d'une équation du
4e degré ($x^4 - x^2 - a^2 = 0$), $x^2 + y^2 = 1$ étant l'équation du cercle, et

SCHÉMA IV

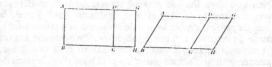

SCHÉMA V

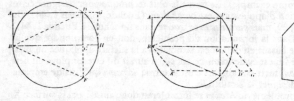

SCHÉMA VI

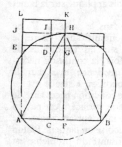
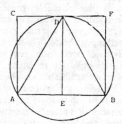

xy = a l'équation de l'hyperbole, lieu de tous les sommets du triangle qui a même surface que X, si on prend, pour système de coordonnées, le diamètre du cercle et la tangente au cercle perpendiculaire à ce diamètre.

Comme exemples de l'ingéniosité que les commentateurs ont montrée dans l'élucidation de ce problème, on mentionnera Bluck 441-461, Gueroult 142-145, Gaiser 372 (tr. fr. 1991).

Aristote fait sans doute une allusion à ce problème en *Seconds Analytiques* I, 1, 4.

191. Il est assez clair ici que « en posant une hypothèse » est employé de façon absolue et que « la question » *(auto)* dans l'expression « l'examen de la question » se rapporte à la question de savoir si la vertu s'enseigne. La suggestion de Kerferd selon laquelle la vertu est ici objet de l'hypothèse (et donc *auto*, l'objet de *hypothémenoi*, cf. *Classical Review* 13, 1963, 45), est difficile à justifier (en dépit de la comparaison avec *République* VI 510c), car : 1. l'expression est strictement parallèle à celle utilisée pour l'exemple mathématique en 87a ; on peut même comparer la propriété du *khōríon* de s'inscrire comme triangle dans un cercle donné avec la propriété qu'aurait la vertu de s'enseigner ou de s'inscrire dans l'âme (Klein 208) ; 2. si Socrate ignore ce qu'est la vertu, il ne peut faire une hypothèse sur sa nature, mais il peut, en revanche, formuler une proposition vraie sur la condition que doit satisfaire la vertu pour être enseignée. Sur la question plus générale de savoir comment une hypothèse (qui porte sur une proposition) peut avoir le même objet que la réminiscence (qui porte sur une essence), voir *Introduction* 101-102.

192. Une grande diversité d'expressions servira ensuite à caractériser les propriétés de l'âme, au nombre desquelles la vertu, pour la première fois ici dans le *Ménon*, est comptée (*tôn perì tèn psukhèn*, *tà katà tèn psukhèn* en 88a, *tà en têi psukhèn* 88c ; cf. *Philèbe*, 11d).

193. L'hypothèse la plus pertinente est celle qui exhibe une sorte de moyen terme permettant de lier entre elles la nature de l'objet et la propriété qu'on veut démontrer. Pour ce faire, il faut procéder par analyse : considérer le problème comme résolu et s'interroger sur les conditions et conséquences de cette résolution. La formulation de l'hypothèse est ainsi le résultat d'une réduction (ou *apagōgē*) (cf. Aristote, *Premiers Analytiques* II, 25, 69a20, lequel s'inspire sans doute de ce passage du *Ménon*). Cependant il faut remarquer que l'hypothèse ne donne pas l'essence, mais une forme de caractéristique générique, ce qu'indiquent les expressions qualitatives utilisées dans ce passage.

194. C'est la seule occurrence de cet adjectif *anamnēstón* (qui signifie, ainsi identifié à « qui s'enseigne », « une chose qui peut être objet de réminiscence » tout autant qu' « une chose qu'on peut faire se remémorer à autrui »), forgé sur le verbe « se remémorer » (*anamnēsthênai*) comme *didaktón* (« qui s'enseigne ») l'est sur le verbe « enseigner » (*didáskein*). Il ne sera pas explicitement question dans la suite du *Ménon* d'une telle équivalence entre « enseigner » et « faire se remémorer », mais lorsque Socrate conteste plus loin que la

vertu s'enseigne (89c-e), et en particulier que les sophistes, les poètes ou les hommes politiques en soient les maîtres, il ne dit jamais douter qu'elle puisse être objet de remémoration. Il n'y a donc aucune raison de penser que Socrate induise Ménon en erreur, il se référerait plutôt à une définition plus commune de l'enseignement dont la vertu serait l'objet (voir Bluck 1960, 95-6, et Hoerber 90).

195. L'enseignement est, en général, chez Platon, un critère de réalité de la connaissance (cf. *Timée* 51e, *Gorgias* 454e-455a). Mais la présente formule ne donne qu'une condition nécessaire de l'enseignement : pour qu'une chose s'enseigne, il faut qu'elle soit connaissance. Une telle proposition est, semble-t-il, une évidence, bien qu'il ne soit pas si fréquent de trouver des propositions tenues pour évidentes dans les premiers dialogues de Platon (à l'exception d'*Euthydème* 278e) ; cf. *Introduction* 99.

196. Socrate pose ici une seconde proposition indépendante de la première (et ne procède aucunement à une fausse conversion de la proposition qu'a prononcée Socrate à la fin de la précédente réplique, comme le suggère la traduction Croiset), qui nous donne cette fois la condition suffisante de l'enseignement (dotée du même caractère d'évidence qu'avait la condition nécessaire). La conjonction de ces deux propositions permettra de mettre en avant, à la réplique suivante, une condition nécessaire et suffisante : une chose (la vertu) s'enseigne si et seulement si elle est connaissance.

197. « Cette question » (*toútou*) se réfère sans doute à la formulation de l'hypothèse pertinente dont l'examen permet de répondre au problème initialement posé (cf. *supra* note 193). Comme pour l'exemple mathématique (87a), on obtient une double proposition conditionnelle de la forme : si la vertu est telle (connaissance), elle s'enseigne ; si elle n'est pas telle, elle ne s'enseigne pas. Ici s'achève la première étape de l'argument (cf. la « première chose » (*prôton*) mentionnée en 87b).

198. Voici la seconde étape de l'argument (« ce que nous devons examiner après… »), qui s'attache, semble-t-il, à vérifier la valeur de l'hypothèse « la vertu est connaissance ». Sur cette démarche assez inhabituelle (en effet, l'hypothèse dialectique n'a pas à être vérifiée et l'hypothèse mathématique, étant connue de soi, n'est pas non plus prouvée), qui paraît transformer le sens du terme hypothèse et sera reprise en *Phédon* 101d-e, voir *Introduction* 96-97.

199. Certains commentateurs comprennent un bien en soi (*agathòn autó*), mais il est plus naturel de faire de *autó* un pronom représentant la vertu (comme il est utilisé à la ligne suivante).

200. Socrate fait donc de la proposition « la vertu est un bien » l'objet d'une *hypothésis*. Mais il ne semble pas qu' « hypothèse » ait ici le même sens que dans l'expression « examen à partir d'une hypothèse ». Il s'agit plutôt d'un principe intangible, qui n'est pas susceptible d'être infirmé ou confirmé par les conséquences qu'il entraîne, et qui sera sans cesse réaffirmé (cf. 97a) ; un principe au fond assez proche de l'hypothèse (au sens d'axiome) des mathématiciens de l'époque (axiomes qui seront les *ennoía* d'Euclide ; voir aussi *République* VI, 510c). Il n'y a donc pas ici, à proprement parler,

d'examen de l'hypothèse de l'hypothèse (ou de réduction progressive), car la seconde hypothèse (la vertu est un bien) a un tout autre statut que la première (la vertu est connaissance). Par ailleurs, que la vertu soit un bien signifie que la vertu est incluse dans le bien, et non pas nécessairement que tout bien est vertu.

201. Nous avons ici, bien que le terme ne soit pas mentionné, une formule typique d'examen à partir d'hypothèse (cf. 87a-b, et *supra* note 197) : s'il y a un bien séparé de la connaissance, alors le bien n'est pas connaissance ; s'il n'y a aucun bien que la connaissance n'enferme, alors tout bien est une connaissance. Les conséquences de ces propositions doivent être examinées et se révéler non contradictoires entre elles pour que l'hypothèse « la science est le bien » soit confirmée.

La traduction du pronom *autó* à la fin de la réplique est assez délicate. La plupart des commentateurs y voient une référence à la vertu. Or, à ce stade de l'argument, seuls les rapports entre bien et connaissance sont considérés (et non pas ceux entre vertu et connaissance). De plus, si la conclusion visée est « la connaissance est vertu », il faut encore être assuré que la vertu et le bien ont la même extension, ce qui n'est pas encore sûr (cf. *supra* note 200). Il est donc plus prudent de lire « bien » à la place de *autó*.

202. Une telle équivalence entre le bien et l'utile (la vertu étant par elle-même nécessairement utile (88c) et ne dérivant cette qualité de rien d'autre) est fréquente chez Platon, surtout dans les dialogues socratiques. Mais il faut bien comprendre le sens d'utile qui est en cause ici. Il n'y a aucune visée altruiste ou utilitariste (cf. *supra* note 81). L'utilité n'est ni objective ni générale, mais elle précise les conditions de réussite pour un individu ou pour une action. La vertu est utile parce qu'elle nous est avantageuse à nous-mêmes (cf. *Euthydème* 278e-281e), non pas parce qu'elle nous rend utiles aux autres. Ce qui n'empêche pas que Ménon considère, à la différence de Thrasymaque (lequel affirme sans vergogne que le politicien gouverne dans son propre intérêt : cf. *République* I 343b-344c-e), qu'on puisse gouverner dans l'intérêt de ses sujets (cf. *Gorgias* 502d-503d).

203. Les réalités ici nommées font partie, sans qu'elles soient explicitement désignées comme telles, de l'ensemble des biens du corps et (pour la richesse) de celui des biens extérieurs ; les biens de l'âme seront évoqués plus tard. Les énumérations de biens étaient une chose fort populaire dans l'Antiquité et sont souvent évoquées de manière assez critique dans les dialogues platoniciens : *Gorgias* 451e, 467e, *Hippias Majeur* 291d, *Euthydème* 279a-c, *Lois* I 631b-c, II 661a-b, III 697a-b, V 743e. Remarquons qu'il ne sera plus question des biens du corps dans la suite de l'argumentation avant 88d (cf. *infra* note 215).

204. Cette argumentation qui fait de l'utilisation correcte (*orthè khrêsis*) la condition de l'utilité et qui fait aussi de la direction correcte la condition de l'utilisation correcte se retrouve, presque identique, dans *Euthydème* 280d-281d.

205. Ces réalités de l'âme ont déjà été évoquées en 73d-74a. A

côté de la justice, de la tempérance, du courage, on trouve de nouveau la grandeur d'âme (*megaloprépeia*). Mais ici mentions sont faites de la mémoire (*mnémè*) et de la facilité à apprendre (*eumathía*), ajouts suggérés peut-être par la Réminiscence et qui représentent les vertus intellectuelles (*dianoetikaí arētaí* qu'Aristote oppose aux *ethikaí arētaí : Ethique à Nicomaque* I, 13, 1103a5). On remarquera, en revanche, l'absence du savoir (*sophía*), à la différence d'*Euthydème* 279c, sans doute parce que c'est de la *sophía* — ou de ses équivalents : *epistémē, noûs* (intelligence) et *phrónēsis* (raison) — que ces vertus de l'âme apparaîtront être dépendantes.

206. L'opposition, à l'intérieur du courage, entre une forme raisonnable (*andreía,* au sens strict, intelligence de ce qu'on doit craindre ou ne pas craindre) et une forme déraisonnable (*thárros :* témérité, simple impulsion privée de base rationnelle, qui n'est que la passion opposée à la peur, *phóbos*) était assez communément faite (cf. *Protagoras* 351a, 358d-e). Dans la conception socratique, le courage est souvent identifié à la raison (*phrónēsis*), cf. Xénophon, *Mémorables* IV, 6, 11, *Protagoras* 349e-350c, et surtout *Lachès* 192b-194d, 196d.

On remarquera qu'à l'occasion de cet exemple du courage, et jusqu'à 89c, les termes *phrónēsis* et *noûs,* qui désignent la faculté mentale de la connaissance, sont substitués au terme *epistémē,* comme souvent dans les dialogues socratiques lorsque le contexte n'est plus seulement théorique, mais aussi pratique.

207. Si le courage est raison, on ne peut dire, à proprement parler, du courage déraisonnable qu'il est encore courage, ni que c'est la même qualité, par elle-même ni utile ni nuisible, que la raison rend utile et que la déraison rend nuisible. Cette faiblesse de l'argument est sans doute due au fait que Platon veut souligner, par tous les moyens, la solidarité entre direction scientifique et bon usage.

208. Les qualités de l'âme ne sont pas reprises dans l'ordre où elles avaient été citées en 88a : le courage est évoqué d'abord et, sans que la justice se trouve mentionnée, sont de nouveau citées la tempérance et la facilité à apprendre (respectivement en première et quatrième positions).

La tempérance (*sôphrosúnē*) est parfois distinguée de la raison (Xénophon, *Mémorables* III, 9, 4, *Charmide* 175a-e), parfois identifiée à elle (*Protagoras* 332a-333b), car *sophía* et *sôphrosúnē* ont toutes deux l'intempérance (*aphrosúnē*) pour opposé. Mais ici, comme pour le courage (cf. *supra* note précédente), on ne voit pas très bien ce que serait une tempérance radicalement privée de raison (peut-être un ascétisme excessif ? ou une règle de vie fondée sur la seule habitude et qui manque de discernement ?), ou une facilité à apprendre dépourvue de savoir. En revanche, l'existence d'une tempérance privée de savoir paraît moins absurde (cf. *supra* note 34). .

209. Le texte distingue nettement deux catégories d'objets : « les choses qu'on apprend : *manthanómena* » (en rapport avec la facilité à apprendre), « celles qui servent à se maîtriser : *katartuómena* » (en rapport avec la tempérance, cf. *Lois* VII 808d), dont il est difficile de

concevoir qu'elles puissent exister sans être liées à la raison. Pour éviter cette difficulté, Gaiser propose de comprendre : « Les choses qui, avec l'intelligence, s'apprennent et qui servent à se maîtriser sont utiles ». Comme exemples d'autres traductions, on citera « learning and discipline » (Guthrie), « things learned and developed » (Thomas), « ce qu'on apprend, l'arrangement qu'on fait de sa vie » (Robin).

210. Nous est donnée ici une première conclusion du raisonnement cherchant à montrer le lien entre raison et bonheur. Cependant, il ne faut pas faire de « en résumé » (*sullêbdên*) l'indice de l'induction d'une généralité après l'examen de cas particuliers. C'est une identité générale entre la science et le bien que veut présenter Platon, et aucun contre-exemple empirique ne saurait la récuser.

Le terme *karterêmata* (formé à partir de *kartereîn*, endurer, supporter) se traduirait littéralement par « ce qui est subi, éprouvé, enduré », bref ce dont l'âme est le principe passif, par opposition aux *epikheirêmata* (« entreprises, activités ») dont elle est le principe actif (Thompson 160 y voit même l'introduction d'une division exhaustive et générale de l'énergie morale entre tout ce que l'esprit humain entreprend ou subit). Cette nouvelle opposition ne recoupe pas la distinction proposée à la réplique précédente entre « les choses qu'on apprend » et « celles qui servent à se maîtriser » (cf. *supra* note 209); mais peut-être y a-t-il un rapport avec la distinction, évoquée en 86b, entre, d'une part, ce que l'âme apprend et, d'autre part, ce dont elle est sûre et défendrait envers et contre tout.

211. Le rôle directeur de la *phrónêsis* (ou de la *sophía*) est souvent souligné dans les dialogues platoniciens : *Phédon* 69a, *Hippias Majeur* 296a, et surtout *Euthydème* 279c-282c, *Protagoras* 352c-e.

Par ailleurs, le bonheur (*eudaimonía*) est ici présenté comme l'issue nécessaire d'une action guidée par la raison. Ainsi, le succès de l'action rationnelle est défini à la fois comme réussite (*eutukhía*, *eupragía*) et comme bonheur (*eudaimonía*). Chez les Stoïciens, le terme « principe qui commande » (*hêgemonikón*) devait devenir le terme technique pour désigner la raison, déjà anticipé par l'image de la raison « cocher » dans *Phèdre* 246a et *République* VI 485b-490c.

212. Cf. 87e.

213. C'est l'expression *kath'hautá* qui se trouve ici employée. Il est important de traduire « par elles-mêmes » et non pas « en elles-mêmes », car cette dernière traduction laisserait entendre que de telles réalités n'ont en elles-mêmes aucune valeur propre, et seraient donc des choses indifférentes ; or *Gorgias* 467e dément formellement une telle interprétation ; voir G. Vlastos, *Socrates* 1991.

214. Cf. 87e ; la richesse, dernière citée en 87e, est seule mentionnée ici ; « les choses du même genre » étaient les biens du corps.

215. Ce passage est difficile à interpréter à cause de l'expression au datif « pour le reste de l'âme » (*têi állêi psukhêi*, par quoi il faut entendre toutes les propriétés de l'âme, à l'exception de la *phrónêsis*) qui peut indiquer simplement un point de vue (« pour ce qui est de l'âme ») ou dépendre de *hêgouménê* (l'idée exprimée étant alors que la

raison guide le reste de l'âme). Dans la mesure où cette expression est mise en parallèle un peu plus bas avec le pronom démonstratif au datif *toútois* (88e : qui désigne les biens du corps et les biens extérieurs que la raison domine) dont la fonction grammaticale est d'être complément de ce participe (*hēgouménē*), il y a tout lieu de penser que « les autres qualités de l'âme » sont également complément de ce participe. Dans la distinction entre les propriétés de l'âme et la raison, il y a peut-être une théorie implicite de la bipartition de l'âme.

216. On remarquera que, si pour les propriétés de l'âme (qui ne sont pas la raison) c'est la *phrónēsis* qui est principe d'utilisation et de direction correctes, pour les autres biens en revanche, ce rôle est dévolu à l'âme raisonnable, elle-même dépendante de la *phrónēsis*.

217. Le texte est ici elliptique et parle simplement d'une chose raisonnable (*hē émphrōn*), mais il peut s'agir de l'âme raisonnable ou de la partie raisonnable de l'âme.

218. Le texte dit littéralement « pour tous » (*katà pántōn*), et on peut comprendre : 1. « pour tous les hommes » ; 2. « pour tous les cas » ; 3. « pour toutes ces réalités », ce qui est l'interprétation la plus plausible puisque Socrate a distingué, à l'intérieur de tous les biens, « l'ensemble des réalités (du corps et extérieures) » (*tà mèn álla pánta*) et « les réalités de l'âme » (*tà dè tês psukhês*).

219. Dépendre (*anērtêsthai*) signifie ici être soumis au principe rationnel d'un usage et d'une direction correctes ; pour des emplois comparables : *Ion* 533d-e, *Ménexène* 247e, et pour l'expression d'une idée analogue : *Phédon* 79e, *Lois* I 631b, XII 963a.

220. A l'intérieur d'une conception rationaliste de la vertu, Socrate semble laisser ouverte, dans le cas où la vertu ne serait la raison qu'en partie, la possibilité d'une distinction entre une raison pratique (qui serait, à proprement parler la vertu) et une raison théorique. Il est tentant de penser que le sens donné à « raison » est ici décisif : si *phrónēsis* signifie « jugement raisonnable dans les affaires pratiques » (comme c'est le cas chez Aristote : *Ethique à Nicomaque* VI, 7-8, 1141b2-21), alors la vertu peut être la *phrónēsis* en son entier. Mais il faut souligner qu'une telle distinction entre sagesse pratique et théorique n'existe pas réellement chez Platon (*Philèbe* 61d-62d), et même chez Aristote, où elle est en revanche tout à fait présente, la question est réelle de savoir quel serait le rôle de la sagesse théorique en matière de vertu (*Ethique à Nicomaque* VI, 13, 114b18-1144a11) ; cf. Bluck 336.

221. Une fois la proposition conditionnelle (« si la vertu est connaissance, elle s'enseigne ») vérifiée, Socrate passe à présent (conformément à la procédure de l'examen à partir d'une hypothèse) à l'examen des conséquences. La première conséquence évoquée est la suivante : « si la vertu s'enseigne, elle n'advient pas aux hommes par nature ». Cette conséquence est apparemment vérifiée dès que Socrate souligne que, si tel était le cas, la pratique de la sélection des natures vertueuses devrait se trouver socialement instituée (car ces natures donneraient ensuite d'excellents hommes d'Etat, utiles aux cités). Or, comme une telle pratique n'existe pas, il y a tout lieu de

penser qu'en effet, la vertu n'arrive pas par nature ; sur la valeur de cet argument, cf. *infra* note 268.

L'idée selon laquelle une excellente nature humaine, une fois correctement éduquée, se transforme en un excellent gouvernant est longuement développée dans les livres IV à VII de la *République*. Elle donne lieu à une rigoureuse et délicate sélection des naturels humains, sans cesse à confirmer par les résultats de l'éducation. Mais, dans ce passage du *Ménon*, Socrate semble supposer que les signes de la bonne nature de l'âme sont aussi aisés à lire que ceux de la bonne nature du corps.

222. Le sens exact de l'expression « ayant apposé un sceau » (*katasēmēnámenoi*) est délicat à définir. Ce terme fait-il référence à l'apposition de scellés sur les portes de certaines demeures qui contenaient des matières précieuses, afin de les signaler comme propriétés d'état, cf. Xénophon, *Helléniques* III, 1, 27 ; ou bien suggère-t-il l'image de la frappe de la monnaie, puisque le fait de marquer une monnaie préservait le métal de l'adultération (Brague n. 10 ; et M. Lang and M. Crosby, *Weights, Measures and Tokens*, coll. Athenian Agora, vol. 10, 1964, Princeton). Par ailleurs, l'image de l'or se réfère peut-être à une première forme du mythe des races d'or exposé en *République* III 415a. Enfin, tout cet exemple nous montre que l'Acropole n'était pas seulement un lieu religieux, mais aussi une place forte, et une sorte de coffre-fort où se trouvait le trésor de la cité (les trésors d'Etat étant gardés dans les temples) ; en *Lois* XII 969c, il est dit que c'est là aussi que vivent les gardiens de la cité. Ce passage est assez littéralement repris dans le *Sur la Vertu* 379a-b.

223. Sur l'importance de l'éducation et le danger de la corruption due à de mauvais maîtres, voir aussi *Euthydème* 275b, *République* VI, 491e. Il faut rappeler que l'accusation de corrompre les jeunes gens était une des charges retenues contre Socrate à son procès. Klein (219) fait l'objection que si la vertu vient aux hommes par nature, elle ne peut pas être sujette à la corruption ; mais la présence par nature de la vertu peut n'être qu'une condition nécessaire à l'excellence humaine, et non pas une condition suffisante.

224. Cette remarque de Ménon a parfois induit à penser que l'hypothèse dont parle Socrate en 87b-c (cf. *supra* note 197) n'est pas « la vertu est connaissance », mais « si la vertu est connaissance, elle s'enseigne » (R. Robinson le soutient dans la première édition de *Plato's earlier Dialectics*, et change d'avis dans la 2ᵉ édition (114-122) ; cf. critiques de Cherniss, 140, n. 38). Mais cette interprétation est peu justifiée. En effet, l'expression « notre hypothèse » qu'emploie Ménon peut ne se référer qu'au premier membre de la proposition conditionnelle. On remarquera que cette proposition continue d'être désignée comme « hypothèse », en dépit de la forme de preuve qui en a été apportée (89a).

225. Le premier caractère d'une proposition qui a statut de vérité est sa permanence et sa stabilité, ce que Socrate exige surtout de ses principes de vie (*Criton* 46b-c, *Gorgias* 509a). Mais, dans les dialogues socratiques, une telle exigence ne porte pas sur les

propositions soumises à l'*elenchus* (les hypothèses au sens dialectique du terme), ce qui induirait à penser que Platon donne ici au terme « hypothèse » un sens tout à fait spécifique assez proche de celui qu'on retrouvera dans le *Phédon* (cf. *supra* note 188, et *Introduction* 98-100).

226. L'usage du terme « retirer » (*anatíthemai*) semble suggérer le fait de reprendre (ou rejouer) un coup dans un jeu, *Phédon* 87a, *Charmide* 164c-d, *Protagoras* 354e, *Gorgias* 461d, 462a, cf. Robinson 95 ; conformément à la procédure de l'examen par hypothèse, dès que Socrate aperçoit une conséquence impossible, qui semble rendre problématique l'enseignement de la vertu, il s'interroge sur la validité de l'hypothèse — « la vertu est connaissance » — qui aura permis de déduire une telle conséquence.

227. L'existence de maîtres de vertu et d'élèves n'est apparemment pas une conséquence logiquement nécessaire de la proposition selon laquelle la vertu s'enseigne ; en effet, en *République* VII 528a, Platon insiste sur le fait que personne n'enseigne la géométrie solide, mais ne suggère aucunement que celle-ci n'est donc pas une connaissance ; par ailleurs, Socrate reconnaît l'existence, dans le *Gorgias* et dans le *Phèdre*, de maîtres et d'élèves de rhétorique sans admettre pourtant que la rhétorique puisse s'enseigner : on peut aussi comprendre que Socrate parle seulement de maîtres « qui réussissent à enseigner la vertu » ; sur le statut de cette conséquence, voir *Introduction* 51-53.

228. Sur cette recherche socratique, cf. *Apologie de Socrate* 19e-20b, *Protagoras* 313a-314b, *Euthydème* 306d-e.

229. Sur le personnage d'Anytos, voir une présentation complète dans l'*Introduction* 26-32. La façon dont Socrate désigne ici Anytos (*hóde :* « Anytos, celui-là ») est assez peu respectueuse, et contraste avec la présentation ultérieure d'Anytos comme un citoyen fort apprécié des Athéniens. On peut s'étonner d'une telle présentation d'Anytos à Ménon alors que celui-ci est son hôte ; peut-être est-ce au bénéfice du lecteur ? peut-être est-ce une compensation du fait que Ménon et Anytos n'échangent pas un seul mot au cours du dialogue ? Les liens entre Ménon et Anytos (à condition qu'ils ne soient pas une invention de Platon — nous n'avons en effet aucun témoignage indépendant du *Ménon*) sont sans doute dus aux circonstances politiques du moment (cf. *Introduction* 19), car il est assez invraisemblable qu'il y ait une relation d'amitié véritable entre l'aristocrate Ménon et Anytos, le fils d'un *self made man*. Mais Ménon (représentant des rhéteurs et sans doute des sophistes) et Anytos (représentant des hommes politiques), considérés comme personnages dramatiques, ont sans doute en commun la même conception de la vertu, comme essentiellement politique, et ignorent tous deux la vraie vertu qui vient d'une éducation au bien et au savoir. Anytos disparaîtra du dialogue aussi soudainement qu'il vient d'apparaître (cf. *infra* note 280).

230. Nous ne disposons d'aucune source indépendante sur Anthémion. Une scholie à l'*Apologie de Socrate* (*ad* 18b) mentionne qu'Anytos, fils d'Anthémion, était riche « grâce au tannage des

peaux » (*ek bursodepsikēs*; cf. *Apologie de Socrate* 23e : en accusant Socrate, Anytos est le porte-parole de la haine des artisans et des hommes politiques), il y a donc de bonnes raisons de penser que c'est cette activité qui avait fait aussi la richesse d'Anthémion, mais nous n'avons aucun témoignage pour le confirmer. Le père d'Anytos semble être loué ici 1. afin que, par contraste, son fils n'en paraisse que plus mauvais, 2. comme première illustration du principe plus général (cf. 94c-d) selon lequel les hommes vertueux sont incapables de transmettre leur vertu à leurs fils. On remarquera la construction du passage : un « tout d'abord » (*prôton mén*) semble amorcer la description des qualités d'Anytos, mais la chose est très vite interrompue, et Socrate passe à l'énumération des qualités du père d'Anytos, chaque raison d'en faire l'éloge (richesse, considération, éducation) étant introduite par un « et puis » (*épeita*). Le « tout d'abord » qui introduisait aux qualités d'Anytos n'est donc suivi d'aucun « deuxièmement », une telle anacoluthe étant peut-être destinée à souligner la grande disparité entre Anytos et son père.

231. Isménias était le chef du parti démocratique, ou anti-spartiate, à Thèbes, quand s'acheva la guerre du Péloponnèse. En 403, il aida les démocrates athéniens exilés (Thrasybule, Anytos) à revenir à Athènes. Il est probable (Morrison 57) que ce n'est pas par amitié pour les Athéniens que Isménias aurait aidé les démocrates exilés, mais plutôt par intérêt. Les démocrates athéniens lui ayant donné beaucoup d'argent, et cela avant même la révolution oligarchique, en prévision de l'assistance qu'il devrait ultérieurement leur fournir. Ces fonds auraient permis à Isménias de faire accéder son propre parti anti spartiate au pouvoir dans sa ville de Thèbes (ce qui aurait même été une part du marchandage).

A quoi se réfère l'allusion de Socrate et comment expliquer qu'Isménias ait reçu de l'argent de Polycrate ? Deux interprétations sont en concurrence : 1. La première rapporte cet épisode à l'argent qu'Isménias a reçu des démocrates athéniens. 2. La seconde y voit le rappel d'une affaire de « pots-de-vin » qu'Isménias aurait reçus en 395, d'un certain Timocrate de Rhodes, pour qu'il contribue avec de l'argent qui vient du roi de Perse à susciter à Thèbes un mouvement anti-spartiate : Xénophon, *Héllèniques* III, V, 1 et V, 2, 25 ; cette dernière interprétation est peu justifiée car pour la soutenir non seulement il faut admettre que le nom « Polycrate » soit une altération de « Timocrate », mais aussi que Socrate fasse allusion à un événement qui a eu lieu quatre ans après sa mort ; sans compter que la somme remise par Timocrate n'était pas si considérable que cela ; voir *Introduction* 36-37.

Le nom d'Isménias (avec ceux de Perdiccas, de Périandre et de Xerxès) est cité sans bienveillance en *République* I 336a (Platon suggère qu'Isménias se croit très puissant parce qu'il est très riche). Isménias fut mis à mort en 382 par les Spartiates après que ceux-ci eurent retrouvé, grâce à la prise de Cadmée, le contrôle de Thèbes.

Une difficulté supplémentaire vient de l'expression « de nos jours » (*o nûn neōstí*) ; en effet, si *nûn* signifie « présentement », l'allusion de Platon ne pourrait s'appliquer à l'affaire des « pots-de-

vin » (qui n'avait pas eu lieu en 403, date dramatique du *Ménon* ; et
Isménias était sans doute mort au moment où Platon a écrit le
Ménon). Il est plus probable que *nûn* désigne simplement « notre
époque » par opposition à l'époque d'Anthémion.

232. Nous connaissons deux Polycrate auxquels pourrait se
rapporter cette allusion. L'un était, au VIe siècle, le tyran de Samos
(cf. Hérodote, *Histoires* III). La chance de Polycrate était si
remarquable qu'Amasis, roi d'Egypte, rompit avec lui par crainte
qu'il n'aboutît à une fin désastreuse ; de fait, Polycrate, trompé par
Oroetes, le satrape perse, fut mis à mort (Thucidyde I, 13). Ce
Polycrate n'ayant aucun rapport avec Isménias, Platon ne pourrait se
référer à lui que de façon proverbiale comme au possesseur d'une
immense richesse (cf. riche comme Crésus). Mais Hérodote ne
mentionne jamais la grande richesse de Polycrate ; et parfois même
semble suggérer qu'il ait manqué d'argent (III, 122-3). Par ailleurs,
il est inhabituel que Platon introduise un proverbe sans l'annoncer.
Enfin, ce prétendu proverbe « riche comme Polycrate » ne se
retrouve jamais dans les dialogues platoniciens (alors qu'on rencontre « plus riche que Cinyras et Midas » : *Lois* II 660e ; et « les
richesses de Tantale » : *Euthyphron* 11e). Ces arguments laissent peu
de raison de croire (bien que ce soit l'interprétation traditionnelle de
ce passage) qu'il s'agisse là de Polycrate de Samos.

L'autre hypothèse est que nous avons là une allusion à l'Athénien
Polycrate, auteur de l' « *Accusation de Socrate* » (*Katēgoría Sokra-
toûs*), de sympathie démocratique (cf. Aristote, *Rhétorique* II, 24,
1401a 33-35), et qui aurait pu être l'intermédiaire chargé de remettre
ces fonds dont a profité Isménias (cf. *supra* note 231 et Morrison 57),
ce qui n'est sans doute pas incompatible avec le témoignage très
polémique d'Isocrate qui nous présente Polycrate comme un pauvre
hère, contraint de faire le métier de logographe (*Busiris* VI) pour
gagner sa vie.

Robin (I, 1293, n. 62) suggère encore une autre possibilité :
Isménias ne serait qu'un homonyme de l'Isménias de Thèbes que
nous connaissons ; à cet Isménias, un certain Polycrate, lequel ayant
découvert *par hasard* le trésor de Mardonius, abandonné à la suite du
désastre de la première expédition de Darius contre la Grèce, *aurait
fait don* de sa fortune à Isménias. Mais en réalité rien ne permet
d'étayer cette dernière interprétation ; Robin souligne aussi, de façon
plus plausible, que Platon fait une allusion au pamphlet de Polycrate
qui représentait d'ailleurs Anytos comme l'auteur d'une accusation
posthume contre Socrate. Citons enfin deux autres façons de
comprendre le passage : Jowett : « like Ismenias who has recently
made himself as rich as Polycrates » ; et Thomas : « who has just
come into the fortune of a plutocrat » (littéralement : « un homme
puissant par sa richesse »).

233. En parlant d'Anthémion, au lieu de parler d'Anytos, Socrate
veut sans doute dévaloriser ce dernier, le message implicite étant
qu'Anytos n'a pas les qualités qu'avait son père, mais qu'il a tous les
défauts que celui-là n'avait pas. Vantant la *sophía* et l'*epimeleía*
(intérêt, diligence, soin qu'il a pris de ses affaires) d'Anthémion,

Socrate ne suggère pas qu'Anytos est dépourvu de ces qualités, mais plutôt qu'il ne les utilise qu'en vue de son intérêt personnel.

234. Chacun de ces termes mériterait d'être glosé. Du côté négatif, d'abord : *huperéphanos* (arrogant, sublime, exceptionnel, éclatant) ; *ogkôdēs* (gonflé, bouffi, encombrant, ce terme peut servir à décrire un état pathologique) ; *epakhtḗs* (lourd, pénible, évoque l'idée d'être à la charge des autres et suggère l'agressivité) ; ces deux derniers termes ne sont employés nulle part ailleurs chez Platon. Du côté positif, ensuite : *kósmios* (modéré, mesuré, modeste) ; *eustalḗs* (évoque l'idée d'un bon équipement, et signifie léger, facile à traiter, de commerce facile). L'emploi du terme *dokôn* est aussi à remarquer : on peut comprendre « il ne passait pas pour » (sens objectif) ou bien « il ne se prenait pas pour » (sens subjectif, adopté par Robin et opposé au sens objectif du même verbe (*ōs dokeî*) qui exprime aussitôt après le jugement des Athéniens sur la façon dont Anthémion a élevé son fils Anytos, cf. note suivante).

235. Sur l'éducation d'Anytos et sur l'incapacité où celui-ci aurait été d'éduquer son propre fils, cf. *Introduction* 29-30. Mais en fait Socrate ne dit ni d'Anytos ni de son père qu'ils sont des hommes vertueux. Se référant au jugement des Athéniens, Socrate viserait en particulier le jugement des démocrates dont Anytos était un des chefs. L'expression utilisée ici, « comme en a décidé » (*ōs dokeî*), était traditionnelle pour désigner les décisions de l'Assemblée du peuple ; il est sûr que Socrate ne faisait pas grand cas des raisons qui inspiraient ces décisions (Xénophon, *Mémorables* III, 9, 10).

236. Sur les hauts commandements confiés à Anytos, successivement stratège et responsable du ravitaillement, cf. *Introduction* 28-29. Si le critère de l'éducation et celui de la compétence sont bien, selon Socrate, les critères essentiels qui doivent guider le choix d'un dirigeant politique, ces critères n'étaient guère reconnus par les Athéniens (cf. *Gorgias* 455d-e, 470e) ; l'éducation à laquelle se réfère ici Socrate n'est donc, au mieux, qu'une formation rhétorique.

237. Le lien d'hospitalité entre Ménon et Anytos (cf. 92d) — lien par lequel les deux parties s'engageaient à un accueil et à une bienveillance mutuels — fut sans doute établi entre Anthémion, père d'Anytos, et Ménon de Pharsale (grand-père de notre Ménon) qui vint en aide aux Athéniens et fut récompensé par la citoyenneté athénienne en 476. Seule cette circonstance explique que la famille d'Anthémion, sans doute d'origine modeste, ait pu entrer en relation régulière avec la famille de Ménon, prédominante depuis des générations à Pharsale (Morrison 76, n. 1) ; sur ce point et sur les raisons de la venue de Ménon à Athènes, cf. *Introduction* 19.

238. Sur le recours à l'exemple de la médecine comme modèle d'un savoir stable, défini, susceptible d'être enseigné et donc reprenant tous les réquisits de la *tékhnē*, cf. *Gorgias* 464b-465b. L'exemple de la compétence du cordonnier est aussi fréquemment utilisé et suscite souvent la mauvaise humeur des interlocuteurs de Socrate (Calliclès en *Gorgias* 491a). Pendant la tyrannie des Trente, le tyran Critias aurait interdit à Socrate de se servir de tels exemples.

239. Platon utilise ici l'expression juridique conventionnelle

« pour tout (Athénien) habilité et qui le veut » (*hó boulómenos*).

240. Le texte de ce passage est contesté (Thompson et Bluck 351 conseillent de supprimer l'expression « en voulant que cet homme cherche à apprendre auprès d'eux »).

241. Il est assez piquant de voir Anytos marquer, dans sa réponse, une différence entre l'*alogía* (inintelligence : le défaut dans l'exercice de la puissance de raisonner) et l'*amathía* (l'ignorance comme défaut radical d'informations et de pratiques intellectuelles, à la fois refus volontaire d'apprendre et stupidité, parfois définie par Platon comme la racine de tout mal, cf. *Lettre* VII 336b). Socrate a beau jeu de renchérir sur cette précision d'Anytos en se moquant de son auteur.

242. Cette déclaration de Socrate est surprenante, car si elle correspond bien à ce que Ménon imagine être la vertu (vertu pratique et politique, cf. 71e), nous savons en revanche que Socrate l'a déjà critiquée. De nombreux commentateurs (surtout Bluck) ont vu là l'indice que les conclusions du *Ménon* n'ont pas trait à la vertu selon Socrate, mais à la conception (surtout politique) qu'en a Ménon. Mais il faut tenir compte du fait qu'ici Socrate s'adresse à Anytos et propose cette définition de la vertu comme une simple description *ad hominem*, destinée à Anytos. Le fait que soient mentionnés pour la circonstance le culte des parents et le traitement des hôtes (Anytos étant l'hôte de Ménon) confirmerait ce point de vue.

243. La plupart des éditeurs supprime ici le mot « pour qu'il apprenne » (*mathēsómenon*).

244. La précision « sans distinction de personne » traduit *koinoús* (littéralement : « en commun »). L'expression se rapporte pour le sens à la précision : « à tout Grec désireux de l'apprendre » donnée aussitôt après. L'idée ici exprimée est que le savoir des sophistes est un bien commun pour tous les Grecs. Platon souligne ailleurs ce trait fort paradoxal (pour l'époque) de l'enseignement sophistique d'être disponible pour tous ceux qui veulent le payer (cf. *Euthydème* 304c).

245. Les caractéristiques ici données des professeurs de vertu (1. « se déclarer à même d'enseigner la vertu » ; 2. « faire une promesse d'enseignement » ; 3. « se présenter manifestement comme des maîtres » — mais Protagoras aurait en fait été le premier sophiste à se déclarer tel : *Protagoras* 317b, 349a, et Diogène Laërce IX 52 — ; 4. « fixer un salaire pour cela et se le faire payer » — *Hippias Majeur* 281b-283b, le disciple pouvant même établir son prix : *Protagoras* 328b-c —) s'appliquent bien sûr aux sophistes. Si le sophiste Prodicos se faisait payer entre 1 et 50 drachmes, le prix de la formation dispensée serait allé jusqu'à 100 mines (environ 10 000 journées de travail ! — cf. M. Austin, P. Vidal-Naquet, *Economies et sociétés en Grèce ancienne*, Paris, A. Colin, 1972, 230 — ; sur le sens de cette exagération : G. Vlastos, « Plato's Testimony concerning Zeno of Elea », *Journal of Hellenic Studies* 95, 1975, 136-162). La finalité de l'enseignement dispensé par les sophistes semble avoir été double : éducation générale ou formation au métier de sophiste (cf. *Protagoras* 312a-b).

246. Sur les sophistes, et sur la réprobation qui s'est progressivement attachée à ce terme, voir *Protagoras* 312e-316c, Xénophon, *Sur*

la chasse 13, Isocrate, *Contre les Sophistes*, *Sur l'Echange* 15, 168, *Introduction* 46-51.

247. L'expression « prends garde à tes paroles » (*euphḗmei*) est d'abord une injonction à garder le silence au cours d'une cérémonie afin de bannir propos de mauvais augures et paroles sacrilèges, ce qu'est ici, selon Anytos, l'association des sophistes à la vertu.

248. Nous retenons « qu'aucun des miens en tout cas » (*g'hemôn*) au lieu de « proches » (*suggenôn*). Anytos parle d'abord de ses familiers — dont son fils a la réputation si mauvaise —, membres de son *oikía* (famille directe), puis du groupe de ses amis et relations, auxquels il est lié par des obligations personnelles ou des engagements familiaux (tel son lien d'hospitalité avec Ménon) ; l'opposition « de la cité »/« étranger » peut se référer à Ménon, mais c'est aussi une expression toute faite pour dire « n'importe qui ».

249. Comment expliquer cette animosité d'Anytos pour les sophistes ? L'Anytos historique était un pragmatique, ennemi de toute forme d'intellectualisme, et ce d'autant plus qu'après 403 Athènes connut un zèle fanatique pour les institutions populaires au point que toute manifestation de culture se trouvait associée à la réaction oligarchique (pourtant les Trente Tyrans s'étaient eux aussi attaqués aux maîtres de rhétorique, à ceux qui ont une *tékhnē lógōn* ; cf. Xénophon, *Mémorables* I, 2, 31). Socrate devait être aussi victime d'une telle réaction anti-intellectualiste (*Apologie de Socrate* 28a).

Aussi en dépit de la libre parole (*parrhēsía*) pratiquée à Athènes (*République* VIII 557b, *Gorgias* 461e), les Athéniens pouvaient se montrer intolérants. La même haine à l'égard des sophistes est manifestée dans le *Gorgias* par Calliclès, représenté comme aimant le peuple d'Athènes (481d, 513c) et méprisant les sophistes (520a) ; Calliclès, sans doute futur rhéteur, n'admet pas que les sophistes puissent enseigner la justice ou la vertu (482c) ; aussi *Lachès* 197d.

250. Protagoras (485 ?-410 ?), né à Abdère, fut le premier et le plus fameux des sophistes grecs. Il passa sans doute l'essentiel de sa vie à Athènes, où il acquit fortune et renommée ; il aurait donné des lois à la colonie panhellénique de Thourioi établie dans le sud de l'Italie. De ses nombreux écrits, seuls quelques fragments ont été conservés.

Phidias (490 ?-430 ?) était un des plus grands sculpteurs de la Grèce classique. Il dirigea la construction du Parthénon dont il sculpta les plus belles statues. Des œuvres de Phidias, nous n'avons plus que des copies d'époque hellénistique.

L'argument de Socrate pour prouver la réalité de l'enseignement des sophistes (les sophistes ne demanderaient pas d'argent s'ils n'avaient rien à enseigner) a toutes les chances de heurter Anytos qui est sans doute le fils d'un *self made man*, lequel a donc réussi sans que rien de tel ne lui ait été enseigné.

251. Ce paradoxe mis en avant par Socrate est rigoureusement construit. Grammaticalement, il est introduit par un *ei* (91d) (fréquemment utilisé après la mention d'une raison de s'étonner : « Quoi ? »), puis le terme « donc » (*ára*, 91e) sert à la mise en relief du second membre du paradoxe.

Socrate utilise en sa faveur un argument analogue dans *Apologie de Socrate* 33d (tout le monde à Athènes ferait du bien aux jeunes gens, sauf Socrate, seul à les corrompre, 24d-25c). Pourtant Socrate lui-même insiste souvent sur le fait que si n'importe quel spécialiste peut se servir de ce qu'il sait pour faire le bien ou pour faire le mal, l'homme qui possède la vertu est, lui, incapable de faire le mal (*République* I 333e-335e, *Hippias Mineur* 367c).

Sur la différence souvent soulignée par Socrate entre l'enseignement de la vertu et celui de toute autre science, cf. *Protagoras* 311b, 318b, *Hippias Majeur* 283a-c, *Gorgias* 514a, Xénophon, *Mémorables* IV, 2, 2 (à propos de l'art politique).

252. Protagoras aurait vécu jusqu'en 410 (?). D'après Diogène Laërce IX 51 et 54, il fut accusé d'impiété, exilé, et ses livres furent brûlés ; durant sa fuite d'Athènes, il aurait trouvé la mort, son bateau ayant fait naufrage (d'après Philochore, Diogène Laërce IX, 55). Mais ce n'est là qu'une de ces histoires légendaires dont les Grecs étaient amateurs (cf. L. Jerphagnon, « Les mille et une morts des philosophes antiques. Essai de typologie », *Revue Belge de Philologie et d'Histoire*, t. 59, 1981, 17-28) ; pourtant l'hypothèse de l'exil n'est pas exclue même si cette persécution de Protagoras semble assez peu compatible avec les propos que Platon met dans la bouche du sophiste (*Protagoras* 317b) non plus qu'avec cette allusion du *Ménon* qui semble attester sa bonne réputation.

253. A qui Socrate fait-il allusion ? Sans doute pas à un autre sophiste, car Protagoras était le plus vieux dans la profession (au moment du procès de Socrate, les autres sophistes, Prodicos, Hippias, de même que Gorgias, semblent être encore vivants et au sommet de leur prospérité, cf. *Apologie de Socrate* 19e). En fait, Socrate vise tous ceux dont Protagoras reconnaît lui-même, dans le *Protagoras*, qu'ils sont les prédécesseurs des sophistes (316d-e : Homère, Hésiode, Orphée, Agatocle, Pythoclide de Céos, etc. ; cf. Kerferd, « The first Greek Sophists », *Classical Review* LXIV, 1950, 8). Sur l'intérêt de cette allusion pour l'établissement de la date dramatique du *Ménon*, cf. *Introduction* 37.

254. L'hypothèse non explicite ici serait une de celles qui sont présentées dans le *Gorgias* 474c, selon laquelle il vaut mieux souffrir un tort que le commettre. Mais comme Anytos ne demande pas d'explication, Socrate ne développe pas.

255. La phrase grecque est ici ambiguë comme le sont le verbe *epitrépein* (« confier à quelqu'un comme à un tuteur » ou bien « permettre ») et la valeur du démonstratif *toútois*. Ainsi, on peut comprendre : 1. soit « ceux qui leur (aux sophistes) confient » ; 2. soit « qui leur (aux jeunes gens) permettent ». Si le reproche implicite d'Anytos était que les parents se déchargent de leurs tâches éducatives sur les sophistes, l'interprétation 1 se trouverait justifiée ; mais, à la réplique suivante, Anytos dit seulement qu'il ne permettrait pas à un de ses proches de fréquenter les sophistes, ce qui est en faveur de l'interprétation 2.

256. Cf. 91c, et *supra* note 248. La mention « étranger » sert évidemment à désigner les sophistes qui étaient presque tous des

étrangers installés à Athènes. Par ailleurs, le sophiste, « homme de la cité », est, dans l'esprit d'Anytos, très probablement Socrate ; pour une opposition comparable, voir *Protagoras* 313c, *Sophiste* 223d-224e.

257. Remarquons qu'ici, Socrate déduit l'ignorance qu'Anytos a de l'activité sophistique de l'ignorance qu'il a des sophistes. S'il était totalement ignorant des sophistes, Anytos ne pourrait rien en dire : y a-t-il là un écho au paradoxe présenté par Ménon en 80d-c ou aux questions de Socrate en 70b ?

258. Le terme grec *mántis* est le terme le plus général pour désigner celui qui pratique la divination, c'est-à-dire l'interprétation de certains signes extérieurs (lecture des vols d'oiseaux, des entrailles d'animaux ou des rêves). Selon que la divination résulte d'une inspiration (*Phèdre* 244c-e) ou en reste à l'interprétation d'un donné matériel suivant un rituel codifié, Platon la tient en plus ou moins grande estime. En traitant Anytos de devin, Socrate pense à quelqu'un dont l'opinion, même vraie, ne repose sur aucune explication rationnelle (Socrate reconnaît parfois être dans ce cas : *Charmide* 169b, *Lysis* 216d).

259. Le texte est ici incertain. Nous n'avons pas traduit la correction de Schanz, reprise par Croiset (*éstōn*), mais le texte des manuscrits que Bluck a restauré (*éstōsan*, 3e personne de l'impératif pluriel de « être »).

260. L'expression ici utilisée par Anytos (*hoi kaloi kagathoi*) peut désigner les honnêtes gens ou les aristocrates. Étant donné qu'Anytos est un démocrate, il emploie cette expression dans son sens moral, et peut-être dans son sens politique (cf. *République* VIII 569a ; en effet, les *kaloi kagathoi* sont ceux qui se conforment aux institutions de la cité, et il arrive que des aristocrates, comme Clisthène et Périclès, soient des chefs démocrates). Du reste, à la réplique suivante, Socrate substituera l'adjectif « bons » à l'ensemble de l'expression. On remarquera qu'Anytos ne parle d'aucun Athénien en particulier, mais de tous les Athéniens collectivement, peut-être pour prendre Socrate au piège de sentiments non patriotiques.

La conception de l'éducation exposée ici (n'importe quel Athénien peut enseigner la vertu) est celle défendue par Mélétos, l'accusateur de Socrate, dans l'*Apologie de Socrate* 24e ; elle est proche aussi de la thèse développée par Protagoras (*Protagoras* 320c-328d), en réponse aux objections de Socrate sur la transmissibilité de la vertu. En revanche, la conception platonicienne de l'éducation est radicalement opposée à celle d'Anytos (cf. *République* VI 492a-c, où Socrate reproche à l'ensemble des Athéniens d'être des sophistes et les vrais responsables de la corruption des jeunes gens).

261. Il faut comparer cette déclaration avec *Gorgias* (516e-517a), où Socrate dit qu'il n'y a pas à Athènes un seul homme bon en politique. La relative bienveillance du *Ménon* sur ce point a incité de nombreux commentateurs à reconnaître un changement de vues chez Platon. En effet, après la publication d'un pamphlet de Polycrate, intitulé *L'Accusation de Socrate* (cf. *supra* note 232), qui défendait les hommes politiques athéniens, Thémistocle et Miltiade (Libanius

155), contre la critique qu'en avait faite Platon dans le *Gorgias*
(516e), Platon aurait-il montré, dans le *Ménon*, plus de tact dans la
défense d'un Socrate désormais assez conciliant avec les notoriétés
politiques d'Athènes (Bluck 368)? Par ailleurs, on sait que Eschine
de Sphettos avait composé, dans les années qui ont suivi la mort de
Socrate, un *Alcibiade* (cf. Aelius Aristide, *Discours* XLV et XLVI),
où on voyait Socrate féliciter Thémistocle pour avoir libéré la Grèce
des Barbares, grâce à sa vertu et à sa science, ce qui était sans doute
une critique implicite des thèses du *Gorgias* (cf. Dittmar, *Aischines
von Sphettos, Studien zur Literaturgeschichte der Sokratiker. Untersu-
chungen und Fragmente*, Berlin, Weidmann, 1912, 158) et se trouvait
représenté en tout cas, comme une ruse de Socrate pour faire honte à
Alcibiade de son ignorance et l'inciter à se mettre à l'école de
Thémistocle. Cf. L. Rossetti « Recente Sviluppi della questione
socratica », in *Proteus* 2, 1971, 161-187.

Certes, à l'égard des hommes politiques, le ton du *Ménon* est plus
aimable que celui du *Gorgias*. Mais il reste que, dans le *Ménon*,
aucune véritable vertu n'est reconnue aux hommes politiques (sinon
le savoir-faire social et politique évoqué en 91a) non plus qu'aucune
intelligence (100a); l'éloge de Socrate est de plus tout à fait ambigu,
puisque même Anytos le prend en mauvaise part. Il n'y a donc
aucune raison de considérer que la position de Platon ait véritable-
ment changé ou qu'il ait été influencé par les critiques de Polycrate.

262. C'est là une transition importante dans l'argumentation.
L'examen du fait que la vertu s'enseigne a pour condition l'examen
du fait que des hommes bons aient été capables de transmettre leur
vertu : la réalité de la transmission est le critère de la possibilité de
l'enseignement. Il y a là encore un nouvel usage implicite d'une
forme d'examen par hypothèse (cf. *supra* notes 188 et 197).

263. Cette question de la réalité de l'enseignement de la vertu est
traitée dans de nombreux dialogues platoniciens : dans le *Protagoras*,
Protagoras défend, contre les objections de Socrate, un tel enseignement, assuré, selon lui, par l'ensemble des citoyens (*Protagoras* 321e-
326e ; *Apologie de Socrate* 20a-c ; *Alcibiade* 118d-e, *Lachès* 179d ; cf.
A. W. H. Adkins, « *Arete, Techne*, Democracy and Sophists »,
Journal of Hellenic Studies 93, 1973, 3-12, et *supra* note 1). Les
termes *paradotón*, « peut se transmettre », et *paralēptón*, « peut se
recevoir », sont formés, comme l'adjectif *didaktón*, sur les verbes
correspondants.

264. Les hommes politiques que Socrate prendra en exemple dans
les lignes qui suivent ont été, de leur temps, des rivaux. Thémistocle
et Aristide, d'une part, Périclès et Thucydide, d'autre part.

Thémistocle (524?-460?) était à la fois un homme politique et un
stratège naval. Il contribua grandement au développement de la
flotte athénienne et à l'expansion du port du Pirée. Thémistocle était
le leader des Athéniens au temps de l'invasion de Xerxès (480) et il fut
le responsable de la victoire qui mit fin à la seconde guerre médique.
Après cette victoire, Sparte honora Thémistocle, mais Athènes,
craignant sans doute ses sympathies démocratiques et l'ascendant
qu'il prenait, lui retira le commandement en chef, avant de l'ostra-

ciser en 472. Réfugié à Argos, il fut ensuite condamné pour trahison quand les Spartiates firent la preuve qu'il avait été informé de la trahison de Pausanias. Il finit ses jours en exil chez les Perses qu'il avait combattus (Thucydide I, 135-138) ; cf. Plutarque, *Vie de Thémistocle*.

Thémistocle est souvent cité au nombre des « hommes habiles en politique » (*ià politiká deinoí : Theagès* * 126a ; *Gorgias* 455e : il est mentionné avec Périclès pour ses talents d'orateur ; et 516d : il est alors cité avec Miltiade et Cimon, à la place d'Aristide et de Thucydide, dans le *Ménon* ; enfin, lorsque Calliclès cite les quatre plus grands hommes politiques d'Athènes (503c), il nomme Thémistocle au nombre de ceux qui ont amélioré leurs concitoyens, ce que Socrate conteste).

265. Le verbe *edidáxato* utilisé dans la suite du passage doit recevoir un sens factitif : « fit enseigner ».

266. Sur Cléophante, nous n'avons aucune indication indépendante (cf. Plutarque, *Vie de Thémistocle* LVII), sinon une déclaration rapportée par Plutarque (*De l'Education des enfants 2, Moralia* 1 c-d) selon laquelle Cléophante prétendait que ce qu'il voulait, le peuple athénien en faisait l'objet d'un décret (en effet, ce qu'il voulait, sa mère le voulait, or ce que voulait sa mère, Thémistocle le voulait, et tout ce que voulait Thémistocle, le peuple d'Athènes le voulait).

267. Pour la description de la performance, cf. Homère, *Iliade* XV 680, et Platon, *Lois* VIII 834d. La compétence de ces lanceurs de javelots à cheval était utilisée à des fins guerrières.

268. Socrate ne suggère pas ici que, si on est un bon cavalier, c'est que le naturel est bon, ni que les talents hippiques de Cléophante prédisposaient celui-ci à d'autres formes d'excellence. Il indique simplement que si un minimum de qualités naturelles est requis pour le succès de tout apprentissage, Cléophante est doté d'un tel minimum.

269. Aristide (surnommé le Juste), homme d'Etat et général athénien, naquit à la fin du vie siècle et fut archonte en 489-8. Partisan de la résistance contre la Perse, il fut ostracisé en 482, sans doute à l'instigation de Thémistocle dont il avait combattu les projets politiques. Rappelé en 480, il commanda l'armée athénienne lors de la bataille de Platées, qui permit de chasser les Perses hors de la Grèce, avant de contribuer à l'organisation de la ligue de Délos. Aristide avait la réputation d'être un des seuls hommes d'Etat à avoir échappé à la corruption du pouvoir (*Gorgias* 526a-b, Plutarque, *Vie d'Aristide* XXV). Mais le fait qu'Aristide ait été ostracisé (sans doute injustement) prouve qu'il n'a pas su faire de ses concitoyens des hommes justes et vertueux ; en ce sens, il n'est pas meilleur homme politique que ceux cités en *Gorgias* 503c.

270. Ce qui suppose que Lysimaque était toujours vivant à la date dramatique du dialogue. Né aux environs de 485, Lysimaque, fils d'Aristide, passa sa vie dans l'obscurité avant de recevoir une terre en Eubée et une somme d'argent, dons des Athéniens, en reconnaissance des services que son père avait rendus à la cité. Nous connaissons Lysimaque grâce au dialogue platonicien, le *Lachès*, où on le voit, en compagnie de Mélésias, fils de Thucydide (cf. *infra* note 272), se plaindre d'avoir été mal éduqué par son père, trop

occupé par son activité politique ; on apprend de plus que Lysimaque était un ami de Sophronisque, le père de Socrate (180e), qu'il appartenait au même dème que lui et était à la recherche d'un éducateur pour son propre fils (de ce fils, on sait, par *Théétète* 150e-151a, qu'il avait fréquenté Socrate). Lysimaque étant représenté comme déjà âgé dans le *Lachès* (censé se dérouler une bonne vingtaine d'années avant le *Ménon*), Socrate parle ici d'un homme très vieux, dont il n'est peut-être pas très obligeant de citer en exemple ce qu'il est.

271. Périclès (495 ?-431 ?) est le plus fameux homme politique athénien du Vᵉ siècle. Son éducation fut très soignée : il fréquenta le cercle de Damon et suivit peut-être l'enseignement des sophistes, nouveaux venus à Athènes. Stratège de 463 jusqu'à sa mort en 431, Périclès s'employa, dès son arrivée au pouvoir, à confirmer la domination politique et culturelle d'Athènes. Il voulut engager les cités grecques à payer la reconstruction des temples détruits lors des invasions perses. Sparte refusa, mais dès 447, un ensemble de grands travaux fut entrepris sur l'Acropole (le Parthénon, le Temple de la Victoire, les Propylées). Cette politique de prestige devait provoquer l'hostilité de Sparte et le ressentiment des cités alliées, puis amener la guerre du Péloponnèse, entre Athènes et Sparte, qui débuta en 431.

Platon distingue parfois Périclès de l'ensemble des hommes politiques en lui reconnaissant (dans ce passage et en *Phèdre* 270a-b) un savoir (*sophía*) ; mais, dans le *Gorgias*, Périclès est l'objet de violentes critiques : il n'a pas amélioré ses concitoyens (515d-e), et fut plus soucieux de procurer aux citoyens richesses et plaisirs que d'enseigner le bien à leurs âmes (517b-c, 519a, 455d-e).

Périclès avait eu deux fils, Paralos et Xanthippe, de sa femme athénienne. Tous deux sont morts de la peste en 429 (cf. Plutarque, *Vie de Périclès* 24, 5, Xénophon, *Mémorables* III, 5). Ils sont, semble-t-il, présents dans la foule des assistants dépeinte dans le *Protagoras* (315a), où ils seront cités comme exemples d'une éducation négligée (320a). Xanthippe, l'aîné, s'opposait souvent à son père à cause de ses extravagances (*Vie de Périclès* 36, 1-4). L'*Alcibiade* 118d-e (où ils sont traités de « niais », ou, comme nous dit le scholiaste, de « nigauds », *blitomámmas*), Athénée V, 220d (rappelant le peu d'estime qu'Antisthène avait pour ces deux enfants), et Aristote (*Rhétorique* II, 15, 1390b27-31) témoignent de la mauvaise réputation de Xanthippe et de Paralos. Après leur mort, les Athéniens reconnurent, comme fils légitime de Périclès, le fils qu'il avait eu d'Aspasie, mais on ne sait rien de la vie de ce dernier. Ajoutons qu'après avoir échoué dans l'éducation de ses propres fils, Périclès s'est montré aussi un piètre éducateur pour ses pupilles, Alcibiade et Clinias (cf. *Protagoras* 320a).

272. C'est au cas de Thucydide que Platon consacrera le développement le plus complet, en le prenant pour le type même de l'homme politique. Thucydide (qu'il ne faut pas confondre avec l'historien), homme d'Etat athénien, fut le vigoureux et malheureux rival de Périclès (Plutarque, *Périclès* 6, 8, 11). Il fut chef du parti

aristocratique jusqu'en 443, date à laquelle il fut ostracisé, à cause de son opposition au programme de construction de Périclès et à la politique adoptée à l'égard des alliés. Son ostracisme semble avoir été précédé par une période où il avait autant d'autorité que Périclès (Plutarque, *Périclès* 11, 1), et il aurait pu être élu stratège en 444-443. Il serait retourné à Athènes peu de temps après son ostracisme et aurait été l'instigateur à la fois de la persécution d'Anaxagore et d'attaques contre Périclès au cours desquelles Phidias et Aspasie furent traînés en justice. Dans *La Constitution d'Athènes*, XXVIII 2-5, Aristote le cite parmi les meilleurs hommes politiques d'Athènes, d'une probité irréprochable.

Un des fils de Thucydide, Mélésias, nous est connu grâce au *Lachès*, où on le voit se plaindre, avec Lysimaque, fils d'Aristide, de la mauvaise éducation qu'il a reçue de son père. En revanche, on sait fort peu de choses de Stephanos. Sur la chronologie respective de Thucydide et de ses fils, voir Bluck 378-379, et H. T. Wade-Gery : « Thucydides, the son of Melesias. A study of Periklean Policy », *Journal of Hellenic Studies* LII, 1932, 205-227 ; sur les liens entre Thucydide et la famille de Ménon, voir *Annexe* II page 329 note 19.

273. Sans doute deux fameux entraîneurs de lutte. Mais nous n'avons aucune information indépendante sur eux (l'auteur du *Sur la Vertu* qui les cite a apparemment recopié ce passage.

274. La construction de cette phrase confirme l'ironie désabusée de tout le passage. L'expression « mais il est vrai que » (*allà gàr*, 94d) suggère une objection dont le sens serait « mais peut-être n'ai-je pas prouvé ce que je veux dire parce que... ». La phrase suivante qui commence par « Sache seulement que » (*kai*) serait comme la réponse de Socrate à cette objection supposée, Thucydide venant d'une famille puissante, considérée et riche. La formule « chez les Athéniens et chez leurs alliés » est une formule conventionnelle qu'on trouve dans les inscriptions contemporaines ; mais elle peut suggérer aussi un lien particulier entre Thucydide et les alliés d'Athènes.

275. Cf. *Lachès* 179c.

276. On trouve un argument très proche en *Protagoras* 319a, où il est montré que : 1. en général, la vertu ne s'enseigne pas, parce qu'il n'y a pas de maître de vertu, 2. en particulier, les pères vertueux sont incapables d'enseigner leur vertu à leurs fils. De plus, dans ce passage, c'est pour railler Anytos que Socrate raille les démocrates.

277. Tandis que la plupart des éditeurs choisissent de lire « plus facile » (*rhâiôn*), Bluck (385-386) argumente de façon convaincante en faveur de la restauration du texte des manuscrits « facile » (*rháidion*) que nous traduisons ici.

278. Dire du mal des autres, c'est là un des principaux chefs d'accusation contre Socrate lors de son procès : *Apologie de Socrate* 23d. Mais, par cette menace à peine voilée, Anytos fait allusion à la facilité avec laquelle quiconque pouvait, grâce au système des jurys populaires, être traduit en justice ; c'était là un moyen aisé, pour la démocratie athénienne nouvellement restaurée, de punir ses opposants et de récompenser ses partisans ; l'amnistie de 403 n'ayant

rendu la persécution politique illégale que pour les seuls actes commis avant 403. Anytos semble ici approuver cette pratique, que Socrate critique en *Gorgias* 521b ; pratique dont Socrate avait eu à souffrir, ayant été lui-même menacé de poursuites judiciaires, une fois sous la démocratie, après la bataille d'Arginuses, et une seconde fois, sous les Trente tyrans (cf. *Apologie de Socrate* 32b-d).

En fait, la réaction indignée d'Anytos n'est pas provoquée par la conception socratique d'une vertu supérieure que les hommes d'Etat athéniens n'ont pu posséder, mais par le simple fait qu'il croit reconnaître, dans les propos de Socrate, une dévalorisation ironique de la classe politique athénienne (dévalorisation qui est clairement exprimée en *Gorgias* 522b).

279. Anytos, se comptant assurément au nombre des hommes politiques les plus fameux de son temps, s'est senti visé par la critique socratique de l'incapacité de ces hommes à éduquer leurs fils ; le fils d'Anytos ayant lui-même mauvaise réputation, cf. Xénophon : *Apologie de Socrate* 30-31, où Socrate prophétise la perversion du fils d'Anytos, et *Introduction* 29-30.

280. Apparemment Anytos a quitté Socrate et Ménon et semble n'être même plus capable de les entendre, Socrate le désignant comme « cet homme » (*hoûtos* et non plus *hóde*, cf. 89e *supra* note 229).

L'interprétation de cette remarque de Socrate est assez délicate, d'autant plus que Socrate est accoutumé à jouer sur les différents sens de l'expression grecque *kakôs légein* (littéralement : « parler mal de », cf. Diogène Laërce II, 35, *Euthydème* 284d-e), qui peut signifier : 1. « parler de façon fausse ou inexacte » (cf. *République* II 377e, *Phèdre* 258d) ; 2. « parler mal » (au sens moral, en faisant du mal), Socrate suggérant qu'Anytos doit comprendre que ces paroles ne causent aucun dommage moral ; 3. « dire du mal de », « calomnier ».

D'après les interprétations 1 et 2, Socrate essaierait de se justifier aux yeux d'Anytos, soulignant que ses propos ne sont ni faux ni nocifs. C'est un sens un peu pauvre si l'on songe à la valeur symbolique de cette rencontre entre Socrate et son accusateur Anytos. En revanche, l'interprétation 3 donne un sens plus intéressant : Socrate prévient Anytos du fait que, lorsqu'il aura été lui-même l'objet de calomnies, il comprendra que les propos de Socrate n'étaient pas calomnieux. Il est donc tentant de rapporter cette remarque aux campagnes de calomnies dont Anytos aurait été la victime et de lire dans ce passage un avertissement voilé de Socrate. Une allusion à une poursuite dont Anytos avait été l'objet en 409, après son échec à soulager le siège de Pylos (Diodore XIII, 64), n'est pas invraisemblable (en dépit de Wilamowitz, *Platon* I, 281), en dépit du fait que la date de cette poursuite soit antérieure à la date dramatique présumée du *Ménon*. En revanche, il est plus plausible d'y voir une allusion aux poursuites qui conduiront Anytos à la mort (cf. *Introduction* 28-29) ; ou encore une référence à la publication (récente ?) d'un pamphlet rédigé par l'orateur démocrate Polycrate (intitulé *Anytos* et qui était sans doute un éloge de l'accusateur de

Socrate), pamphlet qui avait suscité en retour de violentes attaques contre Anytos, surtout de la part de Lysias : c'est peut-être aux calomnies de Lysias que Socrate ferait ici allusion.

281. Chez vous, c'est-à-dire à Pharsale, ville dont Ménon est originaire, ou du moins en Thessalie dont la réputation culturelle et intellectuelle n'était pas des meilleures (cf. *Annexe* II page 326).

282. Le texte est ici incertain. Nous traduisons le texte des manuscrits *(te...è)*, avec le sens de « c'est-à-dire », « ce qui revient à dire », restauré par Bluck, plutôt que la conjecture adoptée par Croiset *(te...kaì : «* et...et »).

283. En plus de leur promesse caractéristique d'enseigner la vertu (c'est-à-dire : d'après *Protagoras* 318a, l'art politique, *politikê tékhnê ;* d'après *Hippias Majeur* 283c et *Euthydème* 285a-d, l'amélioration des hommes), il semble que les sophistes présentaient des formes de « contrats d'enseignement » plus spécifiques, décrivant la capacité qu'ils s'engageaient à transmettre à leurs élèves (*Protagoras* 318e-319a, *Lachès* 186c, *Hippias Majeur* 285c-d). C'était là sans doute, aux yeux des contemporains, un des aspects les plus choquants de l'enseignement des sophistes que cette prétention à traiter la vertu comme une technique dont la maîtrise aurait des effets prévisibles et quantifiables.

284. L'enchaînement des deux répliques est difficile à comprendre. Il semble en fait que Ménon ne réponde pas à la question de Socrate (contrairement à ce que comprend Verdenius 1964, 275, qui traduit : « no, and this is what I admire most in Gorgias »), donnant implicitement comme raison pour cela l'attitude de Gorgias. Ce n'est pas la première fois que Ménon fait répondre Gorgias à sa place (71c) ; peut-être Ménon expliquerait-il également ainsi son embarras à dire comment Gorgias définissait la vertu (Robin I, 1294, n. 78).

De nombreuses indications laissent penser que Gorgias n'était pas un sophiste, prétendant enseigner la vertu, mais surtout un professeur de rhétorique ; dans le *Gorgias*, ce n'est que pressé par les questions de Socrate qu'il admet enseigner aussi la justice (460a) — ce que Pôlos et Calliclès, ses amis, lui reprocheront — ; sur cette question, cf. *Platon, Gorgias,* cité *supra* note 11, 27-35.

285. Il est bien compréhensible que les Athéniens, pour la plupart, n'aient pas été des admirateurs des sophistes, sans pour autant être prêts à les condamner avec la violence d'Anytos ou de Calliclès (cf. *supra* note 246). A Athènes, cité démocratique protectrice des rhéteurs, les sophistes sont presque aussi mal vus que les philosophes. Mais une part non négligeable de la société athénienne, qui avait été quelque peu dépossédée du pouvoir par la radicalisation de la démocratie, a été sensible à la promesse des sophistes d'enseigner une technique du succès politique ; ces gens étaient aussi les seuls qui pouvaient payer les honoraires élevés des sophistes.

286. Théognis, originaire de la ville de Mégare en Sicile, a vécu au VIe siècle. Il a composé de nombreux poèmes dont des élégies, mais la majeure partie de la collection de vers élégiaques qui lui est attribuée n'est probablement pas de lui. Les vers cités par Socrate expriment

la sagesse conventionnelle de la classe aristocratique de la société du
VIᵉ siècle. Théognis est également cité par Platon en *Lois* I 630a.

Que Socrate parle ici des poètes s'explique fort bien si on rappelle
que ceux-ci étaient traditionnellement considérés comme les professeurs de vertu, de nombreux conseils et recommandations étant
extraits de leurs vers (cf. *Protagoras* 338e-339a, et Isocrate, *A
Nicoclès* II 43, lequel cite Hésiode, Théognis et Phocylide comme les
poètes qui donnent les meilleurs conseils sur la morale et la façon de
vivre). Souligner les incohérences des poètes sur la question même
de l'enseignement de la vertu, est une façon de saper la possibilité
d'en extraire des leçons de vertu. Mais ici, Socrate utilise aussi, sans
doute de façon critique, la méthode d'interprétation des poèmes
utilisée par les sophistes, méthode dont Socrate pense manifestement
qu'elle peut parvenir à faire dire n'importe quoi à un poème ; par
exemple, dans le cas présent, Socrate met dans les vers de Théognis
une contradiction qui n'y est pas (comme Protagoras le fait dans un
poème de Simonide, *Protagoras* 339d) ; en ce sens Socrate et les
sophistes compromettaient également l'autorité des poètes (cf. notre
Platon, Ion, cité *supra* page 47 note 74, 36-39, 46-54), ce qui a sans
doute valu à Socrate la haine du poète Mélétos, son principal
accusateur.

287. Le terme *épē* dont se sert Ménon ne désigne pas simplement
les vers épiques (hexamètres) mais aussi les vers élégiaques (par
opposition aux vers iambiques : *République* X 602b ; aux vers
lyriques : *Phèdre* 241e, *République* X 607a ; aux vers dramatiques et
lyriques : *République* II 379a, *Hippias Mineur* 368d et *Ion* 534c), et
peut même s'appliquer à n'importe quelle sorte de vers et à toute
poésie (cf. *Protagoras* 338e) ; par ailleurs, *épē* peut parfois signifier
« les mots » ou « les poèmes ». Il n'y a donc aucune raison de
supposer, à cause de l'emploi de ce terme, que Théognis ait écrit des
vers épiques, d'autant plus qu'il appelle ses propres élégies *épē* (19)
(comme Théocrite (19, 6) nomme aussi *épē* les élégies d'Archiloque).
La question de Ménon peut aussi manifester un certain étonnement
devant l'idée que Théognis se contredise.

288. Ces vers étaient fameux dans l'Antiquité (Xénophon, qui les
attribue à Théognis, les fait citer par Socrate : *Mémorables* I, 2, 20 et
Banquet 2, 4) ; ils sont évoqués, entre autres, par Aristote, *Ethique à
Nicomaque* IX, 9, 1170a11-13 et IX, 12, 1172a12-14, cf. *supra*
note 2). Ils expriment l'amertume de l'aristocratie traditionnelle
dont Théognis se fait ici le porte-parole devant les changements de la
société et la montée d'une nouvelle classe d'argent (v. 33-36, 429-
438).

289. Est-ce — selon nos propres critères de littéralité qui
n'avaient pas grand sens pour les Grecs de cette époque — une fausse
citation de Platon qui mettrait « tu apprendras » (*didáxeai*, au sens
de « on t'enseignera ») au lieu de *mathéseai* (« tu apprendras ») qu'on
trouve dans le vers original. Les fausses citations de Platon sont
chose courante, (cf. *Ion* 538c). Cette modification se justifierait par le
fait que, dans le vers de Théognis, l'enseignement dont il est
question consiste dans le fait d'imiter les autres (*didakhē*), et non pas

dans la découverte de la vérité en soi-même (le sens platonicien de *mathésis*). De toute façon, comme en témoignent ses nombreuses interventions dans la métrique même des vers (« et il ajoute en substance que », etc.), Platon n'était aucunement soucieux de citer littéralement.

Par ailleurs, les termes « noble, bon, mauvais » (*ésthlos, agathós, kakós*) sont ici employés dans leur sens politique. Il s'agit surtout de la valeur déterminée par la naissance (cf. 189), par l'autorité politique (cf. 53), et de toute façon antérieure au sens moral (cf. 145). En particulier, le terme *ésthlos* signifie « qui a une grande puissance » ; cf. A. W. H. Adkins, *Merit and Responsability*, cité *supra* page 38 note 55, 75-79.

290. Trois interprétations de ce passage sont en concurrence, selon le sens qu'on donne au terme *metabás* (littéralement : « changeant »). 1. Il peut s'agir d'un changement de thème, le terme utilisé étant le terme technique pour signifier dans un poème le passage à un autre thème (*Odyssée* VIII, 492, et *Phèdre* 261e-262a). 2. Socrate peut indiquer aussi un changement de point de vue, son but étant de relever une contradiction. 3. Il peut s'agir enfin d'un changement de lieu ; en effet, dans le poème de Théognis tel que nous en disposons, l'intervalle est long (du vers 36 au vers 435 ; les autres vers cités étant 434, 436-8) entre les deux citations. Mais il n'y a aucune raison de penser que le recueil de vers de Théognis qui nous a été transmis soit ordonné comme celui que Platon consultait ; rien n'empêche que Platon cite des vers qui, dans son recueil, se suivent. Nous choisissons donc la première interprétation qui paraît la moins contestable (cf. note suivante).

291. On peut contester ce diagnostic de contradiction porté par Socrate. En effet, le poète dit d'abord que ceux qui ont du bon sens (*nóon*) doivent fréquenter des gens nobles (*esthloí*) pour apprendre des choses nobles (*esthlá*). Dans le second extrait, en revanche, le poète remarque que lorsque les dispositions naturelles sont absentes ou corrompues, l'instruction ne sert plus à rien (cf. Verdenius 1957, 297, soulignant le fait que « le premier passage ne traite pas de l'enseignement de la vertu, mais de la confirmation et du développement d'une vertu existante »). D'autres auteurs, dont Aristote (*Éthique à Nicomaque* IX, 12, 3 1172a et IX 9, 7, 1070a) et Xénophon (*Mémorables* 1, 2, 20) lisent le premier extrait (surtout le 3ᵉ vers) comme traitant non pas de l'enseignement de la vertu, mais de sa pratique (*askêsis* ; cf. *supra* note 2). En revanche, les 5 derniers vers cités par Platon évoqueraient un enseignement de type sophistique.

En fait, l'opposition entre les deux extraits porte sur l'apprentissage et la pratique, d'un côté, et, d'un autre côté, les facultés naturelles, tandis que Socrate y voit l'expression de deux points de vues différents sur l'enseignement de la vertu. Jean Carrière (*Théognis de Mégare : Etude sur le recueil élégiaque attribué à ce poète*, Paris, Bordas, 1948, 224-231) suggère que Théognis fait une distinction entre *manthánein* et *didaskeín*, analogue à celle faite entre « apprendre par habitude, par imitation, par fréquentation » et « apprendre par des leçons » (cf. la distinction entre « caractère » (*ethós*) et « enseignement » (*didakhē*) faite par Aristote en *Éthique à Nicomaque* X, 9, 1179b20-6, bien que cette dernière distinction soit postérieure d'un siècle à celle de Théognis et date surtout de l'époque des sophistes), ce qui expliquerait que le poète ne se contredise pas ici.

292. Il faut noter la rupture de construction. D'abord Socrate détaille une condition très générale (« y a-t-il une autre chose... »), puis, à la fin de sa réplique (par *oûn* « Alors, toi... »), rapporte ce propos général au cas plus particulier de la vertu. Par ailleurs, l'expression « y a-t-il une autre chose ? » (au génitif : *állou hotouoûn prágmatos*) peut avoir la valeur d'un génitif d'origine (« à partir de n'importe quel autre sujet ») ou celle d'un génitif absolu introduisant un changement de question, ce que nous avons traduit.

293. Il n'y a donc pas d'autres prétendants au titre de maîtres de vertu que ceux qui prétendent l'enseigner (les sophistes), ou ceux qui la pratiquent (les gens de bien). De plus, il est sûr que ces derniers ne sont pas vertueux par nature ; or il faut bien sans doute, aux yeux de Ménon, que l'apprentissage de la vertu politique soit possible, sinon la cité serait menacée d'effondrement (Klein 235) et on ne verrait pas comment ont pu exister des hommes vertueux.

294. Cette question a déjà été posée (cf. 89e et un peu avant), mais il s'agissait alors de vérifier les conséquences d'une hypothèse, tandis qu'à présent l'énoncé est catégorique. Socrate construit ici un syllogisme dont la prémisse mineure est donnée par sa précédente réplique « Or des maîtres de vertu, nous n'en voyons... nulle part ».

295. Sur Prodicos de Céos, cf. *supra* note 55. Il est difficile d'avoir une idée claire des rapports entre Socrate et Prodicos (dans le *Protagoras,* par exemple : en 341a, Socrate dit être un élève de Prodicos, mais il le parodie en 337a ; par ailleurs, le savoir de Prodicos en matière de distinction de termes est souvent loué par Socrate : *Lachès* 197d, *Cratyle* 384b, *Euthydème* 277e, *Charmide* 163d).

En dépit de l'ironie de toutes ces allusions, il est probable que Socrate a fréquenté Prodicos et qu'il a même écouté quelques-unes de ses conférences. Parmi les autres maîtres que Socrate se reconnaît, il y a Aspasie (*Ménexène* 235e), Connos (*Euthydème* 272c, 295d) et Damon (*Lachès* 180d, *République* I 400b-c, IV 424c), lui-même associé à Prodicos (*Lachès* 197d). Prodicos est loué aux dépens de Socrate dans les *Nuées* d'Aristophane (360).

296. L'expression grecque suggère l'image d'une route le long de laquelle l'argument s'échapperait et devrait être poursuivi. Pour une personnification analogue de l'argument, voir *Théétète* 203d, *Sophiste* 231c, *Hippias Majeur* 294e, etc.

297. Les manuscrits donnent ici « à bon droit » (*orthôs*), que nous supprimons à la suite de Schanz. Il y a peu de raison que Ménon demande à Socrate ce qu'il entend par *orthôs*, plutôt voudrait-il savoir quel autre principe que la science peut bien diriger l'action.

298. La ville de Larisse se trouvait en Thessalie, non loin de Pharsale dont Ménon était originaire (cf. 70b). L'expression « la route de Larisse » n'est neutre ni historiquement ni politiquement

dans la bouche de Socrate. En effet, la difficulté des voies de communication (la route de Larisse se trouvait prise dans un défilé rocheux) a contribué à la fois à l'isolement de la Thessalie et à sa capacité de résistance aux invasions. Plusieurs tentatives de main-mise spartiate sur la ville de Larisse avaient échoué ; profitant du caractère encaissé et peu praticable de la route, les Thessaliens avaient pu massacrer les détachements militaires qui s'y aventu-raient ; pour plus de détails, cf. *Annexe* II page 329.

299. On remarquera que Platon souligne la ressemblance entre opinion vraie et connaissance, eu égard à la rectitude pratique et à la réussite de l'action. Or la définition de la connaissance comme bien n'avait été établie que pour autant que la science était la condition de l'action réussie ; sur ce point, donc, le privilège de la connaissance n'était pas exclusif, et se trouve révélée ici la faille présente dans l'argument développé quelques pages plus haut (88c-e).

300. La précision « aussi longtemps » est importante, dans la mesure où Socrate montrera que les opinions sont caractérisées par leur aspect instable et labile. La relation entre connaissance et opinion est maintes fois développée par Platon (*République* V 476d-480a) : si la science est relative à l'être, l'opinion, qui peut se tromper, à la différence de la science (477e), est intermédiaire entre science et ignorance (*Banquet* 202a) ; on rapproche traditionnelle-ment ce passage de *République* VI 506c (ceux qui ont des opinions vraies sont aveugles), mais dans le *Ménon*, Platon n'est pas aussi critique sur la valeur de l'opinion vraie. La perspective du *Ménon* n'est pas encore celle de la *République* ; ici Platon semble plus soucieux d'établir une relative parité et continuité entre opinion vraie et connaissance, cf. *Introduction* 92-94, par ailleurs, *dóxa* est contrastée avec beaucoup de synonymes : *phrónēsis, epistḗmē, noûs, sophía*, ce qui montre que les termes de l'opposition science/opinion qu'on trouve dans les dialogues plus tardifs ne sont pas encore pleinement acquis.

301. Ménon, convaincu qu'il y a une différence entre *epistḗmē* et *dóxa* (et de l'infériorité de l'opinion vraie), tente de définir celle-ci en termes de réussite ou d'échec. Mais ce n'est pas le critère de distinction que Socrate veut lui faire admettre.

302. Il s'agit des statues, œuvres du sculpteur Dédale, figure à demi légendaire. Platon semble considérer Dédale comme un sculpteur humain (*Ion* 533a, où il le désigne comme fils de Métion, et *Hippias Majeur* 282a, où il paraît en parler comme d'un sculpteur vivant), mais en *Lois* III 677d, il l'associe à Orphée et Palamède, comme ayant vécu 2000 ans plus tôt, et en *Alcibiade* 121a, il lui donne comme ancêtres, ainsi qu'à lui-même, Héphaïstos et Zeus. Dédale est loué traditionnellement comme le constructeur du labyrinthe crétois qui abritait le Minotaure (cf. Xénophon, *Mémora-bles* IV, 2, 33) et l'inventeur de statues qui avaient l'apparence de la vie.

Il va sans dire qu'il ne reste aucune trace de ces statues. Cependant, au IIIe siècle, Pausanias (qui reconnaît le caractère « inspiré » des statues : II, IV, 5) en dénombre six et affirme qu'il

n'en existe plus d'autres (IX, XL, 3, 4). Nous avons quelques
témoignages anciens au sujet de ces statues : Aristote les décrit
(*Politique* 1, 4 1253b33) mais en les comparant aux trépieds magiques
d'Héphaïstos qui, d'après Homère (*Iliade* XVIII, 375-6, 417),
pouvaient se mouvoir tout seuls ; par ailleurs, dans le *Traité de l'Ame*
I, 3, 406b18-19, Aristote cite Philippe, l'auteur comique, lequel
déclarait que Dédale avait fait bouger sa statue d'Aphrodite en bois
en y versant du vif-argent ; Callistrate (*Descriptions* 8) témoigne
aussi du fait que Dédale faisait bouger ses statues grâce à des
mécanismes (*mekhanaí*) ; voir aussi *Souda* (Adler II, p. 12, 110, *s.v.*
Daidálou poiémata) et les autres témoignages dans G. M. A. Richter
(*The Sculpture and Sculptors of the Greeks*, Londres/New Haven,
Yale University Press, 1950, 196). On voit donc que pour expliquer
le mouvement dont étaient animées ces statues (elles auraient été
capables d'ouvrir les yeux ou d'écarter les pieds), explications
religieuses (ces statues seraient œuvres des dieux, d'autant plus qu'il
y a une réelle tradition, dans la littérature grecque, concernant les
objets surnaturellement animés : les trépieds d'Héphaïstos, les
bateaux Phéaciens, *Odyssée* XIII 81, etc.) et explications rationalistes
(elles bougeraient grâce à du vif-argent et à des mécanismes
d'horlogerie) étaient, déjà dans l'Antiquité, en concurrence. Cf. F.
Frontisi-Ducroux, *Dédale. Mythologie de l'artisan en Grèce ancienne*,
Paris, Maspero, 1975, 95-106.

Il est en tout cas incontestable qu'une bonne part de ces
témoignages et légendes au sujet des statues de Dédale (qui, si elles
existaient, n'étaient que des *arkhaoí kouroí*) exprime une réaction
d'incrédulité devant la brutale évolution de la statuaire grecque. On
peut en effet expliquer la renommée de ces statues par leurs
différences d'avec la statuaire plus ancienne (et dont seules des
statuettes nous ont été conservées). C'est l'explication que proposent
Diodore (IV, 76) et le scholie à notre passage, cf. P. M. Schuhl,
Platon et l'art de son temps, Paris, P.U.F., 1952, 50-1, 94).

303. Socrate sait parfaitement où se trouvent, si elles existent, les
statues de Dédale. Avec cette question rhétorique dont la réponse
sera assurément négative, il se moque un peu de Ménon et de la
Thessalie dont celui-ci est originaire. Les Thessaliens étaient réputés
être à peu près aussi incultes que les Béotiens ; fort peu de statues de
la période archaïque ou classique furent découvertes en Thessalie.

304. Le scholie au présent passage associe la capacité de vie de ces
statues et la crainte qu'elles ne s'enfuient furtivement au désir de les
lier (Thompson 219, avec les témoignages de Strabon VI, 264 et
d'Apollodore II, 2, 2), mais l'argument de Socrate dit plutôt qu'elles
seront d'autant plus précieuses qu'elles seront stables. Il n'y a aucun
témoignage selon lequel les statues de Dédale, en particulier,
auraient été attachées. Mais c'était une pratique assez courante dans
la Grèce classique que d'attacher les statues divines pour s'assurer la
protection des dieux qu'elles représentaient (pour une interprétation
tardive : Pausanias III, 15, 5 et 8, Athénée XV, 672, et le scholiaste à
Pindare, *Olympiques* VII, 95). Il est possible aussi que le fait
d'attacher ces statues (pas nécessairement de façon définitive) ait fait

partie de rituels de purification répétant l'intronisation et la fixation du dieu dans un lieu. Dans l'*Euthyphron* (15b), les statues de Dédale sont censées représenter un argument qui échappe à la prise de l'enquêteur.

305. Sur la garde des esclaves, voir Xénophon, *Economique* III, 4. Il était aussi habituel d'attacher les esclaves (*Banquet* 216b, Xénophon, *Anabase* I, IV, 8).

306. Le sujet de ce verbe « rester en place » (*paraménei*) est, semble-t-il, à la fois la statue et l'esclave auquel la statue est comparée. En effet, le nom de « Parménon » (littéralement : celui qui reste en place) était tout à fait usuel pour un esclave.

307. Sur la beauté des statues de Dédale, voir *supra* note 302. Le peu de goût que Platon avait pour la modernité en sculpture explique que l'éloge que nous trouvons ici ne soit pas incompatible avec *Hippias Majeur* 282a, où il dit qu'un sculpteur qui sculpterait encore comme Dédale serait ridicule.

308. Nous comprenons l'expression « une belle chose » (*kalòn khrêma*) comme évoquant l'objet que produisent les opinions vraies. L'affirmation selon laquelle les produits de l'opinion vraie sont beaux et de grand prix est difficile à interpréter car Platon n'a pas encore prouvé que l'opinion vraie est (comme la science) cause du bien. Mais ce bien est ici limité au bien des actions humaines, contrairement à ce qu'on lit en *Théétète* 200d-201c, où Platon l'étend à toutes sortes de choses, cf. Burnyeat 174, tr. fr. 1991.

309. L'inconstance et la versatilité de l'opinion sont dues ici au fait que cette opinion est présente en l'esprit comme l'image d'un rêve, sans être reliée à d'autres opinions ou à une véritable connaissance. Ceux qui n'ont qu'une opinion, même vraie, peuvent être aisément persuadés d'en changer (*Timée* 51e), ils sont semblables à des aveugles qui marchent sur la bonne route (*République* VI 506c). Plus tard, dans la *République*, Platon donnera comme raison de l'instabilité de l'opinion le fait qu'elle se rapporte à un monde changeant, dont les variations peuvent la rendre alternativement fausse et vraie (cf. J. Hintikka, *Time and Necessity*, Oxford, 1973, 72-92).

310. L'expression grecque ici utilisée, *aitías logismós*, est une des plus fameuses du *Ménon*. Le sens le plus courant du terme *logismós* est « raisonnement », « calcul » ; par ailleurs, *aitía* est souvent traduit par « cause », mais peut signifier aussi « explication » et « raison » (Cf. G. Vlastos, *Reasons and Causes in the Phaedo*, in *Plato*, *I*. *Metaphysics and Epistemology*, Garden City, 1971, p. 134-137).

L'expression *aitías logismós* signifie donc littéralement « un argument capable de donner la cause, l'explication, de rendre raison » ; cette traduction se justifierait d'autant plus que Platon fait d'une telle capacité le critère de la connaissance (*Gorgias* 465a, *République* VII 534b, *Phédon* 76b, 100b — la cause étant ici la Forme intelligible —, 101d). Pour qu'une opinion devienne connaissance, il faudrait donc pouvoir apprécier à chaque fois les faits qui la rendent vraie, et l'intègrent dans un ensemble d'autres connaissances à appréhender comme un tout ; l'expression *aitías logismós* donne un contenu plus concret à l'allusion faite par Socrate en 85c, après l'interrogation de l'esclave, sur la transformation de l'opinion vraie en connaissances. Sur cette question, cf. *Introduction* 88-91.

Mentionnons quelques traductions de cette expression (Thomas : « a chain of causal reasoning » ou « confirmed by further inquiry » ; Bluck : « by calculation of the causes » ; Jowett : « fastened by the tie of cause » ; Croiset : « raisonnement de causalité »).

311. Platon semble rendre la réminiscence « équivalente » au raisonnement causal. Même si au terme de l'interrogation du jeune garçon, aucune mention n'a été faite de l'*aitías logismós*, la référence ici est clairement adressé à 85c-d. Certes, le jeune garçon avait la réminiscence de vérités qu'il n'a pu acquérir dans sa vie terrestre, mais la réminiscence n'est pas un souvenir acquis une fois pour toutes, elle est un processus, et le raisonnement causal est partie intégrante de ce processus (cf. Thomas 155, et *Introduction* 89-90). Il faut également souligner qu'ici la réminiscence est évoquée dépourvue de tout son aspect mythique.

312. Les indications « d'abord » et « ensuite » ne doivent sans doute pas être prises littéralement, de façon chronologique. En effet, la stabilité de la connaissance a déjà été présentée comme sa caractéristique première.

313. Le terme grec *eikázon* signifie à la fois conjecturer et user d'une image et d'une métaphore. L'actuelle réserve de Socrate est à rapprocher de 86b-c. L'élucidation de la différence entre opinion vraie et connaissance dépend de l'exposé complet de la nature de la réminiscence.

314. Cette thèse (que le produit de l'opinion vraie est aussi bon que celui de la connaissance) est sans doute une seconde certitude que Socrate pourrait reconnaître comme telle. La première étant la différence entre science et opinion vraie.

315. Nous ne traduisons pas l'expression *oút'epíktēta* (qu'aucun éditeur ne reprend, bien qu'elle se trouve dans les manuscrits ; mais Robin la garde et propose : « puisque pas davantage ce ne sont choses acquises dans la suite... », I, 1294-1295, n. 90) qui nous paraît être une glose inutile et rompre la progression de l'argument (Bluck 185, et Verdenius 1957, 298).

316. On pourrait penser que cette insistance de Socrate est motivée par la volonté de faire apercevoir à Ménon les doutes qui pèsent sur cette conclusion : d'une part, la raison pour laquelle la possibilité que la vertu vienne « par nature » a été écartée, n'est pas très convaincante (cf. *supra* note 221) ; d'autre part, il n'a pas été montré que l'opinion vraie ne saurait être innée. Or Ménon répond négativement sans donner aucune justification (par exemple, du type de celle qu'on trouve en *Protagoras* 323c).

317. Cf. 87c et 89d, mais il était alors question de la raison (*phrónēsis*) et non pas de la connaissance (*epistémē*). Par ailleurs, il faut remarquer que la question sur la possibilité de l'enseignement posée par Socrate a trait à la connaissance et à l'opinion correcte,

mais non pas à la vertu, bien que celle-ci soit implicitement équivalente au bien (*agathón*) auquel la science a été identifiée.

318. Cf. 87c.

319. Cf. 89d-e ; ici, la vertu est substituée à la science ; on remarquera l'usage de la formulation préconisée au cours de l'examen par hypothèse : cf. *supra* notes 288 et 197, et Robin : « et que dans l'hypothèse même où elle serait... ».

320. Que la vertu ne s'enseigne pas a été accordé en 96c-d. Quant à l'énoncé « que la vertu n'est pas raison », il s'est trouvé réfuté par l'usage implicite de l'examen par hypothèse et de la méthode indirecte, cf. *Introduction* 98-101.

321. Cf. 87d.

322. Que la fortune puisse *parfois* donner de bons résultats n'est pas une objection à la démonstration selon laquelle la connaissance et l'opinion vraie donnent *toujours* de bons résultats. Aristote semble suggérer que la possession de la vertu peut parfois résulter de la fortune (*Ethique à Nicomaque* I, 10, 1099b9, *Ethique à Eudème* I, 1, 1214a24).

323. Le texte est ici problématique. Faut-il lire : 1. *hôi dè ánthrôpos* (adopté par Croiset : littéralement : « ce par quoi l'homme... ») ; ou 2. *hôn dè ánthrôpos*, qui donne, avec a) *hôn* au masculin (Bluck) : « ceux sur lesquels l'homme exerce une direction vers la rectitude... » ; ou avec b) *hôn* au neutre : « pour ces choses qu'un homme dirige... » ? 2a) donne une bonne transition du point de vue personnel au point de vue politique : comme la faculté de raison guide l'être humain qui la possède, l'homme qui a, de façon prédominante, cette faculté guide les autres hommes.

324. L'adjectif *didaktón*, employé ici, est au neutre. Il ne se réfère pas à la vertu, mais au fait qu'un homme soit capable de bien guider sa cité.

325. Là aussi le texte est difficile : nous lisons le terme « connaissance » (*epistêmêi*) au datif.

326. Le terme dont se sert ici Platon (*apolélutai*, de *apolúô*) signifie littéralement « est acquittée » et on ne sait pas très bien de quoi la science est ainsi absoute. Le terme a peut-être le même sens qu'en *République* IV 437a, où un terme de même famille est employé à propos d'une hypothèse « rejetée » sans être vraiment réfutée (Rose 6, n. 22). Mais les interprétations les plus évidentes sont 1. que la connaissance se trouve déchargée de la fonction d'être responsable de la *politikê tékhnê*, 2. qu'elle est absoute d'une relation d'identité avec la vertu.

327. L'expression utilisée *Hoi amphì Themistokléa* peut désigner aussi bien la personne elle-même (« Thémistocle ») que le groupe dont celle-ci est le représentant (*Euthydème* 305d). Il s'agit probablement ici de Thémistocle et de ses pareils, cf. M. Dubuisson, *Hoi amphi tina, hoi peri tina : l'évolution des sens et des emplois*, Dissertation, Liège 1977, I, 43-44.

328. En fait, c'est Socrate lui-même qui a mentionné Thémistocle (93c), Aristide, Périclès et Thucydide (94a-c). On remarquera qu'il n'est plus ici question des fils de tous ces hommes célèbres et que

Socrate réutilise la même façon peu obligeante d'évoquer Anytos (cf. *supra* notes 229 et 280).

329. Nous traduisons ainsi le terme *eudoxía,* que Platon emploie ici pour la première fois et qui signifie littéralement « opinion qui tombe bien, opportune » mais aussi « bonne réputation » (*eu :* le bien, *dóxa :* l'opinion) ; Platon est familier de ces emplois conformes à l'étymologie (cf. le double sens du mot *aporía* en 78e). Il est probable qu'il y a ici un jeu de mots sur le sens de « bonne réputation » qu'a *eudoxía,* puisque leur « bonne réputation » était, pour Périclès et Thémistocle, au même titre que leur « bonne opinion », un moyen de gouverner.

330. Les termes employés ici par Platon sont *khresmoidoí* (diseurs d'oracles), *theománteis* (prophètes), *mánteis* (devins interprètes des rêves, prodiges et augures, cf. *supra* note 258). Les prophètes et devins ont, pour Platon, deux traits caractéristiques : 1. ils ne procèdent pas rationnellement (*Ion* 534b-d : les poètes non plus) ; 2. ils croient savoir la vérité alors qu'en fait ils l'ignorent (cf. *Apologie* 22a-c, *Lachès* 195e-196a, 198d-e).

L'assimilation des hommes politiques aux prophètes (pour ce qui a trait au fait de raisonner) semble indiquer que Platon les considère soit 1. comme des inspirés, soit 2. comme des êtres aussi peu raisonnables que les devins. Il est vrai que Platon parle avec admiration de l'inspiration (cf. *République* VI 492e, et *Phèdre* 244a, 265b), mais sans pour autant valoriser le fait que, pour être inspiré, l'homme doive renoncer à son intelligence personnelle (*Lois* IV 719c-d). Il est vrai que le philosophe est parfois assimilé à un être en délire, mais en tant qu'il est amoureux, non pas en tant qu'il est dialecticien (cf. la suggestion d'Eschine (frg. 11c Dittmar) selon laquelle Platon était possédé comme un bacchante). Par ailleurs, Socrate reconnaît lui-même être redevable de sa mission à une « faveur divine » (*theía moíra*) (*Apologie de Socrate* 33c), mais cela a trait au motif de sa mission non à son contenu propre. Ainsi, dans la mesure où la comparaison entre hommes politiques et devins est fondée sur une même absence de raisonnement et qu'aucun texte platonicien ne valorise l'inspiration en matière de politique, il y a tout lieu de penser que cette comparaison est fort mal intentionnée.

331. Sur l'ancien prestige de cette appellation, surtout chez Homère, voir *Odyssée* XVI, 1. Platon se sert souvent de ce terme, mais sans nécessairement l'appliquer, semble-t-il, à un être inspiré. Cf. *République* I 331e (au sujet de Simonide) et *Protagoras* 316a, 340e (la science divine de Prodicos), *Phèdre* 234d, *Sophiste* 216b, *Lois* II 666d. Mais ce même qualificatif est aussi souvent utilisé avec le sens de « remarquable », semblable à dieu (cf. Van Camp et Canart, *Le mot theios chez Platon,* 52) et Dodds, *Les Grecs et l'irrationnel,* cité *supra* note 111, 147.

332. Nous gardons ici la leçon *an* que donne la plupart des manuscrits et qui est reprise par Bluck.

333. Que les poètes soient inspirés par les dieux est une thèse qu'on trouve fréquemment énoncée chez Platon (*Ion* 534a-e, *Lois* IV 719c, III 682a). L'inspiration des poètes et des prophètes est parfois

rapprochée de celle des philosophes (*Phèdre* 244b), mais la thèse qui fait également de l'homme d'Etat un être inspiré est assez particulière au *Ménon*. En revanche, hommes politiques, devins et poètes sont parfois associés à cause de leur ignorance, voir *Apologie de Socrate* 21c.

334. Cf. *Ion* 542a. Voir Cicéron, *De la divination* I, 43, 95, sur l'inspiration de l'homme politique.

335. Platon se réfère parfois aux dénominations données par les femmes, cf. *Cratyle* 418b-c, lesquelles préserveraient « la langue archaïque » (*archaía phōnē*). Voir Aristophane, *Assemblée des femmes* 214. Et *Alcibiade* 120 b. Mais ce privilège est à prendre *cum grano salis* (sur la manière féminine hyperbolique de parler, cf. Homère, *Odyssée* XVI, 1), et Socrate est ici un peu moqueur. La référence aux Lacédémoniens peut aussi se comprendre au féminin : Robin propose « les Lacédémoniennes ».

336. Voir Aristote, *Ethique à Nicomaque* VII, 1, 1145a29. Il est probable que la référence aux Spartiates, comme dépositaires de la juste façon de désigner un homme de bien n'a pas dû plaire au démocrate Anytos (Guthrie, 1975, 262). Signalons que le texte édité par Bluck reprend la correction de Casaubon *setos*, qui serait l'orthographe spartiate de *theîos*.

337. Certains éditeurs attribuent ces mots à Anytos, mais il est difficile de croire qu'Anytos soit resté parmi les interlocuteurs de Socrate ; en outre, le « cela m'est égal » de Socrate paraîtrait grossier s'il était prononcé en sa présence. Il serait un peu déplacé de la part de Platon de faire de cette mention une allusion au procès de Socrate.

338. Nous traduisons ainsi l'expression grecque *theía moîra*, qui évoque l'idée d'un privilège accordé par le dieu. Mais cela peut désigner aussi l'élément divin présent chez un homme (cf. *Protagoras* 322a, *Phèdre* 230a, *Apologie de Socrate* 33c, *Ion* 534c-536d, 542a, *Phédon* 58e, *République* I 366c, VI 492e, *Lois* I 642c, IX 875c). Dans l'usage que Xénophon fait de cette expression, l'idée de miracle est certainement incluse (*Anabase* 1, 4, 18). Sur *theía moîra*, voir J. Souilhé, La *theía moîra* chez Platon, in *Philosophia perennis*, éd. G. E. Geyser, Ratisbonne, 1930, t. 1, 13-25 ; W. C. Greene, *Moira, Fate, Good and Evil in Greek Philosophy*, Harvard, 1944, chap. 8 et 9, App. 47/48 ; et E. des Places, *Pindare et Platon*, Beauchesne, 1949, 149-162.

Une distinction est ici faite entre « par nature » et « par une faveur divine », mais qui n'est pas parfaitement explicitée. Si les hommes politiques ne sont bons ni par nature ni par instruction, si, comme le souligne Platon, il n'y a aucune contribution de l'intelligence à leur vertu, il faut penser que cette faveur divine leur donne l'opinion droite qui leur permet de réussir. (Cf. les critiques du *Gorgias* 519a et *Lettre* VII 325d), quoique certains succès soient parfois, aux yeux de Platon, motivés par une faveur divine, cf. *République* VI, 493a, 499c, IX 592a, et aussi Aristote, *Ethique à Nicomaque* X, 9, 1179b21-7.

339. On peut comparer la formulation d'un tel espoir qu'un homme politique puisse un jour enseigner la vertu avec *Gorgias* 521d (où Socrate dit être le seul homme politique à Athènes). Si la

connaissance de la vertu vient de la réminiscence, laquelle est rendue possible par la présence d'opinions vraies dans l'âme, on est enclin à penser qu'une réponse à la question initiale de Ménon est que l'excellence se trouve à la fois donnée naturellement et acquise ; cf. *Introduction*, 106.

340. *Cf. Odyssée* X, 494 (avec un texte légèrement modifié par Platon), critiqué aussi en *République* III 386d à cause de l'image effrayante qu'elle donne de la mort. Peut-être retrouve-t-on une allusion à cette expression dans le portrait du philosophe (*République* VII 510a), les sages du Conseil Nocturne (*Lois* X 969b), et le modèle d'affinité entre sagesse et pouvoir que sont, outre Platon et Denys, Tirésias et Créon, *Lettre* VII 310e-311b ; cf. L. Brisson, *Le Mythe de Tirésias*, Leiden, Brill, 1976, 44 n. 68.

341. Nous reprenons la leçon de la plupart des manuscrits BTW que traduit Croiset (*euthús*).

342. Sur le « nous » de la recherche, voir *Théétète* 210d ; cf. la fin du livre I de la *République* (354c) et *Protagoras* (360e-361a), mais il est possible que la prochaine discussion se déroulera entre Ménon et Anytos (Brague 57). Par ailleurs, il est rare que Socrate donne une explication pour mettre fin à un entretien. L'expression *autò kath'hautò* n'est probablement pas une allusion aux Formes, mais désigne l'essence de la vertu, objet d'une telle recherche.

343. En ce sens que, si Ménon avait réussi à convaincre Anytos, Socrate n'aurait pas été mis à mort ? Cf. *Gorgias* 522c. Pour Ménon, cela signifie simplement qu'en étant plus doux, Anytos soulagera les Athéniens du poids de sa mauvaise humeur. En tout cas, si Ménon a essayé de persuader Anytos, l'histoire nous enseigne qu'il a échoué.

ANNEXES

ANNEXE I

LA DATE DE COMPOSITION DU *MÉNON*

Nous disposons de trois moyens pour déterminer la date d'un dialogue de Platon : la stylométrie, les indications internes au dialogue, la comparaison entre différents dialogues à peu près contemporains.

La stylométrie propose de mesurer la fréquence d'un ensemble de procédés stylistiques (usage des particules, présence du hiatus, formules de réponses et d'acquiescement) par rapport à la fréquence de ces mêmes procédés dans les *Lois*, dont nous savons avec certitude que c'est le dernier dialogue de Platon. Le dialogue examiné sera d'autant plus éloigné des *Lois* qu'il présente peu de caractéristiques stylistiques communes avec cette dernière œuvre [1]. Mais si la stylométrie permet d'isoler un ensemble de dialogues qui représente la première partie de la production de maturité de Platon (ensemble qui comprend, entre autres, le *Gorgias*, l'*Euthydème*, le *Ménon*, le *Cratyle*), elle ne nous donne, en revanche, aucune indication précise sur l'ordre de succession des dialogues à l'intérieur de cet ensemble. Cependant, au sujet du *Ménon*, le recours à la stylométrie permet de confirmer ce que nous avons par ailleurs de nombreuses raisons de penser : que le *Ménon* est antérieur au *Banquet* (dont la date de composition est à situer après 385) et au *Phédon*, et qu'il est aussi postérieur au *Protagoras* [2].

---

1. Cette technique de datation est appliquée au corpus platonicien depuis Lewis Campbell (1867). Cf. L. Brandwood, *The Dating of Plato's Works by the stylistic Method. Historical and cultural Survey*, thèse 1958 publiée 1990.
2. Voir références dans Bluck 109. Sur le rapport au *Phédon*, où la théorie de la connaissance prénatale de l'âme et celle de la

Les indications internes qui pourraient servir à préciser le moment de la composition du *Ménon* sont rares et difficiles à interpréter. L'allusion faite à Isménias de Thèbes[3] n'a probablement aucun caractère d'actualité, et serait plutôt une référence *ad hominem*, destinée au démocrate Anytos[4].

En revanche, la comparaison entre le *Ménon* et les dialogues voisins est particulièrement instructive, surtout si l'on considère le *Gorgias* et l'*Euthydème*.

On trouve dans le *Ménon* comme dans le *Gorgias* plusieurs traces de l'influence orphico-pythagoricienne probablement liée à la première visite de Platon en Sicile (389/387)[5]. Par ailleurs, le jugement porté sur les hommes d'Etat athéniens dans le *Ménon*, et dont on a vu qu'il semble plus clément que dans le *Gorgias*, a induit de nombreux commentateurs à situer entre les deux dialogues la date de la publication d'un pamphlet de Polycrate, l'*Accusation de Socrate*, où l'orateur prenait, semble-t-il, la défense des Athéniens et accusait Socrate d'avoir causé la corruption d'Alcibiade[6]. On expliquerait ainsi pourquoi Platon, ayant entendu la leçon de Polycrate, se montrerait plus bienveillant dans le *Ménon*. Un argument comparable sert aussi à supposer que Platon aurait tenu compte du pamphlet d'Eschine de Sphettos, intitulé *Alcibiade*, où on voyait Socrate féliciter Thémistocle et

Réminiscence sont reprises de façon plus élaborée et assortie de l'hypothèse de l'existence des Formes, cf. *supra* pages 258 et 259, notes 122 et 125 ; pour le rapport avec le *Protagoras*, cf. *supra* page 50, notes 83 et 84.

3. La suggestion de Croiset 231 selon laquelle c'est pour rappeler la mise à mort récente d'Isménias (en 382) que Platon y fait allusion dans le *Ménon*, ce qui repousserait la date de composition du dialogue après 382, est peu convaincante.

4. Sur l'interprétation de cette allusion, cf. *supra* pages 293-294, notes 231 et 232.

5. Sur la date du *Gorgias*, cf. notre *Platon, Gorgias* (cité page 214, note 11) 51 ; pour une conception plus critique, voir M. I. Finley, *La Sicile antique*, 1979 2nd ed., tr. fr., Paris, Macula, 1986, 97-102.

6. Sur ce pamphlet, Isocrate, *Busiris* 5, Xénophon, *Mémorables* I, 2, 12, Libanius 132-147, 155 ; cf. *supra* page 294, note 232. Et M. Raoss, « Ai margini del processo di Socrate », in *Seconda Miscellanea Greca e Romana*, Studi Pubbl. Istituto Italiano per la Storia Antica, XIX, Rome, 1968, 259-291. Sur le discours que Lysias aurait composé pour justifier Socrate, voir les témoignages cités par G. Giannantoni, *Socratis et Socraticorum Reliquiae*, vol. I, Naples, Bibliopolis, 135-137.

déclarer se fier à l'inspiration divine [7]. A cela, Platon aurait également répliqué dans le *Ménon* en faisant dire à Socrate que ce sont les hommes d'Etat, et non Socrate, qui se laissent guider par une telle faveur divine.

Mais ce ne sont là que conjectures. Nous n'avons aucun élément précis qui permette de dater avec certitude ces deux pamphlets, sinon l'hypothèse douteuse selon laquelle Platon aurait été amené, dans un cas, à atténuer sa critique des hommes politiques, et dans l'autre cas, à rétorquer dans les termes mêmes dont se serait servi le calomniateur de Socrate. Si la critique est moins violente dans le *Ménon* que dans le *Gorgias*, elle ne l'est qu'en apparence. La *Lettre VII* nous enseigne que le jugement de Platon sur les hommes politiques de son temps était formé dès la mort de Socrate [8], et il n'y a aucune raison de penser que le pamphlet de Polycrate ait contribué à le modifier. Quant à l'expression « inspiration divine », Platon l'a déjà utilisée et n'a nul besoin de l'emprunter à Eschine [9].

Il reste que ces deux pamphlets sont vraisemblablement contemporains des années où furent écrits le *Ménon* et le *Gorgias*. Indépendamment d'une datation respective des deux dialogues à l'aide de ces pamphlets, de nombreux éléments pèsent en faveur de l'antériorité du *Gorgias* sur le *Ménon*. En effet, dans le *Ménon*, la connaissance est présentée comme propriété de l'âme, alors que le *Gorgias* reste imprécis sur la nature de l'âme. Le *Ménon* témoigne aussi d'un certain approfondissement dans la recherche de l'essence réelle d'une chose, alors que l'enquête sur la nature de la rhétorique dans le *Gorgias* reste plus rudimentaire. La thèse de la Réminiscence et de la connaissance prénatale, celle aussi de la « démonstration » de l'antériorité de l'âme sont présentées dans le *Ménon* de façon assez élaborée et surtout établissent une claire continuité avec les dialogues ultérieurs. Enfin, la substitution progressive des procédures de recherche d'inspiration mathématique à la réfutation socratique sera chose faite dans des dialogues plus tardifs et confirmerait la position charnière du *Ménon*.

En revanche, la datation respective du *Ménon* et de

7. Dittmar (*op. cit.* page 300 note 261), fr. 8, 11a, 11c.

8. *Lettre VII* 324c-326b, et le même jugement se retrouve dans des textes postérieurs au *Ménon*, cf. *République* VI 488 b-e.

9. Cf. *Ion* 534c, 535a, 536c-d, 542a, à propos des rhapsodes, poètes, et des devins que le *Ménon* (99e) semble aussi associer aux hommes politiques.

l'*Euthydème* est plus délicate. On a rapproché certains sophismes de l'*Euthydème* et l'argument éristique du *Ménon*, et on a remarqué que l'*Euthydème* fait allusion à une forme de la réminiscence [10], mais on ne retrouve nulle part dans ce dialogue la richesse et la complexité du *Ménon*. Par ailleurs, si les deux dialogues traitent des liens entre le bien et le savoir, la thèse selon laquelle le savoir est le plus grand des biens semble aller de soi dans le *Ménon*, alors qu'elle est démontrée dans l'*Euthydème* (280b). En abordant la question de savoir si la science est partout le principe d'une juste direction, le *Ménon* paraît également se référer à un argument dont on trouve un exposé complet dans l'*Euthydème* (279e-281e). Enfin, on peut opposer, dans ce dernier dialogue, la facilité avec laquelle Clinias affirme que le savoir s'enseigne aux longues discussions (282c) qui, dans le *Ménon*, sont consacrées à cette question.

Ces remarques induiraient à admettre l'antériorité de l'*Euthydème* sur le *Ménon* puisque, dans l'ensemble, des difficultés mentionnées dans l'*Euthydème* trouvent un traitement plus complet dans le *Ménon*, et que, d'autre part, l'*Euthydème* comporte un ensemble d'arguments qui seront partiellement repris sans plus de détail dans le *Ménon*. On soulignera aussi les différences de ton entre ces dialogues. L'*Euthydème* est un dialogue de critique et de polémique, et il partage ce trait avec la plupart des premiers dialogues de Platon. Tandis que le *Ménon* est plus serein, semblant même reconnaître une valeur limitée à l'action des sophistes et des hommes politiques et montrant déjà cette forme de détachement qui marque les dialogues plus tardifs.

En adoptant comme ordre de composition la succession suivante : le *Gorgias*, l'*Euthydème*, le *Ménon*, en admettant aussi que le pamphlet que nous avons mentionné (l'*Accusation de Socrate*) a sans doute été composé au cours de cette même période, la date la plus plausible de la composition du *Ménon* se situerait aux alentours de 385 [11].

---

10. 276d-e, 293b-d, 296c, 301e.
11. Comme le pensent presque tous les commentateurs, Taylor étant une exception notable (A. E. Taylor, *Plato, the Man and his Work*, 6th ed., London, 1949, 130 ; on trouvera une bonne analyse de la position de Taylor dans Sharples 3-4). Pour ce qui a trait à l'*Alcibiade* d'Eschine de Sphettos, nous n'avons aucun indice véritable sur sa date, pas davantage sur ses rapports avec le *Gorgias* ou avec le pamphlet de Polycrate.

Mais il est clair que la définition d'une telle date a quelque chose de conventionnel. En effet, étant donné l'absence presque totale de sources fiables sur la chronologie détaillée des dialogues de Platon, les principaux éléments de datation dont nous disposons viennent des dialogues. Or ces éléments ne nous indiquent jamais une date. Ils nous permettent seulement d'établir une chronologie comparée des dialogues (en se fiant essentiellement aux similitudes et aux différences qui apparaissent dans l'ordre des thèmes, des questions, des procédés d'exposition, et en tenant compte du fait que Platon n'est aucunement tenu d'utiliser une découverte philosophique dans les dialogues qui lui sont immédiatement ultérieurs). Mais ces éléments de datation nous rendent aussi capables d'apprécier le réarrangement ou la réorientation de pensée dont un dialogue peut témoigner. Nous avons assez longuement expliqué pourquoi le *Ménon* a cette valeur de « tournant » pour que, quelle que soit la date précise à laquelle ce dialogue a été écrit, cette date ait été celle d'un réel redéploiement de la pensée platonicienne.

ANNEXE II

ARRIÈRE-FOND HISTORIQUE DU *MÉNON* : ATHÈNES, LA THESSALIE ET LA ROUTE DE LARISSE

La Thessalie du VIIᵉ au Vᵉ siècle

La Thessalie représente, au VIIᵉ siècle, le pouvoir militaire le plus considérable en Grèce. Son histoire se ramène en grande partie à l'évolution de son système d'alliances. Elle a été au VIᵉ siècle favorable à la Perse, puis dut se rapprocher d'Athènes, dès que son expansion vers le Sud se heurta aux ambitions de la Ligue Péloponnésienne, conduite par Sparte. A partir du Vᵉ siècle, l'hostilité que la Thessalie connut de la part de Sparte devint un facteur permanent de son histoire. Cette hostilité donnera lieu à des conflits ouverts, elle conduira aussi Sparte à susciter des mouvements séditieux oligarchiques destinés à s'opposer aux familles aristocratiques dominantes à Larisse et à Pharsale, les deux principales villes de Thessalie.

La Thessalie était composée en effet d'un ensemble de villes dispersées, gouvernées par des aristocraties locales, dont les représentants se retrouvaient lors de réunions plénières. Là se décidait essentiellement la politique étrangère. Les décisions étaient ensuite exécutées par un chef investi d'une forme d'autorité « nationale », mais dont le pouvoir n'était sans doute pas héréditaire [1].

A la fin du Vᵉ siècle, la Thessalie était considérée comme un état semi-barbare, dont la noblesse [2], de tempérament

1. Morrison 59, et H. D. Westlake, *Thessaly in the fourth Century*, Londres, Methuen, 1935 25-27. Et aussi Hérodote V 63, VII 6, Pindare, *Pythiques* X 471.
2. D'après la description de G. Grote (*History of Greece* II, 3, 36, 51). Voir aussi M. Sordi, *La Lega Tessala fino ad Alessandro Magno* (Studi Pubblicati dall' Istituto per la Storia Antica, n° 15, Rome, 1958, 101 n° 1).

violent, avait la réputation d'être sans réelle « habitude de la discussion politique et du compromis, mais en même temps généreuse dans l'hospitalité ». Cette réputation est confirmée par le *Criton*, où l'on voit Criton proposer à Socrate de fuir en Thessalie et Socrate s'y refuser, les Lois d'Athènes lui ayant rappelé que « là-bas (en Thessalie), il y a beaucoup de désordre (*ataxía*) et de licence (*akolasía*)[3] ».

La situation de relatif isolement de la Thessalie s'explique sans doute par le fait qu'elle s'est trouvée, à cause de sa situation géographique, tenue à l'écart des grands courants du commerce grec[4]. Toutefois, à partir du Ve siècle, la monnaie se répand peu à peu, et commence, dans ce pays exclusivement agricole, une relative urbanisation, qui fournira la condition économique favorable au développement des partis oligarchiques, lesquels vont de plus en plus souvent s'opposer aux aristocraties locales. Enfin, la richesse de la Thessalie a probablement attiré plus d'un rhéteur et sophiste. On sait, par exemple, que Gorgias y a longtemps vécu.

Ve siècle / IVe siècle : l'alliance avec la Perse, la Thessalie entre Sparte et Athènes

Larisse, ville « capitale » de la Thessalie, avait vu au début du VIe siècle la destruction quasi totale d'une des deux familles jusque-là dominantes, la famille des Scopades[5]. Le

---

3. 45c, 53d et Xénophon, *Mémorables* I, 2, 24 (lorsque Critias, qui sera un des Trente tyrans, s'enfuit en Thessalie en 411, après le rétablissement de la démocratie, il y trouva des hommes plus familiers de l'absence de loi (*anomía*) que de la justice). Voir F. Stählin, *Das Hellenische Thessalien*, Stuttgart, 1924, 191-226.

4. Cf. B. Helly, « Le " Dotion Pedion ", Lakéreia et les origines de Larissa », *Journal des Savants*, juil. / déc. 1987, 127-158 ; et aussi : « Le Territoire de Larisse : ses limites, son extension, son organisation », *Ktema* 9, 1984, 213-234. Remarquons que seule la ville de Phères qui, avec son port Pagase, contrôlait le commerce du pays, semble avoir eu un développement normal jusqu'à la fin du Ve siècle, quand elle devint une tyrannie et s'opposa au reste de la Thessalie dominée par Larisse.

5. Dans le *Threnos*, chant funèbre, Simonide aurait rappelé cette fin. En effet, alors qu'il prononçait devant le roi Scopas, à l'occasion d'un banquet, le poème *Epinikion*, où il faisait aussi l'éloge des Dioscures, Castor et Pollux, Scopas lui aurait dit n'être redevable que de la moitié du poème, les Dioscures devant se charger de payer l'autre moitié. Peu après, on fit dire à Simonide que deux jeunes gens

pouvoir alla donc à l'autre famille, celle des Aleuades, notoirement favorable à la Perse. Lorsqu'au printemps 480, au cours de la deuxième guerre médique, Xerxès envahit la Grèce, les Aleuades le soutinrent[6]. Mais, au même moment, un groupe de Thessaliens[7] se présenta au Congrès de tous les Grecs de l'Isthme pour implorer ceux-ci de s'opposer aux envahisseurs perses et de tenir la ville de Tempe. Pourtant, lorsque les Grecs durent abandonner Tempe, ce mouvement antiperse s'affaiblit, et les mêmes Thessaliens, qui avaient sollicité l'aide des Athéniens, se rangèrent derrière les Aleuades properses.

Après le double échec des guerres médiques (que les Perses ont menées contre la Grèce), la Perse n'est plus force dominante, et la stratégie des alliances se fait désormais entre Sparte et Athènes. Quand la Thessalie se trouva menacée par Sparte[8], elle se tourna donc vers Athènes.

En 476/7, un Ménon de Pharsale, sans doute le grand-père de notre Ménon, fut récompensé, à la suite de services rendus à Athènes, par la citoyenneté athénienne[9]. Mais les nouvelles sympathies de la Thessalie envers Athènes n'ont probablement pas remis en cause ses anciens liens avec les Perses[10]. Du côté athénien, la recherche d'une alliance avec la Thessalie se justifiait dans la perspective de la guerre à venir[11], qui imposait de compter appuis et alliés, et elle était d'autant plus précieuse que la Thessalie occupait une position stratégique entre la Macédoine et le sud de la Grèce car

l'attendaient en dehors du palais et désiraient lui parler. Au moment où il les rejoignit, le palais s'effondra et Scopas et sa famille furent tués (cf. Cicéron, *De l'Orateur* II, 86, et Morrison 60). Ce récit témoigne peut-être de l'existence d'un complot d'inspiration oligarchique destiné à porter atteinte aux familles dominantes de Larisse.

6. Hérodote, IX 1 et VII 172.

7. Dont peut-être des gens de Pharsale ; cf. H. D. Westlake, « The Medism of Thessaly », *Journal of Hellenic Studies*, LVI, 1936, 12. La force envoyée à la suite de cette requête n'arriva pas à Pagase, principal port de Thessalie, mais dans le territoire d'Achaia Phthiotide.

8. Hérodote VI,72,1 ; et Plutarque, *Vie de Thémistocle* 20,1.

9. Cf. *supra Introduction* 19.

10. Il y a tout lieu de penser (cf. Morrison 62 n.5) que ce Ménon de Pharsale, en même temps qu'il recevait la citoyenneté athénienne, restait lié aux Perses : cela expliquerait pourquoi son petit-fils, le Ménon de notre dialogue, soit dit *patrikòs xénos* du roi de Perse (78d).

11. Démosthène *Contre Aristocrate*, 120, 199 ; Thucydide I,102,4.

elle fournissait des auxiliaires en cavaliers et aurait pu être utile au ravitaillement. En même temps que l'influence athénienne progressait en Thessalie, Sparte parvint peut-être à susciter, à Larisse, un parti pro-spartiate[12], oligarchique et anti-aristocratique. Un parti oligarchique semble également avoir pris le pouvoir au même moment à Pharsale, ce qui provoqua le bannissement d'Oreste, « roi des Thessaliens[13] », mais l'armée athénienne fut empêchée d'aller rétablir Oreste sur son trône.

La Thessalie pendant la guerre du Péloponnèse et au début du IVe siècle

Au début de la guerre du Péloponnèse (431), les partis aristocratiques (pro-athéniens) semblent être de nouveau dominants en Thessalie. En effet, les cités thessaliennes envoyèrent des contingents (l'un d'eux fut commandé par un Ménon de Pharsale, sans doute oncle de notre Ménon) qui aidèrent Athènes en diverses occasions[14].

En 426, en réponse à l'appel des cités du nord de la Grèce qui se voyaient menacées par la politique d'expansion de la Thessalie voisine, Sparte établit la colonie d'Héraclée, non loin de Thermopyles, colonie destinée à contrôler la route vers le nord de la Thessalie[15]. Les Spartiates voulaient ainsi menacer les intérêts athéniens en Eubée et en Thrace, créer une menace contre Pharsale et encourager les partis oligarchiques qui s'étaient créés dans les grandes villes de Thessalie.

Cette politique fut vite fructueuse, puisqu'en 424[16], le général spartiate Brasidas, partant d'Héraclée, n'eut aucun mal à traverser toute la Thessalie, probablement grâce à l'aide du parti oligarchique établi à Pharsale (grâce à l'aide aussi peut-être de Niconidas de Larisse), pour gagner la Macédoine. Or, une expédition de ce genre était fort périlleuse, elle avait déjà été tentée en vain, les essais précédents s'étant soldés par le massacre des garnisons qui s'aventuraient sur la route de Pharsale à Larisse. Ce que la

---

12. Qui semble s'être manifesté à la bataille de Tanagra en 457, lorsque le corps expéditionnaire thessalien censé aider les Athéniens a fait défection (cf. Thucydide I, 107 *in fine*).

13. Thucydide I, 101, 1.

14. Thucydide II, 22, 2-3.

15. Thucydide III, 92, 1-3, Diodore XII 59.

16. Pour le récit de l'expédition et l'exposé de sa valeur symbolique, Thucydide IV, 78, 1-6.

situation géographique de ces deux villes permet d'expliquer.

« Pharsale est située à l'extrémité sud-est de la plaine et s'appuie contre les montagnes. Un superbe rocher avec une double crête en forme de selle, se dresse, abrupt, de la plaine, et fournit un acropole si redoutable que, si la tromperie n'avait trop souvent réduit à rien sa force naturelle, il serait demeuré imprenable dans l'Antiquité... A l'est, la vallée va vers Pagase et vers Phères, tandis que la route principale qui vient du sud passe sous l'Acropole et sur la plaine, en direction de Larisse et de la Macédoine [17]. » Il faut souligner que la route ainsi décrite est peut-être « la route de Larisse », celle-là même qu'évoque Socrate à la fin du *Ménon*. Cette route avait été, jusqu'à l'expédition de Brasidas, le moyen de défense naturel de la Thessalie. L'allusion de Socrate rappelle donc sans doute à Ménon un épisode particulièrement décisif de l'histoire de son pays [18].

Un peu plus tard, par mesure de résistance à la nouvelle offensive spartiate, Pharsale envoie son *proxenos* (une sorte de représentant officiel), Thucydide de Pharsale, à Athènes (411), pour chercher sans doute de l'aide contre les partis pro-spartiates [19] qui la menaçait. A Athènes, Thucydide aurait empêché, semble-t-il, l'éclatement de la guerre civile [20], et a ainsi pu contribuer à créer à ce moment-là une alliance Pharsale-Athènes [21]. Par ailleurs, dès les années 420, la Thessalie du Nord a dû compter avec son voisin septentrional, la Macédoine. Si Perdiccas, roi de Macédoine, cantonne les Spartiates à Héraclée [22], il installe au pouvoir à Larisse une famille pro-macédonienne. Celle-ci ne fut expulsée

17. Westlake, *Thessaly* 12 ; B. Helly, « Dotion Pedion », 144-145.

18. On pourrait même voir une ironie extrême dans le fait que Socrate fasse de la capacité de trouver cette route (qui avait été historiquement ouverte par trahison) une forme exemplaire de la réussite de l'action inspirée par l'opinion vraie. Sur les routes du nord de la Grèce, voir W. K. Pritchett, *Studies in Ancient Topography* III, University of California Press, 1980, 219-223, 275-281.

19. Ce nom de Thucydide donné à un homme originaire de Pharsale est sans doute un hommage au héros athénien.

20. Thucydide VIII 92, 8 : « Thucydide de Pharsale, proxène d'Athènes, qui était là et qui, sans se lasser, arrêtait chacun en l'adjurant de ne pas causer la perte de sa patrie... on parvint à rétablir le calme et à empêcher les deux camps de se heurter. »

21. *Tò palaiòn xummakhinòn* ; Thucydide II, 22, 3.

22. Thucydide IV, 132, 1-3.

qu'après la mort de Perdiccas, mais au profit d'une oligarchie pro-spartiate. Pourtant peu de temps après, le clan aristocratique était de nouveau rétabli à Larisse, tandis que le pouvoir de la famille de Ménon se confirmait à Pharsale.

Le 3 septembre 40, après l'effondrement du pouvoir athénien, Lycophron, tyran de Phères, ville côtière particulièrement bien située, entreprit de dominer l'ensemble de la Thessalie[23]. S'opposant à l'aristocratie traditionnelle, Lycophron a dû sans doute bénéficier de l'appui des Spartiates qui voyaient en lui un moyen d'assurer leur influence en Thessalie. Les nombreuses victoires de Lycophron ont dû mettre en difficulté la maison des Aleuades, dominante à Larisse. La maison des Aleuades étant depuis longtemps liée aux Perses, il n'y a rien d'étonnant à ce qu'Aristippe, un des chefs des Aleuades, ait proposé son aide à Cyrus en échange d'un appui éventuel contre Lycophron[24]. D'autre part, dans la résistance à Lycophron, le rôle de Pharsale devenait décisif, puisque cette ville assurait la communication entre Phères et la base spartiate d'Héraclée. Comme l'aristocratie dominante à Pharsale a dû se sentir également menacée, elle s'est sans doute tournée vers Athènes, et y envoya notre Ménon, de la famille de Ménon de Pharsale, récompensé par la citoyenneté athénienne quelques décennies plus tôt.

Le moment de cette visite de Ménon à Athènes est l'élément décisif dont nous disposons pour tenter de fixer la date dramatique du *Ménon*.

---

23. Xénophon, *Helléniques* II, 3, 4 : et Diodore XIV, 82.5.

24. Cf. *supra* page 121, l'expression « les opposants de l'intérieur » se réfère aux partisans de Lycophron (sens mis au point de H. W. Parke : *Greek Mercenary Soldiers from the earliest Times to the Battle of Ipsus*, Oxford, 1933, 25 n. 5). Apparemment, les systèmes d'alliances n'empêchaient pas qu'on fût ami de deux ennemis : Cyrus était lui aussi un pro-spartiate, ami de Lysandre, bien qu'il se soit sans doute engagé à soutenir Aristippe contre des menées oligarchiques inspirées par Sparte.

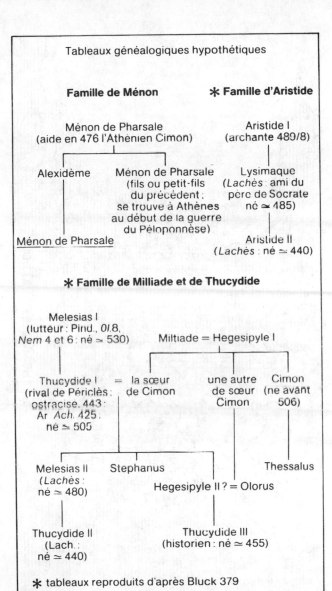

Tableaux généalogiques hypothétiques

Famille de Ménon   **✶ Famille d'Aristide**

Ménon de Pharsale   Aristide I
(aide en 476 l'Athénien Cimon)   (archante 489/8)

Alexidème   Ménon de Pharsale   Lysimaque
             (fils ou petit-fils   (*Lachès* : ami du
             du précédent ;   père de Socrate
             se trouve à Athènes   né ≃ 485)
             au début de la guerre
             du Péloponnèse)

Ménon de Pharsale   Aristide II
                                     (*Lachès* : né ≃ 440)

✶ Famille de Milliade et de Thucydide

Melesias I
(lutteur : Pind., *Ol.* 8,
Nem 4 et 6 : né ≃ 530)   Miltiade = Hegesipyle I

Thucydide I   = la sœur   une autre   Cimon
(rival de Périclès : de Cimon   de sœur   (ne avant
ostracisé. 443 :   Cimon   506)
Ar *Ach.* 425 .
né ≃ 505

Melesias II   Stephanus   Thessalus
(*Lachès* :
né ≃ 480)   Hegesipyle II ? = Olorus

Thucydide II   Thucydide III
(Lach. :   (historien : né ≃ 455)
né ≃ 440)

✶ tableaux reproduits d'après Bluck 379

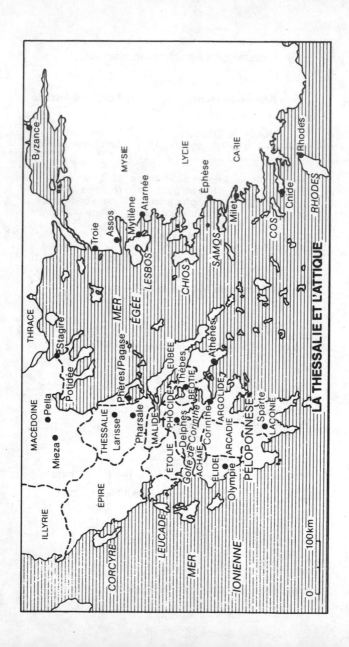

LA THESSALIE ET L'ATTIQUE

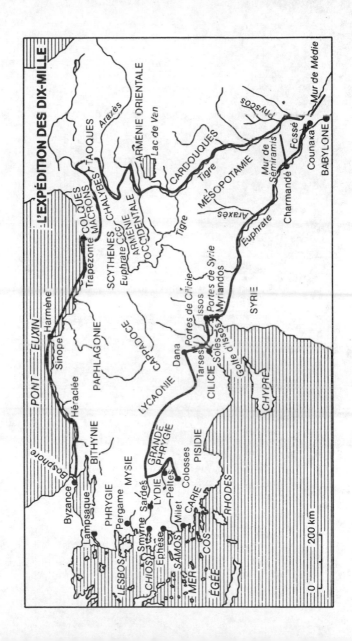

L'EXPÉDITION DES DIX-MILLE

CHRONOLOGIE

Socrate	Platon	Événements politiques et militaires
		750-580 : Colonisation grecque notamment en Sicile.
		508 : Réformes démocratiques à Athènes.
		499-494 : Révolte de l'Ionie contre les Perses. Athènes envoie des secours.
		490-479 : Guerres médiques
		490 : Bataille de Marathon.
		480 : Bataille des Thermopyles.
		480 : Victoire de Salamine. Victoire des Grecs de Sicile sur les Carthaginois à Himère.
		478-477 : Formation de la Confédération de Délos. Elle durera jusqu'en 404.
470 : Naissance de Socrate, dix ans après la bataille de Salamine.		
		459 : Guerre de Corinthe contre Athènes.
		449/448 : Paix dite « de Callias » entre Athènes et les Perses.
		447 : Bataille de Coronée.

Socrate	Platon	Événements politiques et militaires
		446 : Paix dite « de Trente Ans », qui durera quinze ans (446-431).
441-429 : Socrate semble avoir des liens avec l'entourage de Périclès (avec Aspasie, Alcibiade, Axiochos, Callias).		
		435 : Guerre de Corinthe contre Corcyre et alliance de Corcyre et d'Athènes.
		432 : Révolte de Potidée (432-429).
		431-404 : Guerres du Péloponnèse.
430 : Hoplite à Samos.		**430-426** : Peste à Athènes.
429 : Socrate sauve la vie d'Alcibiade à la bataille de Potidée.		**429** : Mort de Périclès et rivalité entre Cléon (belliciste) et Nicias (pacifiste). Capitulation de Potidée.
	428-427 : Naissance de Platon.	**428-427** : Révolte de Mytilène.
423 : Les *Nuées* d'Aristophane. À un âge mûr, Socrate se marie avec Xanthippe dont il aura trois fils.		**421** : Nicias négocie la paix dite « de Nicias ».
		415-413 : Expédition de Sicile sous le commandement de Nicias, de Lamachos et d'Alcibiade. La mutilation des Hermès.
414 : Socrate sauve la vie de Xénophon à la bataille de Délium.		**414** : Trahison d'Alcibiade, qui gagne Sparte.
		412 : Révolte de l'Ionie et alliance entre Sparte et la Perse.
		411 : Révolution des « Quatre Cents » puis des « Cinq Mille ».
		410 : La démocratie est rétablie à Athènes.
		407 : Retour d'Alcibiade à Athènes.
406/405 : Socrate, président du Conseil. Le procès des Arginuses.		**406** : Défaite d'Alcibiade à la bataille de Notion.
		405 : Denys Ier, tyran de Syracuse.

Socrate	Platon	Événements politiques et militaires
404 : Socrate refuse d'obéir aux Trente et d'arrêter Léon de Salamine.		**404** : Lysandre impose la paix à Athènes et institue les « Trente Tyrans ». **403** : La démocratie est rétablie à Athènes.
399 : Socrate est accusé d'impiété, de corruption de la jeunesse et de pratique de religions nouvelles, par Anytos, chef de la démocratie restaurée par la révolution de 403. Il est condamné à mort. Il attend le retour du bateau sacré de Délos avant de boire la ciguë.	**399-390** : Platon rédige l'*Hippias mineur*, l'*Ion*, le *Lachès*, le *Charmide*, le *Protagoras* et l'*Euthyphron*.	
		395-394 : Sparte assiège Corinthe.
	394 : Peut-être Platon prit-il part à la bataille de Corinthe. **390-385** : Platon rédige le *Gorgias*, le *Ménon*, l'*Apologie de Socrate*, le *Criton*, l'*Euthydème*, le *Lysis*, le *Ménexène* et le *Cratyle*. **388-387** : Voyage de Platon en Italie du Sud où il rencontre Archytas, et à Syracuse, où règne Denys Ier. **387** : Retour de Platon à Athènes, où il fonde l'Académie.	
		386 : Paix dite « du Roi » ou « d'Antalcidas ».
	385-370 : Platon rédige le *Phédon*, le *Banquet*, la *République* et le *Phèdre*.	
		382 : Guerre de Sparte contre Athènes. **378** : Guerre d'Athènes-Thèbes contre Sparte. **376** : Athènes est maîtresse de la mer Égée. La ligue béotienne est reconstituée. **375** : Flotte d'Athènes dans la mer Ionienne. **371** : Thèbes bat Sparte à Leuctres : fin de la su-

Socrate	Platon	Événements politiques et militaires
		prématie militaire de Sparte.
	370-347/6 : Platon rédige le *Théétète*, le *Parménide*, le *Sophiste*, le *Politique*, le *Timée*, le *Critias* et le *Philèbe*.	
	367-366 : Platon vient à Syracuse pour exercer, à la demande de Dion, une influence sur Denys II qui a succédé à son père. Dion est exilé.	**367** : Mort de Denys I⁰ʳ. Denys II, tyran de Syracuse.
	361-360 : Dernier séjour à Syracuse.	
	360 : Platon rencontre Dion qui assiste aux jeux Olympiques. L'exilé lui fait part de son intention d'organiser une expédition contre Denys II.	
		359 : Philippe II, roi de Macédoine, père d'Alexandre le Grand (359-336).
		357 : Guerre des alliés (357-346). Départ de l'expédition de Dion contre Denys II.
		354 : Assassinat de Dion.
	347-6 : Platon meurt. Il est en train d'écrire les *Lois*.	
		344-337/6 : Timoléon en Sicile.
		338 : Bataille de Chéronée.
		336 : Philippe assassiné. Alexandre le Grand, roi de Macédoine (336-323).

N.B. : En Grèce ancienne, on comptait les années comme années d'Olympiades. Or les jeux Olympiques avaient lieu au mois d'août. D'où le chevauchement de l'année grecque sur deux de nos années civiles, qui commencent début janvier.

Par ailleurs, la périodisation des œuvres de Platon que nous proposons n'est qu'approximative : rien n'assure que l'ordre de la composition des dialogues correspond à l'ordre dans lequel nous les citons à l'intérieur d'une même période.

INDEX DES NOMS PROPRES

On trouvera dans cet index les principales occurrences des noms propres antiques le plus souvent cités dans l'*Introduction* et dans les *Notes*. Pour le texte du *Ménon*, on pourra consulter L. Brandwood, *A Word Index to Plato* (Leeds, Maney and sons, 1976).

Les chiffres renvoient aux pages de ce livre, les chiffres précédé: de n. aux notes.

INDEX DES NOMS COMMUNS

On trouvera dans cet index les noms communs français et grecs qui font l'objet d'un commentaire dans l'*Introduction* et dans les *Notes*.

TABLE

TABLE 349